El dolor invisi

M000236213

Terapia familiar

Últimos títulos publicados:

Jorge Barudy Labrin

El dolor invisible
de la infancia

Una lectura ecosistémica del maltrato infantil

PAIDÓS

Barcelona
Buenos Aires
México

Cubierta de Mario Eskenazi

1ª edición, enero 1998
14ª impresión, febrero 2016

© 1998 Jorge Barudy
© 1993 de todas las ediciones en castellano,
   Espasa Libros, S. L. U.,
   Avda. Diagonal, 662-664. 08034 Barcelona, España
   Paidós es un sello editorial de Espasa Libros, S. L. U.
   www.paidos.com
   www.planetadelibros.com

ISBN: 978-84-493-0494-1
Depósito legal: B. 8.428-2011

Impreso en Promotion Digital Talk, S. L.

El papel utilizado para la impresión de este libro es cien por cien libre de cloro
y está calificado como papel ecológico

Impreso en España – *Printed in Spain*

A mis hijos Jorge, Gloria y Tania, y a Gloria, la madre de mis hijos, que con sus presencias me ayudaron a sobrevivir.

A mis padres, que nos dieron el amor que incluso ellos no recibieron.

A las niñas y niños mártires de todos los tiempos y de todos los países.

SUMARIO

AGRADECIMIENTOS

Si bien es cierto que este libro es el resultado de mi escritura, su contenido es el resultado de una experiencia colectiva.

Por eso agradezco en primer lugar a las niñas, niños y familias que encontré en el marco de mi trabajo en el equipo «SOS Enfants-Famille» de la Universidad Católica de Lovaina, que me permitieron conocer el contenido de sus dramas, pero sobre todo de sus recursos y esperanzas.

Me siento profundamente agradecido al profesor Frans Baro, de la Katholieke Universiteit van Leuven, que me brindó su confianza y su amistad y a quien debo mi formación como psiquiatra y una parte de mi reconstrucción personal.

Vaya mi agradecimiento también a mis colegas del equipo «SOS Enfants-Famille», de la Universidad Católica de Lovaina, a mis compañeros del equipo de Exil: Centro médico psicosocial para refugiados políticos y víctimas de la tortura, a mis colegas docentes y formadores del Programa de formación y de investigación en enfoque sistémico y terapia familiar, así como a mis amigos y colegas de los equipos españoles y latinoamericanos de protección infantil. Todos ellos y muchos más son parte de mi «cuerpo social» de donde emergen mis experiencias clínicas, mis ideas y mi compromiso ético-profesional.

Agradezco vivamente a Mónica Hermosilla, chilena, hija de madre belga, que vivió como exiliada en Bélgica, que tradujo mis textos originales del francés al español, siendo yo un chileno, de padres chilenos.

Por último, toda mi gratitud a Maryorie Dantagnan, que dactilografió y corrigió mi manuscrito impregnándolo de amor.

PRÓLOGO*

En las últimas líneas de este volumen Jorge Barudy nos dice que su objetivo es «asociarse a las reflexiones y las luchas de los que continúan defendiendo los derechos humanos, y particularmente los de los niños, en cualquier lugar del mundo». Ya que me esfuerzo, según mis posibilidades, por pertenecer al grupo de éstos, me siento muy orgulloso de participar, en el último lugar, en la trayectoria geográfica, histórica y cultural que este libro describe: desde Chile hasta Bélgica y España, atravesando también Italia con este prólogo.

Uno de los puntos clave del trabajo de Barudy consiste en hacer un llamamiento a la responsabilidad de los «terceros», de quien es testigo en silencio, inerte, de los malos tratos, de la negligencia, del abuso, pero también de quien se compromete activamente, en el nivel emotivo y ético, por la prevención, la protección y el cuidado.

Los trabajadores de los servicios sociosanitarios españoles, el público a quien se dirige esta obra, con quienes he tenido el placer y el privilegio de encontrarme con relativa frecuencia, son, a mi parecer, personas profundamente motivadas para comprometerse apasionadamente en este frente. Ellos encontrarán en Barudy a una persona que, como realizador de una práctica de redes, sabe cómo movilizarlos y organizarlos de un modo eficaz y sinérgico, pero también a una persona que los comprende y los respeta.

En efecto, no es raro encontrar en el trabajo sociosanitario sobre los malos tratos a formadores o especialistas que, a mi juicio, se sitúan de una forma ambigua frente a los colegas que hacen un trabajo de base, de primera línea.

---

* Traducción de Ramón Alfonso Díez Aragón.

A veces la forma en que esas personas interpretan el concepto sistémico —«hay que intervenir sobre el sistema que determina el problema»— es sutilmente culpabilizadora hacia los trabajadores de base. Parece como si dijeran que, si la familia es crónica (o maltratadora o negligente), la culpa es del trabajador social, o del médico de familia o del terapeuta, que no han sabido ver, que no se han situado de una forma correcta, que han respondido de un modo homeostático, etcétera.

Mi impresión es que en estos casos nos encontramos frente a un mecanismo de defensa del contacto con el profundo sufrimiento que se anida en una familia y, por tanto, con la perturbadora patología que la atraviesa.

Esta tentación de negar la violencia y el dolor que atormentan a algunas familias no está presente en el libro de Barudy: y es así precisamente porque no minimiza el drama de la violencia que se puede ligar al sufrimiento de cada persona, sea víctima, cómplice o perseguidor.

Su concepción de una óptica sistémica, por tanto, no significa absolver a la familia de la culpa y proyectarla en la sociedad: significa, en cambio, individuar en el ámbito social circuitos de responsabilidad colectiva que constituyen la base tanto de los fenómenos violentos como de los impulsos reparadores.

A mí, como italiano, me resulta particularmente interesante la diferencia semántica que Barudy propone entre perdón y «exoneración».[1] Alice Miller ha dicho que uno de los errores más graves de muchos terapeutas familiares es el de empujar apresuradamente al paciente (hijo herido y dañado de diversas formas) para que se reconcilie con sus padres.

En cambio, Barudy propone un trabajo serio y gradual (en una terapia *individual* sistémica que resulta muy convincente) hacia un doble reconocimiento. Por lo que respecta a la víctima, cuyos procesos, también los cognitivos, están deformados por el proceso mismo de victimización, se trata de acompañarla en la toma de conciencia de la gravedad del daño sufrido y de la legitimidad de sus sentimientos de odio y de venganza. Por lo que respecta al perseguidor, se trata de guiarlo hacia el reconocimiento del dolor infligido a la víctima y de la existencia en él mismo de defectos estructurales, sean de la conciencia moral o de los procesos de vínculo, defectos que no son congénitos, sino que están ligados a las expe-

---

1. El autor del prólogo añade que en italiano no existe la palabra «esonerazione». [N. del t.]

riencias que ha vivido en la infancia y la adolescencia. Sólo a partir de estos procesos paralelos de toma de conciencia se podrá llegar en algún caso a una reconciliación que no ofenda la dignidad de la víctima ni falsifique la realidad.

En un artículo reciente publicado en la primera página del *Corriere della Sera*, un periodista atento y sensible, Gianni Riotta, se preguntaba por la posibilidad de contribuir a la recuperación moral y social de nuestro país, apesadumbrado por misterios no resueltos de los años del terrorismo, siguiendo el ejemplo de la Comisión sudafricana por la verdad y la reconciliación. Esta Comisión puede garantizar la amnistía a todo aquel que confiese los crímenes y las violencias cometidos en los años del *apartheid*. Riotta se pregunta si el método elegido por Mandela, que pone en segundo plano el castigo y da primacía al valor interno de la memoria, no contendrá, escondida, una lección para los años de la violencia política, tanto en Italia como en otras naciones.

Me parece que el libro de Barudy consigue con éxito dar una respuesta afirmativa a esta pregunta, no sólo en el campo de la violencia familiar contra los niños sino también en el de la violencia política contra los disidentes.

STEFANO CIRILLO

INTRODUCCIÓN

Este libro aborda el tema de la violencia familiar bajo diferentes aspectos. A través de su lectura, el lector podrá fácilmente darse cuenta de que mi interés por el tema de la violencia familiar, y particularmente por el maltrato físico, psicológico y los abusos sexuales hacia los niños, forma parte de una necesidad vital de explicarme y de contribuir a la desaparición de la violencia humana en todas sus formas.

Mi interés por comprender y actuar sobre este fenómeno se transformó en una cuestión de supervivencia personal a partir del momento en que mi compromiso social y profesional con los pobres de mi país de origen, Chile, me confrontó con la violencia organizada por la dictadura militar en septiembre de 1973. Mi experiencia de cárcel, tortura y exilio, y mi testarudez por sobrevivir, explican mi participación en 1976 en la creación en Bélgica del COLAT (Colectivo latinoamericano de trabajo psicosocial) y mi trabajo en este programa como psiquiatra de exiliados víctimas de las dictaduras militares latinoamericanas. Más tarde, dicho programa se amplió ofreciendo nuestros compromisos y experiencias clínicas al servicio de otras comunidades de exiliados a través de la constitución del proyecto Exil: Centro médico psicosocial belga para refugiados políticos y víctimas de la tortura, animado por un equipo interdisciplinario y multicultural.

El contacto terapéutico con exiliados de todas partes del mundo me sensibilizó respecto a dos fenómenos dramáticos. Primero, que la violencia organizada[1] y la tortura son un fenómeno mundial

---

1. El concepto de violencia organizada utilizado en esta introducción corresponde al adoptado por la OMS. en 1987 para referirse a los actos como el de la tortura, a los tratamientos o castigos inhumanos, así como el encarcelamiento, la toma de rehenes, los raptos y/o cualquier otra forma deliberada de privación de libertad, así como el exilio. Todo esto ejercido por grupos organizados que actúan siguiendo estrategias más o menos implícitas que obedecen a un sistema de reglas de conductas y creencias.

independiente de ideologías, religiones y razas de los que la ejercen. Segundo, que la causa y la intensidad del sufrimiento de muchos de nuestros pacientes no sólo se explica por sus experiencias traumáticas de persecución, cárcel, tortura y exilio, sino que, además, de todas las situaciones, las más dramáticas son las de mujeres que tras haber sufrido abusos sexuales cuando niñas, luego fueron violadas o torturadas sexualmente.

Mi trabajo como terapeuta familiar en el marco del programa Exil me permitió constatar que algunas de las familias que nos consultaban funcionaban como lo que más tarde llamaríamos *dictaduras familiares*. Algunas de ellas siempre habían funcionado de esta manera, mientras que otras, al hacerlo de una forma relativamente sana, habían sido «contaminadas» por la violencia represiva.

En este segundo caso, los comportamientos violentos podían explicarse ya fuese por la influencia del ambiente violento en que las personas habían vivido a veces durante años, o bien porque alguno de los adultos de la familia, a menudo el padre, había sido torturado, por ejemplo, y se «desahogaba» inconscientemente de sus sentimientos de miedo, impotencia y agresividad centrándolos en su esposa y/o sus hijos a través de discursos y comportamientos violentos. La vivencia de desarraigo, crisis de identidad, impotencia frente al racismo, y las dificultades de adaptación como consecuencia de la situación de exilio, agravaban y favorecían en muchos casos la emergencia de la violencia familiar.

Mis investigaciones en relación con este fenómeno, así como mis intentos por elaborar un modelo general explicativo de la emergencia de la violencia en los sistemas humanos, se vieron facilitados por el hecho de que, a partir de 1984, comencé a trabajar y a participar como psiquiatra en la elaboración de un Programa terapéutico y preventivo del maltrato infantil, en el seno del equipo «SOS Enfants-Famille» de la Clínica Universitaria Saint-Luc de la Facultad de Medicina de la Universidad Católica de Lovaina.

En lo que se refiere a las dinámicas relacionales, pude confirmar que se requieren por lo menos tres grupos de personajes para producir estos fenómenos. En los dos tipos de violencia, la «organizada» y la familiar, encontramos los mismos tres grupos de personas, presentes en todas las dinámicas humanas en donde la vida está amenazada y los derechos humanos pisoteados. En los dos casos existe un primer grupo compuesto por los represores, torturadores, abusadores, maltratadores, etc.; un segundo grupo, conformado por las víctimas: hombres, mujeres y niños perseguidos, encarcelados, torturados y exiliados; y un tercer grupo, constituido por los terceros, los otros, los instigadores, los ideólogos, los cómplices, pero también los pasivos, los indiferentes, los que no quieren saber o los que sabiendo no hacen nada para oponerse a estas situaciones y/o tratar de contribuir a crear las condiciones para un cambio.

Cuando se trata de violencia organizada, los represores directos son, a menudo, los agentes del Estado (miembros de servicios de seguridad, militares y policías), quienes abusan de su poder, destinado a proteger al conjunto de la ciudadanía, transformándolo en una fuente de opresión y terror, para así defender los intereses del grupo socialmente dominante. Los represores no sólo reprimen y torturan, sino que además se adhieren fanáticamente al sistema ideológico dominante, que «cosifica» al perseguido, a través de una serie de discursos en los que legitima, mistifica y/o niega el carácter abusivo de esas prácticas, y en muchos casos incluso la existencia de las mismas.

Las víctimas de la violencia organizada, a diferencia de los niños maltratados, pueden mantener (por lo menos al principio de sus experiencias) la distancia necesaria para reconocerse como víctimas de sus represores. Pero a medida que el proceso avanza en el tiempo, y dependiendo de las técnicas utilizadas, en muchos casos el represor crea una relación de dependencia física y psicológica con sus víctimas; tales técnicas son, por ejemplo, el producir dolor y debilitamiento físico extremo, así como la manipulación psicológica y afectiva de las víctimas.

En diferentes trabajos, hemos demostrado que los represores y torturadores buscan, además de información para destruir las redes de oposición política y de resistencia, el aniquilamiento y/o alienación de la identidad de los sujetos que no se adhieren al sistema dominante. Su finalidad es, o destruirlos físicamente (asesinatos y desapariciones) o «apropiarse» de sus identidades a través de un proceso de resocialización secundaria conocido con el término de «lavado de cerebro».

A diferencia del niño maltratado o abusado sexualmente en su familia, el adulto torturado o violado por su verdugo podrá mantener su identidad mientras pueda reconocerse como víctima de su torturador. Esto le permitirá guardar la distancia afectiva y psicológica que le protegerá del riesgo de entregarle su identidad. Pero, desgraciadamente, esto no siempre es posible debido a los niveles altamente especializados de manipulación psicológica utilizados, que provocan una confusión en la vivencia perceptual de la víctima que la lleva incluso a pensar que es culpable de lo que le ocurre. En los casos más dramáticos, la víctima puede llegar a perder su propio marco de referencia y dudar de sus creencias y valores hasta adoptar los de sus perseguidores y torturadores; esto lo hemos denominado *proceso de demolición de identidad* de la víctima.

Como decíamos anteriormente, la existencia de verdugo y de víctimas no explica por sí sola la existencia de este fenómeno; se requieren los terceros, los otros. En los casos de violencia organizada, siempre presentes como causa y consecuencia, los cómplices directos nacionales y/o transnacionales, así como los cómplices indirectos, son los que por miedo o comodidad apoyan a los verdugos y a sus instigadores. Pero afortunadamente como en todas las dinámicas humanas, encontramos también cientos de personas y grupos que, a pesar del miedo y los riesgos, no hipotecan ni su dignidad ni su conciencia, resistiendo a través del heroísmo de sus gestos cotidianos frente a sus opresores.

En el caso de la violencia familiar que constituye el contenido de este libro, los verdugos, los victimarios, los abusadores, son los miembros adultos del sistema familiar. En los casos de maltrato y abusos sexuales hacia los niños, estos adultos malversan sus responsabilidades y sus funciones biológicas y psicosociales respecto a cuidarlos, protegerlos y socializarlos, utilizándolos para sus propios fines. En el caso de la violencia conyugal, el abusador malversa las posibilidades de encuentro biopsicosocial con el otro, para mantener su dependencia hacia un sistema de creencias patriarcales y falocráticas, a menudo dominantes en su cultura familiar y en su entorno social.

En ambos casos, todo ocurre de nuevo en un contexto relacional y discursivo que mistifica el carácter abusivo de estos gestos o, en el peor de los casos, niega su existencia. Como veremos más adelante, estos adultos «son abusadores que abusan» porque crecieron en sistemas sociales y familiares violentos y abusivos. Esto explica el carácter transgeneracional de estos fenómenos. El drama de estos adultos reside en que sus sufrimientos, consecuencia de la violencia y el abuso que conocieron cuando niños, no fueron verbalizados, escuchados y/o reconocidos. Esto conllevó que estas experiencias traumáticas «se almacenaran» en las bodegas de su conciencia, expresándose posteriormente a través de *ritos analógicos* de maltrato, abandono, abusos sexuales de sus hijos y/o situaciones de violencia conyugal.

En los casos estudiados de violencia familiar, las víctimas siempre son los niños y las mujeres, es decir, quienes se encuentran en una posición de desventaja en las relaciones de poder en el interior de la familia. Aquí el abusador utiliza y manipula la dependencia afectiva de sus víctimas, no necesita crearla porque ya existe como consecuencia de la afiliación y la interdependencia familiar. Los niños no tienen otra alternativa, debido a la dependencia biopsicosocial de sus padres, que aceptar esta situación como legítima; además, el conjunto de comportamientos abusivos, así como sus significados, son camuflados o simplemente negados por los discursos de los padres abusadores. Así, por ejemplo, los golpes son presentados como «educación» o los gestos de abusos sexuales como gestos de amor y/o como necesarios para la iniciación sexual de la víctima. Al mismo tiempo, el maltratador exige de su víctima una lealtad absoluta, impidiéndole, entre otras cosas, la expresión del dolor y sufrimiento que esta situación les causa. En el momento de azotar a su hijo de seis años, una madre le decía: «No llores, no exageres, no es para tanto».

En el caso de los padres incestuosos, el abusador intenta casi siempre convencer a su víctima de que lo que hace es por su bien, natural, necesario o legítimo. En todo este proceso no sólo hay una traumatización de las víctimas, sino que además encontramos el mismo proceso de «lavado de cerebro» que describíamos en el ejemplo de la tortura. En este caso, los padres, utilizando la relación significativa que tienen con sus hijos, imponen sus creencias y sus representaciones del mundo en las que está contenida la «normalidad» de los gestos violentos y abusivos.

El contenido de este libro describe una de las formas más mórbidas de la relación interpersonal, es decir, la situación de doble vínculo descrita por Bateson (1977). Los niños están en el medio de una dinámica infernal comparable a las situaciones de tortura, pero aún peor, porque los torturadores son sus propios padres. En la situación de maltrato y abuso sexual, la víctima es confrontada a un proceso de adoctrinamiento que puede resumirse de la siguiente manera: «Te amamos, te maltratamos, cállate, es normal». En esta dinámica extrema, los hijos incorporan, a menudo y progresivamente, de una manera acrítica los comportamientos y creencias de sus padres opresores (víctimas asimismo de este proceso cuando fueron niños). Esta situación acarrea el riesgo, si no se introducen cambios en el funcionamiento de estas familias, de una perpetuación de los comportamientos maltratadores y de las ideologías que las sustentan, que se organizan en una forma de cultura familiar que se transmitirá de generación en generación.

Los terceros en el caso de violencia familiar son los demás miembros de la familia, que no están implicados directamente, así como los miembros del entorno social, quienes generalmente no intervienen, a veces porque no se dan cuenta, otras veces porque no quieren saber, o por complicidad ideológica con lo que está pasando, o simplemente por temor. Entre estos terceros están también los médicos, psicólogos, asistentes sociales, etc., que minimizan o niegan la existencia y/o el impacto de estas experiencias traumáticas en la etiología de los trastornos y sufrimientos que presentan sus pacientes. Prisioneros de sus modelos y roles profesionales, protegen las imágenes idealizadas de sus padres en la infancia o simplemente subordinan su ética a sistemas de creencias autoritarias, patriarcales y/o adultistas.

Afortunadamente, mi práctica profesional me ha permitido también encontrarme con familiares, profesionales de la salud, profesores o simplemente ciudadanos que, alertados por los relatos y/o comportamientos de las víctimas, hacen lo necesario para ayudarles a introducir un cambio en sus situaciones al provocar una crisis necesaria para detener los hechos abusivos y al crear una alternativa terapéutica para el conjunto de la familia, incluyendo a los adultos maltratadores.

En cada capítulo de este libro se abordarán también las posibilidades terapéuticas de estos fenómenos, poniendo énfasis en la idea de que el motor de la intervención terapéutica (médica y/o psicosocial) es el compromiso y la *opción ética del terapeuta*. En consecuencia, todo esfuerzo para contribuir a la liberación de las víctimas de los efectos traumáticos y alienantes del terror familiar, pasa por facilitar procesos relacionales no violentos, al mismo tiempo que reescribir con ellos la historia explicativa de estos acontecimientos. En otras palabras, el proceso terapéutico debe permitir el cambio de los comportamientos abusivos, la elaboración del carácter traumático de estas experiencias y, además, facilitar el proceso de diálogo que permita la emergencia de pautas de comunicación, comportamentales y de creencias no violentas, es decir, crear a nivel micro y macrosocial condiciones que permitan a las víctimas, a sus victimarios y a sus cómplices, en un clima de solidaridad y amor, *nombrar* el horror y el abuso, identificar quién es quién y cuál es la responsabilidad de cada uno. Pero, además, debe permitirles tomar conciencia de los mecanismos relacionales y transgeneracionales que generaron el drama.

En el caso de la víctima, la terapia deberá permitirle sobre todo reconocerse como tal, facilitándole la vivencia y expresión constructiva del odio, como una alternativa para liberarse del pasado y de la sumisión a sus verdugos. En el caso de los victimarios, se trata de ofrecerles la posibilidad de rehabilitarse como seres humanos y como padres, ayudándoles a asumir la responsabilidad de los abusos cometidos, así como la posibilidad de reparar legal y simbólicamente los daños ocasionados, al mismo tiempo que brindarles asistencia psicoterapéutica y socioeducativa, con el propósito de acompañarles en la búsqueda de modelos alternativos de relación que excluyan la violencia.

En este libro, insistimos que para contribuir a la emergencia de estos procesos, los terapeutas debemos renunciar a cualquier tentación de «cosificar» y/o recuperar el sufrimiento de las víctimas, para fortalecer nuestro poder profesional. Si la violencia organizada o familiar son producciones sociales, la terapia lo es también, pero con el signo contrario. Esto quiere decir que el proceso terapéutico es un proceso donde el amor es el antídoto más importante frente a la cultura de la violencia, y por ende, el otro, a pesar de la indignación que sus actos despiertan en nosotros, será siempre respetado incondicionalmente como persona.

La terapia se apoya en el reconocimiento de las posibilidades y recursos de cada sujeto, así como en la confianza ilimitada en que cada persona puede reencontrar, en condiciones relacionales favorables, un sentido a la existencia compatible con su condición de ser vivo y humano. Para que la terapia sea realmente un antídoto contra la violencia, los trabajadores de la salud comprometidos en la lucha por la no violencia tendremos que seguir reflexionando críticamente acerca de los riesgos de adherirnos a modelos verticalistas y profesionalizantes que medicalicen o psiquiatricen el sufrimiento de las víctimas y los comportamientos e ideologías de los victimarios. Esto implica abandonar la pretensión de ser detentores del poder de curar o sanar a nuestros semejantes, para aceptar ser parte de procesos sociales horizontales, donde todos seamos «curanderos de todos».

En cuanto a mí concierne, a través de mis escritos quiero ofrecer mis experiencias y mis modelos para contribuir a la búsqueda de métodos de tratamiento y prevención, que protegiendo y defendiendo los derechos de los niños víctimas, movilicen todos los recursos existentes en la red social del niño.

Este libro constituye un medio de organizar la observación e información recogidas a partir de nuestros encuentros con las familias, las víctimas, los abusadores, así como con los miembros del entorno social de esas familias: profesores, trabajadores del ámbito psicomedicosocial, educadores, etc. Representa a la vez la forma de teorizar mis experiencias de médico, confrontado a las familias víctimas y/o productoras de violencia, pero también es una manera de hablar de mí mismo, de mis experiencias relacionales, de mis valores, de mis concepciones del mundo y, sobre todo, de mis convicciones éticas. Sin embargo, todo esto no proviene de un proceso puramente personal, sino que es también el resultado de una dinámica social que me ha posibilitado el diálogo con muchas otras personas, que me han influido en mi trabajo.

Mi transcurrir puede ser considerado como el resultado de un «proceso de conocimiento» que pertenece a lo que podríamos llamar «la subjetividad científica», lo cual quiere decir, que, en tanto investigador de un fenómeno tan profundamente humano como es la violencia, no podré jamás reivindicar una pretensión de objetividad y neutralidad absolutas; me siento emocional y éticamente implicado, no sólo por el tema de la violencia, sino especialmente por las personas involucradas en estas tragedias.

Todo lo que describo en este libro, está fuertemente influido por la experiencia personal y clínica, pero también por el diálogo, el intercambio, el apoyo y las aportaciones del conjunto de mis colegas del programa «SOS Enfants-Famille» de la Universidad Católica de Lovaina, inspiradores y coautores de mis ideas, con quienes he trabajado durante once años ayudando a cientos de niños y a sus familias. En esta misma categoría considero a mis colegas de los equipos «SOS Enfants-Famille» de la región Mons y Borinage, y el de La Louviére en Bélgica, que me han nutrido con sus experiencias clínicas durante nuestras sesiones de supervisión.

También considero inspiradores de mi escritura a los trabajadores sociales de la coordinación social de la ciudad de Waremme y a los miembros del equipo clínico del movimiento Le Nid de Bruselas, que desarrollan un programa de ayuda psicosocial a las prostitutas. Por último, quiero citar a mis colegas y compañeros del equipo del centro Exil, quienes por el hecho de ser mis colaboradores más cercanos, son una fuente de experiencias, reflexión y apoyo permanente en mi compromiso con las víctimas de la violencia.

En la medida en que mis ideas, como toda construcción humana, son a la vez una producción personal y también el resultado de un proceso colectivo, me he permitido, para expresar esta alianza entre yo y los otros, escribir algunas veces en primera persona del singular, y otras en plural.

1. LA ELECCIÓN DE UN MODELO ECOSISTÉMICO EN LA EXPLICACIÓN DE LA VIOLENCIA FAMILIAR

La violencia intrafamiliar traduce una disfunción importante del sistema familiar en el cual se produce, así como de los sistemas institucionales y sociales que lo rodean. Los gestos de violencia expresan una situación de abuso de poder, pero también un sufrimiento en el abusado, en los abusadores y en aquellas personas que les son más cercanas.

Cuando la violencia se transforma en un modo crónico de comunicación interpersonal y de grupo, produce una serie de fenómenos dramáticos que se manifiestan dentro y fuera de las fronteras familiares (niños maltratados, mujeres golpeadas, niños víctimas de incesto y de violencia sexual, toxicomanías y delincuencia adolescente, padres maltratadores, prostitución, pedofilia, etc.).

Cuando el sufrimiento de las víctimas, resultado de esta violencia, no ha sido verbalizado y/o socialmente reconocido, el riesgo de que se exprese a través de comportamientos violentos sobre otras personas es muy alto. Estas nuevas violencias producirán nuevas víctimas que podrán transformarse a su vez en nuevos victimarios. De esta manera, padres violentos que fueron niños maltratados sin protección, podrán maltratar a sus hijos haciendo de ellos futuros padres violentos. Se crea así la posibilidad de un *ciclo transgeneracional de la violencia*.

Por otra parte, niños y niñas maltratados y/o abusados sexualmente, y sometidos a la ley del silencio y/o a la mistificación de sus experiencias, pueden desarrollar actitudes desviadas, promiscuidad sexual, problemas de comportamiento, delincuencia, prostitución, etc. que, de un modo analógico, denuncian las situaciones de abuso de poder de las cuales fueron víctimas. Estos niños al llegar a adultos pueden reproducir ecologías familiares similares a las que vivieron, en donde sus hijos podrán ser también objeto de violencia y de abuso de poder.

Nuestra investigación clínica utiliza como campo de estudio el sistema familiar y el tejido social que lo rodea. Por lo tanto, nuestro enfoque explicativo de la violencia familiar es el ecosistémico y nuestra finalidad pragmática es contribuir a la prevención y tratamiento integral de los efectos de esta violencia en los niños.

Por otra parte, mis escritos son el resultado de un proceso donde me sitúo como observador participante, y por ende, en cuanto autor de este libro, y ustedes, en cuanto lectores, no podemos distanciarnos de lo que vivimos y/u observamos. En consecuencia, todo lo que escribo sobre el tema de la violencia es a la vez una teoría sobre mí mismo y sobre este fenómeno, que he tenido la imperiosa necesidad de comprender. Esto me lleva asumir la idea de Maturana: «Nosotros, los científicos, somos generadores de fenómenos» (Maturana, 1986).

Mi contacto con la epistemología ecosistémica se produjo en un momento importante de mi vida. Mi exilio político en Bélgica significó, entre otras experiencias, el comienzo de un proceso de «modelización» de mis experiencias profesionales realizadas en Chile, al mismo tiempo que el inicio de una búsqueda de nuevas alternativas para continuar mi «militancia» en la defensa de los derechos humanos, de la justicia social y de la vida.

El paradigma sistémico, con su connotación holística, dinámica e histórica, estaba ya presente de forma implícita en nuestras prácticas medicosociales en América Latina. Sin embargo, su integración cognitiva sólo fue posible gracias a la colaboración y el diálogo con teóricos y clínicos europeos.

El hecho de que en Chile me interesara por los efectos de la violencia social y más tarde por las consecuencias de la violencia organizada, para comprometerme luego en la terapia de los protagonistas de la violencia familiar, no es una mera coincidencia. Estas etapas expresan mi necesidad esencial de comprender y actuar contra la violencia, buscando vínculos entre sus diferentes manifestaciones.

Lo que todas estas violencias tienen en común es que emergen en sistemas humanos donde no sólo existen interacciones y comportamientos violentos y abusivos, sino además un sistema de creencias que permite, a quien abusa, justificarse o mistificar el abuso de poder y la violencia sobre sus víctimas.

A menudo el sujeto abusador está convencido de que sus percepciones, sus representaciones de sí mismo, de su familia, de su hijo, de su historia y del mundo que lo rodea, son la realidad objetiva. La singularidad del abusador no está solamente en el comportamiento que nos perturba, sino en la constatación *de lo que él cree*. En su sistema de creencias, el abuso no es abuso, sino un acto justificable y/o necesario; así, el torturador, el padre o la madre violenta y maltratadora, abusan en contextos diferentes, pero lo que les une es que todos están convencidos de que lo que hacen es legítimo y necesario.

El drama de estos abusadores es que no saben que sus lecturas, sus creencias, que ellos consideran «la realidad», no son otra cosa que una imagen mental, «un mapa» que corresponde sólo de una manera aproximada a la realidad. La diferencia fundamental entre ellos y nosotros es que ellos se aferran fanáticamente a sus creencias, lo que les impide liberarse del peso de los condicionantes familiares y sociales que les esclavizan a esos comportamientos e ideologías destructoras.

A diferencia de ellos, los profesionales sabemos que «la casa no es el territorio» (Korzybski, citado por Bateson, 1970). A diferencia de los abusadores, hemos aceptado que nuestras percepciones no son *inmaculadas percepciones* (Huneeus, 1987).

LA EMERGENCIA DEL OBSERVADOR

Si aceptamos que toda definición de la realidad es una manera personal de distinguir y explicar los fenómenos que nos preocupan, tenemos que aceptar que de acuerdo con las adquisiciones y las pertenencias sociales y culturales de cada uno, existirán tantas definiciones de maltrato como personas. A este respecto, las investigaciones sobre la biología de la percepción, realizadas entre otros por Humberto Maturana, nos enseñan que un individuo, determinado por su estructura, difícilmente podría distinguir sus ilusiones de sus percepciones, si no tuviera la posibilidad de dialogar con los otros. Nuestras percepciones «son realidades» en la medida que se consensúan como tales en el interior de una dinámica social (Maturana, y Varela, 1984).

Por ejemplo, conocí a un padre que ataba a su hijo de tres años para que se mantuviese tranquilo, calmando su propia exasperación frente a sus comportamientos turbulentos. Él había expuesto su lectura del problema y su solución a su esposa, a miembros de su familia y a su médico de cabecera, obteniendo el beneplácito explícito de su esposa y el implícito de los demás. Él no percibía su comportamiento como maltratos; creía haber encontrado una solución a un problema que le perturbaba, y sus interacciones con el medio ambiente se lo confirmaban.

Este ejemplo sirve para ilustrar la idea de que toda definición de un problema depende del observador; por lo tanto, la realidad no es algo independiente del acto de observar. El mundo se construye de acuerdo con la manera como es percibido, o en otras palabras: «El mundo, tal como lo observamos, es el mundo de los sistemas observantes en que la manera de observar modifica ya lo observado» (Foerster, 1981).

En el caso del maltrato infantil se necesitaron muchos observadores para que al fin este fenómeno existiera como realidad social. Porque la existencia de la infancia sin protección y el maltrato infantil, en cuanto a realidad aceptada por la sociedad, se constata sólo desde los años sesenta, por supuesto a pesar de la previa existencia constante del fenómeno, y de que siempre han existido hombres y mujeres que se han alzado en contra del abuso del poder y la brutalidad de los adultos hacia los niños. Diversos autores que no fueron escuchados en su época, testimonian que históricamente la norma ha sido que los niños no sean respetados como sujetos.

Datos históricos dan cuenta no solamente de miles de situaciones de niños explotados y brutalizados por los adultos, sino también de que la infancia como período específico en donde el niño requiere ser protegido y cuidado para asegurar su crecimiento y bienestar existe sólo a partir de los trabajos de Jean Jacques Rousseau en el siglo XVII. (Martínez-Roig, y De Paul, 1993).

Los historiadores están de acuerdo en que fue sólo a partir del siglo XIX cuando la suerte de los niños empezó realmente a ser un motivo de preocupación para ciertos sectores de la sociedad. Esto originó una reflexión sobre la naturaleza de los cuidados básicos que cabía proporcionar a los niños y sobre la responsabilidad de la sociedad en la protección y cuidado de la infancia.

Una ilustración de esto fue la manera en que se trató el tema del trabajo de los niños. Desde comienzos de la revolución industrial éste fue un tema polémico hasta que, al menos en los países industrializados, se obtuvo un consenso para que el trabajo infantil fuera prohibido, en un comienzo para los niños menores de diez años, luego para los menores de doce años, y finalmente para los menores de catorce años (De Paul, 1995). Pero aun así, en los albores del tercer milenio miles de niños de todas las edades habitantes de los países pobres todavía deben trabajar en condiciones inhumanas para subvenir a sus necesidades mínimas y las de sus familias. Esta situación es una de las muchas ilustraciones de la incompetencia del mundo adulto, incapaz de garantizar un mundo justo y protector para todos los niños del planeta, a pesar de que ellos son la única garantía de la continuidad y la supervivencia de la humanidad.

A lo largo de la historia siempre existieron sectores de la sociedad y pensadores que se rebelaron contra el maltrato infantil. Ya 400 años antes de J.C., Platón aconsejaba a los maestros de escuelas utilizar el juego para instruir a los niños en vez de reprimirlos. Pero desgraciadamente las voces de esos pioneros de la defensa de los derechos del niño fueron rápidamente ahogadas por las creencias sólidamente establecidas que decretaban que la educación y los métodos educativos eran un derecho absoluto de los adultos y/o de los padres (Ruth y Kempe, 1978).

Los primeros signos de un cambio cultural frente a la infancia maltratada fueron, por una parte, la fundación de los «Movimientos para el bienestar del niño», creados a partir de 1820 en los países anglosajones; y por otra parte, la fundación en 1825 de la primera casa de acogida para «niños delincuentes», creada por la Asociación neoyorkina para la reeducación de delincuentes juveniles para proteger a los niños del contacto con delincuentes adultos en las cárceles. Más tarde se crearon otros centros de acogida para niños abandonados o maltratados.

En el campo de la medicina, transcurrieron cien años entre la primera publicación científica que denunció la existencia del maltrato y el momento en que el mundo médico aceptó al fin que una serie de signos, tales como heridas, fracturas y quemaduras sobre el cuerpo del niño, podían provenir de golpes propinados por adultos. Este período se sitúa entre el momento en que Ambroise Tardieu (1868), profesor de medicina legal en París, apoyándose en resultados de autopsias, describe 32 casos de niños quemados o golpeados hasta la muerte, y la presentación en 1961 de Henry Kempe, en la Academia Americana de Pediatría, del «síndrome del niño golpeado» (Kempe y colab., 1962). Al año siguiente, la publicación de sus trabajos en *The journal of the American Medical Association*, permite al mundo médico y a otros profesionales afines plantearse al menos la existencia real del maltrato físico, que hasta esos momentos era todavía un fenómeno impensable (Kempe y colab., 1962).

Este carácter «impensable» puede ser ilustrado por el hecho de que el mismo año en que Tardieu denunciaba en Francia la existencia de niños maltratados hasta la muerte, otro médico, A. Johnson (1868) del Hospital de Niños de Londres, insistía en que la frecuencia de fracturas repetitivas en los niños se debía más bien a la fragilidad del tejido óseo a causa de raquitismo. Kempe (1978) señala, respecto a estos trabajos, que la mayoría de los casos descritos por Johnson correspondían a niños maltratados. Según él, en los archivos de la época, de los 3.926 niños menores de cinco años que murieron «accidentalmente» o por muerte violenta, sólo 200 de éstas fueron calificadas de homicidios involuntarios, 95 fueron atribuidas a faltas de cuidados y 18 al frío reinante. Todas estas muertes, según Kempe, serían hoy día imputadas a maltrato infantil.

El coraje de otros observadores e investigadores preparó la acogida masiva y favorable que tuvieron los trabajos de Kempe (1962). Así, ya en 1946, John Caffey había presentado sus primeras observaciones con respecto a la asociación inexplicada de hematomas subdurales y modificaciones anormales a nivel de huesos largos, diagnosticadas a partir de los rayos X. En 1953, Caffey y Silverman establecen, a través de los exámenes radiológicos de estos huesos, el carácter traumático de estas fracturas.

La aceptación de la existencia de niños maltratados y abusados por los adultos, ha sido el resultado de un largo proceso de cuestionamiento de las representaciones que impedían la emergencia de este fenómeno a la conciencia social. El proceso de reconocimiento de esta realidad ha sido el resultado de una co-construcción mental, en el interior de un campo social y durante un período histórico. Aceptar la existencia del maltrato, definirlo y explicarlo fue el resultado de una «ecología de ideas», o de construcciones mentales en el sentido empleado por Bateson (1972), es decir, «el resultado del conjunto de procesos conscientes e inconscientes con respecto a un fenómeno y las actividades desencadenadas por esos procesos que interactúan de manera recurrente y recursiva con los fenómenos». Respecto a esto, Maturana y Varela (1987) precisan: «Toda actividad es conocimiento y todo conocimiento es actividad» y Foerster: «Si quieres conocer, pasa a la acción» (1971).

El maltrato «sólo existe» desde que los observadores distinguieron, en el marco de sus interacciones, un fenómeno que les preocupó, lo nombraron y lo definieron verbalmente.[1] Para que el maltrato existiera, fue necesario que ese «descubrimiento» se transformara en un fenómeno social, es decir, que fuera reconocido en el interior de un contexto de interacción social cada vez más amplio, como es toda la comunidad.

Kempe (1979) hacía notar que sólo en las naciones donde los problemas de malnutrición y de mortalidad infantil ya están bajo un relativo control, y en las que se espera socialmente más que la simple supervivencia de los niños, se desarrollan programas para prevenir y considerar el maltrato infantil. En los países más pobres del planeta,

---

1. Por lenguaje verbal nos referimos a la significación lingüística relevante en el contexto, generada en la interacción. El lenguaje verbal es más que una coordinación de comportamientos, es la atribución de sentido a la coordinación de los comportamientos (Maturana y Varela, 1987).

son millones los niños que sufren de malnutrición y de enfermedades resultantes de la miseria. En este contexto, querer detectar a los niños maltratados por sus padres sin hacer los esfuerzos necesarios para mejorar las condiciones de vida de las familias, sólo sirve para proporcionar buena conciencia a aquellos que son responsables de injusticias estructurales, al mismo tiempo que mistifica los conflictos sociales que facilitan esta violencia. En esta perspectiva, existe un gran riesgo de que estos padres sean además los chivos expiatorios de la disfunción social.

Por eso prefiero referirme a menudo a estas situaciones como *situaciones de desprotección*, incluyendo aquí todas las situaciones familiares y sobre todo sociales, donde la vida y los derechos de los niños no son respetados. Esta perspectiva permite más fácilmente que los diferentes corresponsables del bienestar de los niños —en una sociedad determinada— miembros de la familia, escuela, servicios sanitarios, servicios de protección, etc., interactúen en el discurso y en la acción para crear un sistema de significación que sostenga una definición del maltrato infantil inscrito en un espíritu de corresponsabilidad. Esto es también válido en el diseño de la tipología de las distintas formas de abuso cometido sobre los niños. Ésta tomará en cuenta la singularidad de cada tipo para ofrecer respuestas coherentes al sufrimiento infantil al mismo tiempo que establecerá los vínculos entre los distintos tipos de malos tratos, tanto en la etiología como en los procesos de transmisión transgeneracional, en un enfoque ecosistémico.

LA TIPOLOGÍA DEL MALTRATO BASADA EN LA «BIOLOGÍA DEL AMOR»

El proceso de construcción de la tipología utilizada en este libro se basa en la idea de Bateson de que el espíritu, la mente (*mind*), es decir, el sentido o la significación se construye en la interacción y no en la cabeza de cada individuo (Bateson, 1979).

Las diferentes definiciones de maltrato que emplearemos son el resultado de múltiples intercambios de ideas entre muchas personas que participan en diversas conversaciones. Nosotros hemos participado, como otros clínicos, en esta dinámica de «conversación»,[2] en la

---

2. *Conversación*, en el sentido usado por Maturana (1983), describe el entrecruzamiento de acciones, emociones y lenguaje, en el cual emergen todas las actividades humanas. Esto puede corresponder a la noción de interacción humana, tal como la conocemos en el enfoque sistémico, y a la noción de ritual que utilizamos en nuestro modelo.

medida en que nuestro trabajo con las familias nos ha obligado a precisar la especificidad de nuestro programa.

La clínica nos enfrenta a la necesidad de establecer definiciones concretas de lo que se entiende por maltrato infantil, como también nos confronta con la dificultad, y sobre todo los riesgos de encerrarse en este tipo de definiciones. Establecer una definición de *maltrato* no es accesorio; por el contrario, es la base no sólo para comprenderlo, sino sobre todo para cambiarlo. Toda definición crea un mundo semántico alrededor del problema que afecta directa e indirectamente a una cantidad importante de decisiones que afectarán a personas concretas. En la medida en que la clínica del maltrato busca corregir las situaciones individuales, familiares y sociales que lo producen, es fundamental que los profesionales se pongan de acuerdo en cada red, sobre qué es lo que entienden por maltrato, así como por qué se produce.

La definición de maltrato y su tipología nos confronta a dos preguntas esenciales: ¿dónde situamos el límite entre lo que es y no es maltrato? y ¿hasta qué punto debemos considerar las costumbres y la dimensión cultural en el momento de diagnosticarlo? Para responder a la primera pregunta nos parece importante llegar a un acuerdo sobre la naturaleza de los cuidados físicos, psicológicos y sociales, a los que todo niño tiene derecho para asegurarle un desarrollo sano. Ésta no es una tarea fácil, pero señalar estos aspectos reduce en parte la variable del relativismo cultural.

La noción de maltrato es, de esta manera, el resultado de un proceso de «conversación» donde se sitúa este concepto, en oposición a la noción de buen trato o de buena calidad de vida de un niño. La noción de maltrato, así como la de bienestar infantil utilizada en este libro, se materializa en las emociones, comportamientos y discursos que constituyen a su vez «conversaciones» y redes de conversaciones. A medida que un comportamiento y/o un discurso sobre un niño se aparte más de la «biología del amor», más será considerado como maltrato (Maturana, 1983). En la dinámica creada por esta «biología del amor», cualquier niño con sus características, que hacen de él un ser único, es considerado intrínsecamente igual a todos los demás niños. Todos los niños deben recibir los cuidados necesarios a fin de asegurarles la vida, el bienestar y un desarrollo armonioso al mismo tiempo que sus derechos sociales, económicos, cívicos y políticos son respetados, permitiéndoles el desarrollo de sus potencialidades para que todos tengan las mismas posibilidades de vivir, ser libres y felices.

Según estos principios, toda acción u omisión cometidos por individuos, instituciones o por la sociedad en general, y toda situación provocada por éstos que prive a los niños de cuidados, de sus derechos y libertades, impidiendo su pleno desarrollo, constituyen, por definición, un acto o una situación que entra en la categoría de lo que nosotros llamaremos malos tratos o negligencia.

Aunque en este libro nos referimos sobre todo al maltrato intrafamiliar, insistiremos a menudo que abordamos un drama que refleja el fracaso de toda la comunidad. Hemos hecho nuestra la idea de que el estado de bienestar de un niño no es nunca un regalo o el efecto de la buena o mala suerte. Al contrario, es un proceso humano, nunca sólo individual, ni siquiera únicamente familiar, sino el resultado de un esfuerzo conjunto de la comunidad. En esta perspectiva, hemos adoptado definiciones que consideran los malos tratos como una manifestación de la violencia humana adulta sobre los niños. Hemos elegido utilizar la familia como medio para presentar los resultados de nuestras observaciones debido al carácter específico de nuestra práctica.

Más que definir los malos tratos, partiendo de variables tales como la frecuencia, la intensidad y aun su intencionalidad, optamos por definiciones que muestren el daño y el sufrimiento producido por agresiones activas y por necesidades infantiles no satisfechas por los adultos, como en el caso de la negligencia.

Nuestra tipología del maltrato pretende ser una herramienta de observación, para ayudar al profesional a vincular ciertas manifestaciones de sufrimiento infantil con el fenómeno de la violencia. Busca no sólo nombrar el contenido específico del maltrato, sino también presentarlo de tal manera que el lector no olvide jamás que, detrás de estos fenómenos, están los individuos que lo producen con su singularidad propia, pero también implicados en contextos históricos y modos relacionales específicos y repetitivos, por lo que necesitan de una intervención social solidaria y coherente para cambiar.

LA TIPOLOGÍA DE LOS MALOS TRATOS
DESDE UNA PERSPECTIVA ECOSISTÉMICA

Nuestra tipología emerge en la intersección de dos campos: el campo propio del fenómeno y el campo del observador. La primera manera de abordar el desafío de construir esta tipología consiste en distinguir las interacciones y/o conversaciones maltratadoras en activas y pasivas. Las interacciones activas se refieren a los comportamientos y discursos que implican el uso de la fuerza física, sexual y/o psicológica, que por su intensidad y frecuencia provocan daños en los

CUADRO 1.

Maltrato	Activo	Pasivo
Visible Invisible	Golpes, abuso sexual Maltrato psicológico	Negligencia Abandono

niños; en este caso, hablaremos de *maltrato activo* o *violencia por la acción*. A diferencia de ésta, *el maltrato pasivo* se refiere a la omisión de intervenciones y/o de discursos necesarios para asegurar el bienestar de los niños. El maltrato pasivo corresponde a las situaciones de *negligencia* o *violencia por omisión*.

Hablar de maltrato activo y pasivo nos permite distinguir dos mundos relacionales, que producirán cada uno una «carrera» diferente para la víctima (Goffman, 1961), a saber, un aprendizaje específico impuesto por las circunstancias de la vida.

El *maltrato activo y su visibilidad*. Todo comportamiento y discurso maltratador tiene un valor comunicativo; el contenido del mensaje recibido por la víctima dependerá, entre otros, del modo de comunicación, del contexto en el cual ésta se realiza y del estado estructural de la víctima en el momento del maltrato. De esta manera, en los casos de *violencia física*, los mensajes maltratadores son comunicados a través de golpes, ya sean propinados directamente con las manos, los pies o la cabeza del adulto o con diferentes instrumentos (palo, cinturón, cable eléctrico, etc.). Estos gestos pueden manifestarse también por quemaduras con agua o hierros calientes, una plancha u otros objetos incandescentes. Este tipo de violencia se produce en un contexto a menudo imprevisible, provocando en la víctima una «carrera moral» caracterizada por el aprendizaje forzado a través del terror, la impotencia y la sumisión.

Este tipo de malos tratos debería ser siempre *visible para un observador* por las huellas que los golpes dejan sobre el cuerpo del niño; éstas deberían facilitar la detección y el diagnóstico de este maltrato, porque los indicadores son directos o visibles. Desgraciadamente esto no siempre es así, pues no todo lo que es evidente se puede percibir, sobre todo si esto implica un acto que puede acarrear molestias y conflictos al profesional.

Los *abusos sexuales* corresponden a otro tipo de maltrato activo, que llamaremos indistintamente *violencia sexual*. Aquí el mensaje maltratador es transmitido por los comportamientos sexuales del adulto. Estos mensajes constituyen un profundo y grave atentado a la integridad física y/o psicológica de las víctimas, y los podemos comparar con una «tentativa de asesinato moral» de los niños.

Las manifestaciones de este tipo de maltrato pueden ser visibles solamente en situaciones en que ha habido penetración anal o vaginal pero, aun en estos casos, no siempre hay huellas físicas, por la constitución anatómica de los niños. Desde el punto de vista de la visibilidad del fenómeno, la violencia sexual es sólo *parcialmente visible* en la medida en que los indicadores directos están a menudo ausentes y por lo tanto la detección y el diagnóstico deben hacerse a través de indicadores indirectos y, sobre todo, facilitando la revelación por parte de las víctimas. De aquí la importancia de los programas de prevención destinados a los niños, que les ayudan a reconocerse precozmente como víctimas de una situación de abuso sexual y a atreverse a comunicar su situación a un adulto de confianza (profesor, vecino, sacerdote, etc.), formado a su vez por el mismo programa para escuchar, creer y ayudar a las víctimas.

El *maltrato psicológico*, que no será tratado en extenso en este libro, corresponde al último tipo de maltrato activo. Aquí el niño es agredido a través de palabras que lo humillan, lo denigran o lo rechazan, o por un ambiente relacional caracterizado por gestos insistentes que comunican confusión, aislamiento, fusión y/o corrupción. El daño provocado por la *violencia psicológica* es proporcional a su invisibilidad porque, por una parte, es muy difícil para la víctima reconocerse como tal, y por otra parte, las posibilidades de detección son escasas debido a la ausencia de huellas directas sobre el cuerpo del niño.

El *maltrato pasivo o negligencia*, es el resultado de situaciones en las que, de manera deliberada o por una actitud extraordinariamente negligente, las personas responsables de los niños no hacen nada para evitarles los sufrimientos o no hacen lo necesario para satisfacer una o varias de sus necesidades, juzgadas como esenciales para el desarrollo de las aptitudes físicas, intelectuales y emotivas de un ser humano. El contexto comunicativo establecido por este tipo de comportamiento está constituido por gestos de omisión. La visibilidad y la definición del fenómeno son, por lo tanto, más difíciles de establecer. Además, las posibles huellas de negligencia se manifiestan en forma larvada a excepción de situaciones dramáticas de desnutrición y de descuidos crónicos. Esto explicaría que esta forma de maltrato sea, según Trainor (1983), la más desconocida e ignorada por los medios de comunicación, por la literatura científica y también por los servicios sanitarios y de protección. Son muy pocos los casos detectados como situaciones de negligencia, y cuando esto sucede, permanecen invariables o se deterioran en tres cuartas partes de los casos (Trainor, 1983 y Mayer-Renaud, 1985).

A la invisibilidad del fenómeno se unen otros factores; las consecuencias del maltrato físico son tratadas por los médicos, más poderosos y valorados por la sociedad que los trabajadores sociales, testigos privilegiados del sufrimiento de los niños abandonados a sí mismos. Además, el abuso físico y aun el abuso sexual, son más fáciles de definir, más evidentes y mucho más sensacionalistas que la negligencia. Para terminar, diríamos que la «intervención» con respecto al abuso físico y sexual es más gratificante y requiere un tratamiento más concreto con resultados más visibles, en el que el profesional tiene más fácilmente el sentimiento de ser actor de un proceso terapéutico, de servir para algo. En términos monetarios, los tratamientos son menos costosos y no necesitan poner claramente en evidencia el rol de los factores sociales, proporcionando buena conciencia a los responsables políticos. Por el contrario, en la etiología de las situaciones de negligencia se conjugan múltiples factores ligados a la pobreza y a la exclusión social.

Polansky y Chalmers (1981) expresan claramente esta situación: «El abuso de los niños es un fenómeno tan atroz que quisiéramos no notarlo; sin embargo, la indignación que suscita atrae forzosamente la atención. La negligencia es también suficientemente desagradable para que deseemos ignorarla, y es un fenómeno silencioso, insidioso, fácil de negar... La negligencia concierne a gestos no realizados, es una inacción provocada por la indiferencia. Cuando se produce a domicilio, la negligencia es un pecado íntimo. Su presencia se traduce muy raramente en forma directa sin equívocos. Se puede descubrir a través de las huellas dejadas sobre niños que son sus víctimas, aunque permanece a menudo invisible hasta que debamos tratar sus efectos sobre la personalidad de un adulto destruido».

La cuestión de la visibilidad de los diversos tipos de maltrato nos permite comprender mejor el carácter aún impensable de estos fenómenos para muchos profesionales y para una parte del mundo adulto. Además, muestra la necesidad de observadores conscientes y comprometidos, capaces de distinguir las señales directas e indirectas del maltrato, para brindar ayuda, cuidados y protección a las víctimas, al mismo tiempo que contribuir a la creación de nuevas «redes de conversación» con la familia y el entorno social del niño, a fin de promover los cambios necesarios para mejorar las condiciones de vida de los niños.

El carácter invisible de algunos tipos de maltrato nos ayuda también a aceptar mejor la idea de que nuestra lógica clínica es y será diferente de la lógica del sistema judicial. La lógica de la justicia consiste en probar la existencia de los hechos porque éstos constituyen un delito. El sistema judicial debe, por lo tanto, hacer aparecer o reconocer los malos tratos como fenómenos verdaderos, reales y veraces por medio de pruebas, a menudo materiales. Comprender esta distinción puede ayudarnos a no esperar del sistema judicial lo que éste no puede dar. Esto no excluye la búsqueda de una colaboración entre estos dos mundos, pues los servicios judiciales y terapéuticos han sido concebidos para una tarea fundamental, la de proteger y mantener la vida de todos los ciudadanos, particularmente los más débiles. Lo importante en esta colaboración es establecer canales de diálogo, que respetando las diferencias, permitan la colaboración alrededor de una finalidad común: el respeto de los derechos del niño.

Por otra parte, la práctica clínica permite descubrir interconexiones entre los diferentes tipos de malos tratos. Éstos se sitúan a dos niveles. Primero, generalmente un tipo de maltrato nunca se presenta solo; por ejemplo, el niño no sólo recibe golpes, sino que es depositario de palabras o gestos hirientes y humillantes, que corresponden al maltrato psicológico; la negligencia o el abandono son a la vez formas de maltrato psicológico y el abuso sexual puede ir acompañado de violencia física. En segundo lugar, numerosas situaciones clínicas nos han mostrado que un niño descuidado, del que se abusa sexualmente o maltratado físicamente, puede convertirse en una madre o un padre maltratador, pero produciendo un tipo diferente del maltrato vivenciado.

Son numerosas las historias clínicas en las cuales el sufrimiento de un niño descuidado, del que se abusa sexualmente, golpeado o maltratado psicológicamente, no se expresa con el mismo contenido cuando es padre. Por diferentes razones que abordamos en este libro, es posible que los comportamientos maltratadores no se transmitan de una generación a otra, produciéndose una verdadera «ruptura cultural». En otros casos podemos hablar de una *reconversión del contenido del maltrato*, es decir, de «un cambio cultural»; por ejemplo, hombres que han conocido carencias y separaciones múltiples durante su infancia, pueden transformarse en abusadores sexuales de sus hijos. En ciertos casos hemos observado la misma «reconversión» en jóvenes víctimas de golpes y humillaciones psicológicas quienes, al ser padres, utilizan su sexualidad para hacer sufrir y sentirse poderosos.

Podemos también mencionar casos de madres abandonadas cuando eran niñas, que expresan su sufrimiento a través de los malos tratos físicos que infligen a sus hijos. Son niñas de las que se abusó sexualmente, que al ser madres, no serán capaces de proteger a sus hijas de las acciones de su marido, desatendiéndolas física y psicológicamente.

Estas posibilidades múltiples y variables introducen un elemento más en la complejidad del fenómeno. Al insistir en la interrelación entre los diferentes tipos de maltrato evitamos la trampa de fragmentar y simplificar la realidad, protegiéndonos de esta tendencia todavía dominante en numerosas disciplinas.

Vista clínicamente, nuestra diligencia apunta a encontrar modelos generales que permitan explicar las interrelaciones entre fenómenos particulares. Por eso tratamos de encuadrar los diferentes tipos de maltrato en un mismo fenómeno, es decir, la *violencia humana*, considerando que ésta proviene de las deficiencias o del fracaso de al menos dos características que definen a la condición humana: el «apego» y la «palabra».

2. LA FAMILIA: UN SISTEMA BIOPSICOSOCIAL Y CULTURAL DE CRECIMIENTO

En la vida de una familia, los dramas de la violencia y el maltrato de niños emergen a partir de factores que dependen, por una parte, de su dinámica interna, y por otra, de las perturbaciones de su medio ambiente, especialmente por la resonancia entre los factores familiares y los del medio. La familia es un sistema complejo, a la vez viviente y humano, en interacción permanente con su medio ambiente. Por lo tanto, es un sistema que posee una estructura autoorganizada y jerarquizada, y que presenta una organización tridimensional: biológica, social y hablante.

LA FAMILIA EN CUANTO ORGANIZACIÓN DE ORIGEN BIOLÓGICO

Desde el punto de vista de la biología, en cuanto «ciencia de la vida», la familia es un sistema viviente que posee una organización «autopoiética».[1] Este sistema fabrica sus propios componentes, partiendo de elementos que le procura su medio ambiente humano; además, tiene la capacidad de modificar su propia estructura para adaptarse, sin perder su identidad (Maturana, 1988). La finalidad biológica de una familia es crearse, mantenerse y reproducirse como un «organismo viviente». Por lo tanto, toda la energía y los recursos familiares están, en términos absolutos, destinados a mantener la organización viviente de todos los miembros que la componen. La noción de *organización* que usamos aquí, hace referencia a los tipos de relación existentes entre las partes de un siste-

---

1. Este concepto fue introducido por Maturana y Varela para caracterizar a los seres vivos como capaces de producirse a sí mismos. Aquí aplicamos este concepto a la familia en tanto sistema viviente.

ma viviente, que determinan su identidad y por lo tanto la pertenencia a una clase específica, por ejemplo, a la clase familia, institución, barrio, etc. Este concepto incluye el lugar del observador de los fenómenos que cabe identificar y comprender.

Así, un sistema se distingue de otro por su identidad, determinada por su organización, es decir, por el tipo de relaciones singulares existentes entre las partes que la componen. La observación de estas relaciones permite determinar, por ejemplo, que un sistema pertenece a la clase «animales», otro a la clase «humana», un tercero a la clase «familia», etc. Para que exista una organización, se necesitan componentes; el conjunto de los componentes de un sistema constituye su *estructura*: «La noción de estructura, al contrario de la de organización, se refiere a los componentes —y a las relaciones que existen entre ellos—, que realizan, en un momento específico, una unidad concreta de un tipo determinado» (Maturana, 1989). Desde el punto de vista de su estructura, la familia es un conjunto de miembros que a través de interacciones redundantes se agrupan en subsistemas. Así, podemos distinguir los subsistemas: parental, conyugal, abuelos, fratría, adultos, niños, etc. Los sistemas están separados por fronteras simbólicas y cada uno de ellos contribuye al funcionamiento de la familia manteniendo su identidad a través del ejercicio de roles, de las funciones y de las tareas necesarias para la existencia del conjunto (Minuchin, 1979).

Las interacciones de los miembros de una familia se estructuran a través del tiempo en *rituales*, que mantienen el funcionamiento del sistema como conjunto, procurando a la vez un sentido de coherencia y pertenencia. Nosotros preferimos el término *ritual* en lugar de patrones de comportamiento, para referirnos al conjunto de comportamientos que permiten, por su carácter interactivo y repetitivo, mantener o conservar los lazos entre los miembros de una familia, con el fin de producir armonía en la acción común. Esta acción común está destinada a producir, mantener y proteger la vida de los miembros de la familia. En la medida en que «el lenguaje palabreante» —herramienta específicamente humana—, mantiene la capacidad de producir los rituales y a veces los reemplaza, podemos considerarlo como un «metarritual».

Estos rituales están destinados, por ejemplo, a acoger, proteger y cuidar a sus miembros, así como a mantener la colaboración y cohabitación entre ellos. Otros se establecen para asegurar zonas de intimidad y de diferencia. Estos últimos afirman una jerarquía en la estructura familiar, garantizando la diferenciación de los roles y las fronteras entre las generaciones.

Si retomamos los conceptos de organización y estructura, podemos decir que tanto una familia belga, como una chilena, una monoparental, una biparental, una reconstituida, etc., pertenecen todas a la «clase familia» porque todas tienen una organización autopoiética, a pesar de sus diferentes estructuras. En toda familia, la estructura debe asegurar la producción y mantención de sus miembros, de sus fronteras, y de la frontera exterior que la distingue de otras familias. La singularidad de toda familia es que su organización se centra en la sola finalidad de permanecer como tal. En este acercamiento, el ser y el hacer son inseparables (Maturana y Varela, 1984).

La agresividad, la sexualidad, los modelos de crianza, la propiedad y la palabra son un conjunto de recursos esenciales al servicio de la vida familiar. Lamentablemente, son numerosas las familias donde los adultos desvirtúan estos recursos, provocando diversos tipos de violencia —de los que la más dramática es la que atañe a los niños—. Por su carácter destructor, estas situaciones pueden acarrear la pérdida de la organización familiar. Por ejemplo, se dirá que en una familia en la que el padre ha cometido incesto con su hija, el abuso ha desvirtuado las relaciones familiares y por lo tanto esa familia ya no lo es como tal. La familia podrá serlo de nuevo sólo si una intervención terapéutica introduce los cambios necesarios.

Para mantenerse como un organismo viviente, la familia ha de poder modificar su estructura y, por otra parte, acoplarse a otros sistemas (familias, instituciones, terapéutica, animales, etc.). Esto implica la existencia de una «plasticidad estructural», como también la posibilidad de «dialogar» con los componentes de su medio ambiente.

Una familia que no logra adaptarse a los cambios, corre el riesgo de perecer y/o provocar en su seno perturbaciones destructivas, en donde los malos tratos a los niños son una de las consecuencias más dramáticas. He aquí un ejemplo de esta situación:

Mohamed, casado, con tres hijos, tenía veintiocho años cuando la tierra de su padre, un campesino beréber, dejó de producir el alimento necesario. Miembros cercanos de su familia le hablaron de la posibilidad de partir a Bélgica para encontrar allí trabajo; otros hombres de su aldea ya lo habían hecho. En esa época, Bélgica aún necesitaba mano de obra extranjera para asegurar el bienestar social y económico de sus ciudadanos. La madre de Mohamed no estaba enteramente de acuerdo con la partida de su hijo, con el cual tenía una estrecha relación, y además la partida de su nuera Saïda le dejaba sin un miembro clave para la gestión doméstica del clan familiar. Saïda, a su vez, nunca había pensado alejarse de su aldea, donde participaba en una red social de mujeres en la que tenía un lugar, obteniendo gratificación personal y apoyo social. Para los niños, de tres, cuatro y cinco años, este viaje implicaba separarse de su medio de vida y de relaciones significativas con los otros miembros de la familia. Los conflictos familiares provocados por el proyecto de partida no fueron elaborados abiertamente y una parte de la energía familiar se malgastó en mantener las reservas y los secretos, que a su vez restaron recursos para la adaptación de la familia a la nueva situación.

Como consecuencia, en esta familia se produjo una aceleración de la «entropía» según el modelo de Prigogine (1992). En los sistemas humanos, la «entropía» corresponde metafóricamente a la cantidad de energía no disponible para un trabajo útil mientras un sistema está en transformación.

Nuestro encuentro con esta familia se produjo en un momento dramático. La esposa de Mohamed salía de la cárcel, después de haber pasado tres años condenada por malos tratos a su recién nacido, que le habían causado la muerte.

Instalados en Bélgica, Mohamed y su familia no lograron una adaptación adecuada por su propia manera de funcionar, pero también por la ausencia en su nuevo medio de apoyo social para superar la crisis de la emigración. De este modo se daban todas las condiciones para que se instaurase entre ellos una situación de violencia familiar, acarreando consecuencias irreparables.

> Mohamed llega solo a Bélgica. Hace venir a su mujer e hijos un año más tarde. Él encuentra trabajo en un matadero de pollos; su francés sólo era suficiente para entender las órdenes del patrón. Con el dinero ahorrado, alquila un pequeño apartamento de dos habitaciones en el barrio norte de Bruselas, allí donde los edificios se deterioran y donde los trabajadores extranjeros son los únicos inquilinos posibles. Mohamed quiere reproducir en este restringido espacio el mismo estilo de vida que tenía en su aldea, en la montaña. Su esposa debe encargarse de las tareas domésticas y de los niños, y sobre todo no tener contacto con los extranjeros. Los niños van a la escuela en el barrio, a la que se adaptan fácilmente. Saïda se encuentra sola en casa, ocupándose de sus labores, recordando su vida en la aldea, donde la rodeaban las mujeres de su clan. Los niños comienzan a presentar problemas de comportamiento en la escuela y los primeros gestos de maltrato alertan a los trabajadores sociales. No se ofrece ninguna ayuda terapéutica a la familia en esos momentos. La barrera del lenguaje y la rigidez de los modelos psicoterapéuticos dominantes (no se interviene ni visita a la familia sin una demanda explícita de ellos) contribuyen también a la evolución dramática

de la situación. Saïda, prisionera de sus creencias culturales, no acepta los métodos contraceptivos y queda embarazada; da luz a una niña y, seis meses más tarde, en un episodio de depresión, maltrata o deja caer a su bebé —no lo sabremos nunca— provocando su muerte.

Sólo tres años y medio después del drama, Saïda y su familia pudieron ser ayudados realmente, por una intervención en red y por sesiones de terapia familiar a domicilio. Saïda y Mohamed fueron apoyados por la red de profesionales del COPRES.[2] Este apoyo terapéutico permitió a esta familia encontrar un nuevo equilibrio más sano para todos. Pero la muerte trágica de un niño y los tres años de cárcel de la madre permanecerán como un recuerdo silencioso de una situación de violencia cuyas responsabilidades son múltiples.

LA VIOLENCIA EN EL CICLO VITAL DE UNA FAMILIA

El transcurrir existencial de una familia, su ciclo vital o su ontogenia, corresponden a la historia de los cambios estructurales y de los acoplamientos, sin pérdida de organización. Los cambios de estructura pueden producirse a distintos niveles del sistema, tanto en los individuos y en los subsistemas, como en la relación entre ellos. Las posibilidades de acoplamientos son múltiples, y se efectúan ya sea con sistemas del mismo grupo o de grupos distintos. Esta capacidad de asociarse con elementos de su medio emerge de una dialéctica entre dos características que son a la vez complementarias y en parte contradictorias. Se trata, por una parte, de su *carácter autónomo,* que asegura una coherencia en la definición de la familia por sí misma, en la puesta en marcha de iniciativas e impulsos espontáneos y en la diferenciación de una identidad específica. Y por otra parte de su *carácter heterónomo* que implica la necesidad o la «dependencia» de su medio ambiente para justificar o denegar desde el exterior su coherencia, para hacer funcional su autonomía y para modificar eventualmente su estructura (Miermont, 1987). De esto se desprende que la existencia de una familia parece depender de su cohesión y capacidad para mantener su co-

2. Colectivo de prevención del sufrimiento infantil de una comuna de Bruselas: red de profesionales de la infancia, nacida del encuentro de los trabajadores de la salud de servicios de atención primaria y de los profesionales del programa «SOS Enfants-Famille» de la Universidad Católica de Lovaina.

herencia interna, así como de su capacidad para poder intercambiar de manera continua energía, información y materia con su entorno. Esta colaboración del exterior permite que la familia se autoorganice y asegure su evolución. Esta autoorganización asegura la vida familiar en la medida que permite el cambio de sus reglas de funcionamiento para adaptarse al crecimiento y evolución de sus miembros, al mismo tiempo que asegura su integración en su entorno sin perder su autonomía. Esto se traduce en una «plasticidad estructural» necesaria para adaptarse a los cambios que genera su propia evolución, así como a las perturbaciones de su medio ambiente.

A cada etapa de su crecimiento, a menudo simbolizada por un suceso y/o un rito, como el matrimonio, el nacimiento, la escolarización de un niño, la adolescencia, un entierro, etc., un nuevo estado se instaura en la familia, caracterizado por nuevos modos de funcionamiento. Esto significa un nivel superior de complejidad con respecto al funcionamiento anterior de la familia.

Entre todas las interacciones familiares, la relación hombre-mujer que constituye la pareja es, sin duda alguna, la más importante, tanto para la constitución misma de la familia como para su función procreadora. Sin embargo, este encuentro no se realiza sin conflictos ni problemas, y tiene a menudo un impacto directo sobre los niños.

Una familia en la «etapa de pareja» debe ya adaptarse y ensanchar su funcionamiento para recibir el nacimiento de un niño, favoreciendo un apego sano. La emergencia del maltrato en esta etapa, como veremos luego, es la consecuencia de un bloqueo de la capacidad de autoorganización, lo que impide o perturba los comportamientos de apego y los cuidados adecuados para los nuevos miembros de la familia: los niños.

La supervivencia de una familia depende también de su «capacidad para integrarse de manera armoniosa» en su medio humano, sin perder su autonomía. El entorno de una familia corresponde, por una parte, a su medio ambiente natural, y por otra, a su medio humano en el sentido introducido por E. Dessoy (1993). Este autor postula que el medio ambiente humano hace participar a cada persona en este mundo (que es el mío y el vuestro) de tres maneras diferentes: la primera concierne a la participación en el ambiente, en la naturaleza y en el mundo de la estética. La segunda trata la ética del medio, allí donde se expresan y se discuten las normas, las reglas y los ritos de la vida cotidiana, donde se efectúan las interacciones y los aprendizajes. La tercera manera de existir en este mundo es aquella donde, a través del discurso, la persona expresa no sólo sus conocimientos personales y el conocimiento que la comunidad tiene de ella, sino también su adhesión relativa a las creencias que el medio total hace «surgir».

Cada familia influye y es influida a su vez por los diferentes componentes de su medio, puesto que la familia, como cualquier sistema viviente, está rodeada de una «membrana» o «frontera» semipermeable que permite intercambios con el exterior, manteniendo siempre un sentido de pertenencia y de cohesión (Minuchin, 1979). En sus relaciones con el medio humano, la familia establece múltiples relaciones con otros sistemas, por ejemplo la familia «extensa», los vecinos, los compañeros de trabajo, etc.

A propósito de esto, en las familias también encontramos «la sorprendente actitud de los sistemas vivos, de aumentar su complejidad bajo el efecto de las perturbaciones aleatorias que provienen de su medio ambiente» (Atlan, 1972, 1979). Estas perturbaciones del medio sobre el sistema familiar constituyen también recursos de organización.

Desgraciadamente, esto no sucede siempre de forma constructiva y sana para todos los miembros de la familia. Y es así porque la capacidad del sistema para adaptarse a las perturbaciones provenientes del medio dependen de la magnitud y calidad de las perturbaciones, pero sobre todo del estado del sistema familiar en el momento de ser perturbado. En ciertas condiciones las familias, ya agotadas por el sobrepeso de fluctuaciones del medio, se encuentran en la imposibilidad de modificar su estructura y, enfrentadas a una nueva perturbación incluso mínima, pueden sucumbir reencontrándose en una situación catastrófica que pone en peligro su organización. Se trata, por ejemplo, de esas familias que producen violencia intrafamiliar y maltrato en un contexto de crisis, donde los recursos normales para asegurar la integridad de los miembros, especialmente la de los más débiles, se encuentran momentáneamente agotados. Estas familias no tienen otros recursos disponibles para integrar de manera constructiva y creadora los efectos aleatorios del medio. Nos referimos a las familias de emigrantes, supervivientes de las guerras o de la persecución política y/o religiosa, pero también a las familias enfrentadas a la pobreza, al desempleo, a la exclusión social y a las presiones del consumismo.

A la inversa, las situaciones de maltrato pueden ser a veces la consecuencia del exceso de clausura o hermetismo de ciertas familias. Esto significa una «sordera» o una indiferencia respecto a las perturbaciones del medio. Se trata aquí de los sistemas familiares que, por su funcionamiento hermético, producen actividades en el vacío con muy poca comunicación con el medio, lo que conduce a una degradación de las potencialidades creadoras y reproductoras del sistema. Esta petrificación facilita la emergencia de sufrimientos, sobre todo de fenómenos que amenazan la integridad de los elementos más débiles del sistema. Estudiaremos a este tipo de familia en las siguientes páginas bajo la denominación de familias abusivas y maltratadoras. Su identificación y descripción nos dará los elementos para aceptar una de las ideas fundamentales de nuestro trabajo, a saber, la necesidad de provocar una crisis, partiendo del campo social, para ayudar a este tipo de familia. Esto equivale a facilitar sus cambios estructurales a través de la producción de perturbaciones constructivas provenientes del medio. De esta manera, las medidas de protección de los niños, la intervención judicial, y la ayuda terapéutica a las familias, pueden transformarse en sucesos significativos y reparadores en la historia familiar y en su proceso de organización. En nuestro modelo, este proceso corresponde a lo que llamamos «la intervención social-terapéutica».

La familia en cuanto sistema cultural y «lenguajeante»

Este paseo por la «biología» de la familia nos introduce en su dimensión cultural y «lenguajeante». La biología nos enseña que, en la realización de su organización autopoiética, los seres vivos, comprendidos los humanos, actúan con una *clausura operacional* (Maturana y Varela, 1984). Esto significa que la identidad y la autonomía de los sistemas vivos, familia incluida, están ligadas a la capacidad de mantenerse gracias a operaciones producidas por ellos mismos. En otras palabras, la identidad de una familia «está especificada por su red de procesos dinámicos, cuyos efectos no salen de esa red» (Maturana y Varela, 1984). Según estas ideas, los cambios estructurales que resultan de la interacción entre la familia y su medio son desencadenados por el agente perturbador, pero determinados por la estructura del sistema perturbado. Las perturbaciones del entorno no indican jamás al ser vivo el contenido de su respuesta a esta perturbación: la estructura del sistema es la que determina la respuesta. Por otra parte, un sistema viviente como una familia puede ser también fuente de perturbaciones para su medio. Esto equivale a decir que nosotros, en cuanto «observadores», sólo podemos tratar con unidades determinadas estructuralmente (Maturana y Varela, 1984).

La noción de clausura operacional es otro de los conceptos claves que anima mi reflexión a propósito de las posibilidades y límites que tenemos de influir en familias que no son la nuestra. La siguiente ficción puede contribuir a comprender mejor este concepto.

Si hubiese crecido en una isla desierta, sin posibilidad de «dialogar» mis experiencias con nadie, nunca hubiese tenido la conciencia de mí mismo ni de mis transformaciones a través del tiempo. Mi organismo, determinado por su estructura, funcionaría en una dinámica cerrada realizando su finalidad y efectuando los intercambios internos que determinarían mi crecimiento y mi envejecimiento, al mismo tiempo que respondería a las influencias del medio manteniendo su capacidad «autopoiética». Imagínese ahora un observador que me hubiese visto una vez al nacer y luego veinte años más tarde. Él me diría sin duda: «¡Oh, cómo has crecido!»; mi organismo, jamás acoplado a través del lenguaje con otro humano, continuaría funcionando sin «comprender» dicha expresión (Barudy, 1992).

En esta ficción, la conciencia de mi evolución, de mí mismo y del mundo que me rodea, hubiera sido posible sólo en el momento en que mi organismo hubiese estado listo para ampliar sus posibilidades, proponiendo «acoplamientos lingüísticos» a otras personas capaces también de acoplarse a nivel del lenguaje. Pero aun si mi organismo hubiese estado anatómica y fisiológicamente capacitado, entre otras cosas, para comunicar mi experiencia de crecer, esto no hubiese sucedido si en el momento preciso no hubiera existido la posibilidad de acoplarme lingüísticamente con otro ser similar a mí. Si esto no hubiera pasado, ustedes no podrían leer este libro.

Maturana y Varela (1984) recogen el ejemplo dramático de dos niñas hindúes que en 1922 fueron recuperadas de una jauría de lobos que las había criado, lejos de todo contacto humano. Al ser descubiertas, las dos pequeñas no sabían mantenerse de pie a pesar de sus edades, ocho y cinco años respectivamente. Caminaban a cuatro patas, no sabían hablar y sus rostros eran inexpresivos. Sólo comían carne cruda, tenían costumbres nocturnas y rechazaban el contacto humano, prefiriendo la compañía de perros y/o de lobos. La más pequeña murió poco después de haber sido descubierta. La mayor sobrevivió más o menos diez años. A pesar de los cuidados de la familia del misionero anglicano que la había salvado y de otras personas que se relacionaron con ella, no llegó a humanizarse completamente. Aun después de haber cambiado sus costumbres alimenticias y haber aprendido a mantenerse de pie, volvía a correr a cuatro patas cuando se sentía amenazada. Aprendió a comunicarse usando ciertas palabras, pero sin lograr hablar realmente. Este ejemplo, entre otros, demuestra que los esfuerzos «terapéuticos» ofrecidos por el entorno de estas dos niñas, sólo pudieron modificar parte de su ontogénesis de «hijas de lobos», sin llegar a humanizarlas totalmente, es decir, llegar a hablar.

Para Maturana y Varela, el caso de las niñas-lobo ilustra que, a pesar de la constitución genética, la anatomía y la fisiología humanas, el hecho de no haber conocido precozmente interacciones humanas provocó que una vez que fueron puestas en este medio, sólo una de ellas pudo sobrevivir, pero en condición de mitad lobo mitad humano.

En una analogía con la historia de estas niñas hindúes, podemos considerar que la mayoría de las personas y de las familias que asistimos no han podido hacer y/o tener contactos de cantidad y calidad suficientemente humanos, en el momento apropiado. Esas personas entran en contacto con nosotros, los terapeutas, porque presentan una serie de «síntomas» que son consecuencia de sus historias particulares en contextos determinados. En el caso de las niñas-lobo, los comportamientos que los humanos quisieron humanizar fueron aquellos que eran coherentes en el mundo de los lobos en donde fueron criadas. Esto puede ser aplicado al proceso terapéutico de las familias incestuosas o violentas, en donde los terapeutas —como hicieron los miembros de la familia del misionero— ofrecemos nuevos «acoplamientos estructurales» a estas familias con el objetivo de perturbar sus estructuras para provocar cambios. Pero a diferencia de los que trataron de humanizar a las niñas-lobo, sabemos que las respuestas a nuestras perturbaciones terapéuticas no dependen de nosotros, sino de la plasticidad estructural de las familias que ayudamos.

Estas constataciones modelaron mi representación de terapeuta; ya no me veo como el detentor de un poder para cambiar, cuidar, ayudar o hacerme cargo de alguien, sino más bien como una persona capaz de relacionarme con otros para perturbarles, a partir de mi creatividad, en el sentido de estimular sus potencialidades y sus posibilidades de cambio. Los límites de mi acción están determinados por mi propia estructura y por mi reflexión ética, realizada en el marco de un trabajo de equipo que me permite evaluar en cada momento los riesgos de mis intervenciones para la vida de las personas implicadas, así como para la mía.

Maturana y Varela hacen un largo e interesante recorrido explicativo para enseñarnos la emergencia del lenguaje hablado en la fenomenología humana, cómo y en qué condiciones se produjo en la evolución natural de los seres vivos. Abordar todos los aspectos de este proceso sobrepasa los límites de este capítulo, pero trataremos de dar una breve mirada a los aspectos que más nos han influido en la reflexión que inspira nuestro modelo.

Una de las posibilidades para que las familias mantengan su identidad fuera de la plasticidad estructural, es su capacidad para acoplarse con otros sistemas. Este tipo de acoplamiento estructural corresponde a los *acoplamientos de tercer orden*, que constituyen los fenómenos sociales. La posibilidad de realizar estos acoplamientos, por ejemplo, coordinar los comportamientos para cuidar a los pequeños, aparece en los animales superiores como resultado de la diferenciación de una parte de su organismo en un sistema especializado en establecer interconexiones entre sus diferentes partes. Esto corresponde a la emergencia del sistema nervioso, en tanto metasistema.

Maturana y Varela demuestran que el sistema nervioso emerge en la historia filogenética de los seres vivos como resultado de la diferenciación de un tejido singular de células, las neuronas, que tienen como función la relación entre las zonas receptivas de los estímulos (intra y extracorporales) con las superficies que «reaccionan» frente a estos estímulos, zonas secretoras y/o motrices (Maturana y Varela, 1984).

La visión externa de un observador «de la danza de las interacciones internas de nuestro organismo corresponde a lo que llamamos *la conducta*». Así pues, los comportamientos o la conducta son los cambios de posición de un ser vivo que un observador describe como movimientos o actos en relación con un entorno determinado (Maturana y Varela, 1984). El sistema nervioso ensancha el abanico de elecciones posibles. Por su arquitectura enriquece el carácter autónomo de los seres vivos, permitiéndole, entre otros, movimientos que facilitan el acoplamiento con otros individuos. Esto será percibido por el observador como una conducta. La sucesión de movimientos y/o conductas —sucesión de cambios— será uno de los elementos que permitirá al observador percibir los cambios y la dimensión temporal del proceso.

La observación de acoplamientos mutuos y recurrentes entre individuos (acoplamientos de tercer orden) lleva al observador a describir una coordinación comportamental recíproca. En este nuevo enfoque, la comunicación corresponde a la coordinación de las conductas observadas como el resultado de un acoplamiento social entre individuos diferentes. Los acoplamientos coordinados de conductas (fenómenos sociales) son múltiples en todas las especies animales y en los humanos. Un ejemplo de ello son los acoplamientos reproductores o los modelos de crianza de la progenitura. El funcionamiento general de una familia corresponde precisamente a esta fenomenología. Los miembros de una familia coordinan sus comportamientos para permitir comunicaciones destinadas principalmente a asegurar el bienestar de todos y la transmisión de la cultura familiar. Resulte o no, la vida de todos los miembros de una familia depende de esta posibilidad de asociarse gracias a los acoplamientos coordinados. Nuestra investigación sobre el funcionamiento de las familias maltratadoras también pretende detectar las situaciones y los factores que provocan el fracaso de estos procesos asociativos coordinados, provocando el maltrato y el sufrimiento infantil (Barudy, 1984, 1989).

LOS FENÓMENOS CULTURALES

Estos fenómenos corresponden a los acoplamientos coordinados de conductas o «conjunto de las interacciones comunicativas que permiten cierta continuidad en la historia del grupo», y van más allá de la historia particular de los individuos que participan en ella.

Maturana y Varela (1984) se refieren aquí, por ejemplo, al rol esencial de la imitación y de la selección de los comportamientos propios de un grupo que hace posible el acoplamiento de los jóvenes con los adultos, procurando el sentido de pertenencia en un mismo linaje. Así, cada familia lleva en su «equipaje» una cultura que le es propia, aunque pertenezca al mismo tiempo a una cultura más vasta. El sentirse parte de una cultura es algo vital para ella, en el sentido de mantenerse y sentirse una familia. En nuestro enfoque, utilizaremos la noción de *cultura* a dos niveles; primero, como un conjunto de configuraciones «de conductas que permanecen constantes a través de las generaciones», que corresponden a las *conductas culturales*; segundo, como el conjunto de discursos y/o relatos que se transmiten y se mantienen de generación en generación. Esto es posible gracias a la emergencia en los homínidos del pensamiento simbólico y del lenguaje verbal como resultado del proceso evolutivo de los seres vivos.

Según los modelos tomados de Maturana, la singularidad de los seres humanos es su capacidad de verbalizar, es decir, la capacidad de producir descripciones semánticas de los fenómenos sociales. Dice Maturana que operamos en un dominio semántico cuando «lo que determina nuestras interacciones es la significación que yo o cada uno en el lugar del observador, hemos encontrado a nuestros comportamientos» (Maturana, 1984). En la medida en que escribo para ser leído por otras personas que actúan también en un dominio lingüístico, mi propósito, así como el vuestro, se inscribe como un sistema de coordinación de acciones que nos permite encontrarnos en «una práctica de vida» que corresponde a la práctica «del observador». «Nos tocamos el uno al otro a través del lenguaje» (Maturana, 1989). La observación de mi proceso existencial es posible únicamente gracias a esta posibilidad de acoplamiento semántico con otro observador como yo. En condiciones ideales, la familia obtiene de los acoplamientos semánticos, con su tejido social, los elementos gratificantes y las confirmaciones mutuas de las identidades individuales (imagen de sí mismo), de la identidad familiar y de las imágenes colectivas (conjunto de representaciones que constituyen la identidad social) (Mead, 1934).

Así, una serie de modelos de comportamientos, imágenes, guías y representaciones, sirven de referencia a los miembros de una familia en lo que concierne a sus comportamientos, roles y relaciones sociales. Esto no es siempre equitativo y las imágenes-guía dominantes no corresponden siempre al interés de todos los miembros del sistema. Ciertas ideologías aún dominantes en la sociedad, tales como el machismo y el adultismo, están en la base de los comportamientos violentos y abusivos de los adultos en las familias.

La familia como tema semántico

Las familias existen también en el lenguaje simbólico y producen a su vez explicaciones y creencias que dan un sentido a los comportamientos de todos y cada uno de sus miembros, así como del mundo que les rodea. Para la familia, la percepción y expresión a través de la palabra de sus experiencias corresponde también a una parte de esas circunstancias. La palabra da a cada miembro de una familia la conciencia de su realidad familiar singular, así como de su proceso evolutivo, pero también lo enfrenta a la angustia ligada a la representación de experiencias, tales como la separación, el envejecimiento, la muerte, la violencia, el amor, la soledad, el otro amenazador, etc. Poder hablar de nuestras familias nos permite sentirnos arraigados en una historia, establecer lazos con nuestros antepasados y lanzarlos al futuro con nuestros proyectos, combates, diálogos y descendientes.

El lenguaje verbal permite también la transmisión transgeneracional de las experiencias, a través de los relatos organizados en sistemas de ideas y creencias que formarán parte de la cultura familiar. Estos relatos culturales permiten no sólo dar sentido a los sucesos, sino que proporcionan igualmente un sentido de pertenencia y de «cohesión» a los diferentes miembros de un linaje familiar. Esta cohesión facilita el trabajo colectivo para afrontar los desafíos adaptativos. Por ejemplo, el solo hecho de compartir las mismas creencias en una familia procura a todos sus miembros una experiencia compartida que asegura la unidad familiar, promoviendo a la vez sentimientos de seguridad y protección, garantía necesaria para poder hacer frente a las perturbaciones que provienen del entorno. Los comportamientos y relatos se organizan en los patrones repetitivos que corresponden a lo que hemos llamado «los rituales».

Compartir dentro de un grupo una misma representación de la familia, constituye uno de los elementos fundamentales de las circunstancias vitales de cada uno de sus integrantes y de su conjunto. Esto proporciona una parte importante del sentido de pertenencia a una colectividad y a una cultura. Si la adhesión a esta cultura es impuesta por la fuerza, existirá un riesgo importante de falsear la percepción de sí mismo y de los otros, como sucede en las dinámicas sociales y familiares abusivas, que bloquean la creatividad individual, petrifican la capacidad reflexiva, e impiden el encuentro y el diálogo con los otros. Encontramos esta dinámica y sus consecuencias en las sociedades totalitarias, en las familias abusivas, maltratadoras, psicotizantes, etc., donde se «convence» a las personas de que las creencias dominantes son verdades absolutas.

Si bien es cierto que la palabra es un instrumento esencial para conocer al otro, respetarlo y asociarse por el bien común, siempre existe el riesgo de que cada familia o cada grupo se encierre en su mundo de representaciones, perdiendo así las posibilidades de los intercambios y asociaciones necesarios para la adaptación. Esto explica la emergencia de la violencia debida al aislamiento y agotamiento de los recursos internos que hemos observado en ciertas familias atendidas en nuestro programa.

IMPREGNACIÓN, APEGO Y CUIDADOS PARENTALES

Las relaciones existentes entre los sujetos que componen la familia están determinadas por la finalidad de existir, mantenerse y reproducirse en cuanto sistema vivo. Una parte importante de la energía, los recursos y las interacciones de los sujetos que componen la familia, se consagrará a asegurar los cuidados y la protección de la vida del conjunto. Para los niños este proceso es vital, porque necesitan cuidados durante un largo período. Para lograr esto, los diferentes miembros de una familia deben sentirse y reconocerse como parte de un mismo cuerpo, con objeto de que el bienestar de cada uno sea un proceso natural generado por el «trabajo» de todos. Los vínculos deben ser de tal cualidad que aseguren una vivencia emocional permanente, expresada en comportamientos y discursos que consideren a cada miembro de la familia como «un otro legítimo», en un proceso de coexistencia permanente.

Estar juntos y permanecer de esa manera, caracteriza el comportamiento familiar de las especies animales superiores y del hombre. Esto es posible por un *apego emocional*, resultado de lo que los etólogos llaman el *proceso de impregnación*. El fracaso del proceso de impregnación entre el niño y los padres acarrea perturbaciones en el apego, que tendrán como consecuencia la negligencia y el abandono de los niños. Estas experiencias se originan a menudo por otros tipos de violencia, en una perspectiva transgeneracional. La madre o padre que golpea, abandona o abusa sexualmente de sus hijos, a menudo no conoció una experiencia de apego suficientemente buena con sus propios padres, por lo que difícilmente podrá ofrecerla a sus hijos.

Cada vez que un ser vivo incorpora un elemento del medio a su modo relacional, estamos en presencia de ese proceso de impregnación (Heinroth, 1910; Lorenz, 1971). Konrad Lorenz, discípulo de Heinroth, ha descrito con extrema precisión este fenómeno a partir de sus observaciones naturalistas de diversas especies de pájaros y mamíferos.

Observando el proceso de impregnación de los patos, Lorenz pudo constatar que un patito puede apegarse a cualquier objeto que se mueva en su campo visual, siempre y cuando esto se produzca entre la tercera y la decimosexta hora después de su nacimiento. Durante este período, que se denomina «período sensible», el patito se apega en un 90 % de los casos al objeto que se mueve. Sigue al objeto, se estrecha contra él para dormir, y se mantiene en su proximidad explorando el mundo que le rodea sólo en su presencia. De esta manera, el patito construye su mundo de pato a través de un vínculo de familiaridad con sus objetos de apego. Si se le retiran los objetos que componen su mundo, presentará signos de inquietud.

La existencia de una relación de apego, nos dice Lorenz, se puede distinguir por dos mecanismos: la «persecución» del objeto maternante para procurarse una proximidad física y sensorial, y la identificación de éste por sus características distintivas. Este doble mecanismo puede orientarse hacia la madre o hacia los dos genitores, según sea la especie y la situación de equilibrio ecológico, pero también puede desencadenarse hacia miembros de otras especies.

Lo que caracteriza al apego desde el punto de vista del observador es la atracción de un sujeto hacia su *objeto de apego*, que se manifiesta en la búsqueda de aquél cuando desaparece y por el hecho de permanecer a su lado al reencontrarlo, así como por la producción de comportamientos para obtener su proximidad (De Lannoy y Feyereisen, 1987). La experiencia de apego constituye el fundamento mismo de la existencia de la familia humana, así como de la formación de los grupos y las instituciones sociales.

Los sujetos vinculados por este tipo de experiencia permanecen asociados en el espacio, presentan ciertos comportamientos que en situaciones singulares se orientan hacia las personas objeto de apego y además se orientan hacia una búsqueda activa y un mantenimiento de una proximidad espacial y temporal (Wickler, cit. por De Lannoy; Feyereisen, 1987). La proximidad temporal puede producirse simultáneamente e incluso sustituirse por la proximidad espacial y viceversa. Sin estar presente siempre en el mismo espacio, el apego se puede manifestar por un vínculo de fidelidad que permanece a través del tiempo.

En la familia humana, este proceso corresponde a la manera en que el niño se impregna de su madre y de los objetos que le recuerdan su mundo. También se impregnará de su padre, hermanos y hermanas, etc., y se familiarizará con su medio social y su entorno natural. La base de la capacidad para establecer un vínculo de apego es el reconocimiento precoz de las personas familiares y el establecimiento de una comunicación con ellas. Los lazos afectivos privilegiados que un niño establece con un número reducido de personas lo empujan a buscar la proximidad y el contacto con éstas a través del tiempo.

Según Félix López (1993), la participación del niño en el proceso de apego se caracteriza por: 1) los esfuerzos para mantener la proximidad con las personas con las que está vinculado; 2) los contactos sensoriales privilegiados sostenidos; 3) la exploración a partir de la seguridad dada por la presencia de la figura de apego; y 4) la ansiedad frente a la separación, que se manifiesta por una activación de los esfuerzos para atraer a la figura de apego, seguidos de sentimientos de desolación y abandono por su pérdida.

En el niño los *vínculos de apego* se estructuran a partir de tres componentes: las conductas de apego, los sentimientos que la acompañan y la representación mental del apego. En el niño, el apego se obtiene y mantiene por una serie de comportamientos como gritos, sonrisas, agitación motriz, etc., comportamientos de llamada, tales como aferrarse, y/o actos de vigilancia, así como por el seguimiento visual y auditivo de las figuras de apego. Generalmente, con estos comportamientos el niño logra que su madre u otra persona que cumple con esta función se le acerque y permanezca junto a él. En condiciones ecológicas normales, podemos notar en el lactante una predisposición a efectuar tales comportamientos cuando su madre se aleja, al mismo tiempo que en ella surge una predisposición a reaccionar a las señales acercándose al lactante.

En relación con los sentimientos de apego, éste es fundamentalmente una experiencia afectiva, por lo que implica sentimientos referidos tanto a la figura de apego como a sí mismo. Una buena relación de apego tiene como resultado sentimientos de afirmación y seguridad, asociados a la proximidad y al contacto de la figura implicada. Su pérdida real o imaginaria produce angustia. Este proceso implica también la construcción por parte del niño de una representación mental de la relación con la figura de apego. Según Félix López, los contenidos más importantes de este modelo mental son los recuerdos de la relación. Estas representaciones corresponden a lo que Bowlby llamó «modelos internos de trabajo». Son una «construcción» de un conjunto de representaciones interactivas que tienen cierto grado de estabilidad; son también un «trabajo» en el sentido de representaciones dinámicas que cambian para adaptarse a los diferentes períodos de los ciclos vitales, especialmente cuando se producen pasajes ecológicos importantes: el inicio escolar, el nacimiento de hermanos/as, las pérdidas de otras figuras de apego, etc., o los cambios evolutivos.

En una perspectiva más amplia, la representación mental incluye también el contexto físico y social en el cual se establece la relación. No sólo es una representación cognitiva de la relación y de los participantes, sino también una representación emocional del ambiente vivido por el niño. El modelo mental de las relaciones de apego está basado en las experiencias vividas por el sujeto. Las experiencias percibidas como negativas, incoherentes o inconsistentes traerán deficiencias o graves patologías a nivel de la capacidad para establecer lazos afectivos sanos. A veces, aunque las experiencias de apego han sido negativas, la representación de la relación no corresponde a lo vivido, representándose como positiva. Esto se explica por la dependencia biopsicosocial del niño hacia la figura de apego y por el estado de confusión creado por esta vulnerabilidad, lo que provoca una distorsión de la representación con la negación de la vivencia angustiante y una idealización de la relación (Miller, 1981). Otra falla en la representación puede ser la fijación sobre una experiencia todopoderosa de la relación materna, a la que hemos llamado la *intoxicación maternante*. En este caso, el niño permanece «prisionero» de las figuras primarias de apego (Barudy, 1994), y no puede evolucionar en su representación, presentando graves perturbaciones a nivel de la diferenciación de su yo y del establecimiento de una relación objetal sana. Este tipo de problema lo presentan a menudo los padres que golpean y/o abusan sexualmente de sus hijos, a partir de una problemática psicótica y/o narcisista.

La capacidad simbólica del ser humano hace que *el apego de los padres hacia sus hijos*, comience a construirse desde antes de la existencia del niño como realidad. Para los padres y la familia, éste existe en sus imaginaciones aun antes de su concepción y gestación. La no concordancia entre el niño imaginado y el niño real puede perturbar los procesos de apego y favorecer la emergencia del maltrato. El deseo de tener hijos es un fenómeno cultural que se forja en el curso de una historia transgeneracional, que a su vez influye en su materialización biológica. La fusión de los gametos crea el cuerpo material del niño. Este cuerpo participará muy precozmente en un proceso relacional, primero con su madre y enseguida con los otros miembros de la familia.

Las investigaciones recientes sobre la vida fetal nos enseñan que, desde muy temprano, los embriones son actores de comunicación, participando activamente en el proceso de apego intrauterino. El feto humano se desarrolla con una velocidad extraordinaria, entre la segunda y la vigesimocuarta semana de gestación. Ya en esa etapa, el bebé está implicado en un sistema relacional bastante elaborado. Antes de la semana vigésima, la sensibilidad táctil y vestibular lo capacita para ubicar su propia posición en el útero; esto equivale a estar sensorialmente consciente de las posiciones que puede tomar su madre, así como de todas las informaciones respecto al modo singular en que ella se mueve. Después aparece una gran sensibilidad olfativa, y es capaz de percibir el olor de las moléculas químicas disueltas en el líquido amniótico. «El bebé en el vientre» percibe y memoriza el olor de su madre que más tarde encontrará en su piel, más particularmente en las axilas, la raíz del pelo, los contornos mamarios y las primeras gotas del calostro (Querlen y colab., 1985). El feto tiene también la facultad de sentir el olor de los alimentos que come su madre, del tabaco que fuma o del perfume que usa. Esta percepción olfativa va a la par con la capacidad del feto de «saborear» las moléculas que transitan por el líquido amniótico (Cyrulnik, 1989).

La audición tiene también un rol fundamental en la construcción de esta historia relacional. Esta comunicación auditiva empieza hacia la semana vigesimoséptima. El niño está inmerso en un universo sonoro que algunos comparan con una sala de espera de una estación o un aeropuerto (Naourri, 1994; Querler, Renard y colab., 1985). Pero en medio de todo ese ruido el pequeño es capaz de discernir la voz de su madre que sobresale del ruido de la placenta. En el útero el bebé establece una relación privilegiada con esa voz. El corazón del bebé se acelera cuando su madre canta y cambia de postura cuando ella habla. Las ecografías nos entregan estas imágenes impactantes. Cuando la madre habla, el bebé pestañea, puede cambiar de postura y ponerse a chupar su pulgar o su cordón umbilical.

Cuando viene al mundo, el recién nacido posee ya una historia relacional sensorial muy rica. El contenido de esta relación influirá en el proceso de apego desde el nacimiento, prolongando una historia cuyo contenido no es siempre positivo. Ciertos futuros bebés sufren ya en el vientre de su madre influencias destructivas, debidas a factores ambientales como la pobreza, el consumo de drogas o el alcohol por parte de su madre, o las agresiones generadas por la violencia conyugal.

El nacimiento del niño desencadena ciertos comportamientos maternales y bloquea otros. El resultado de este proceso será un apego madre-niño suficientemente sano o un apego deficiente. En el momento del nacimiento del niño, la madre está sometida a un enorme flujo de experiencias y sentimientos. Sólo una parte de ellos tendrá una significación pertinente para el apego hacia su hijo. La madre seleccionará las informaciones provenientes de su bebé, debiendo enseguida interpretarlas de tal manera que active un sistema de respuestas que crearán el apego.

Nuestras propias experiencias familiares y la observación del comportamiento espontáneo de los adultos, nos enseñan que la presencia de un lactante desencadena en un contexto sano lo que podríamos considerar como comportamientos maternales. Según Lorenz, el lactante posee rasgos físicos que provocan una impresión específica en el adulto, como el de ser «alguien tierno». Esta impresión engendraría una emoción de ternura y un conjunto de gestos destinados a cuidar al lactante, acariciarlo, tomarlo contra sí, acunarlo, etc. (Lorenz, 1970). Sus mímicas y vocalizaciones producen también las mismas emociones.

APEGO Y SENTIMIENTO DE FAMILIARIDAD

En la familia, el proceso de apego es circular; por lo tanto, se produce tanto desde el bebé hacia su madre, como de ella hacia él. Este proceso es la fuente del *sentimiento de familiaridad* que va a ligar a los diferentes miembros de una familia en la emoción de pertenencia. En el sentido etológico, esta familiaridad corresponde a una fuerza biológica, una comunicación material y un vínculo sensorial que unen a los diferentes miembros de una familia como resultados del proceso de apego. Esta experiencia estructura un verdadero órgano de coexistencia, que tiene como consecuencia los cuidados mutuos y el respeto por la integridad de los diferentes miembros vinculados por el apego. Para el niño, el sentimiento de familiaridad se construye primero sobre la base de una relación cuerpo a cuerpo con su madre, antes de poder nombrarla, seguido por la integración del padre, y posteriormente por el apego de los otros miembros de la familia: hermanos, hermanas, familia extensa, etc. La continuidad biológica con la madre explica el intenso sentimiento de familiaridad experimentado con ella, mientras que la relación afectiva con el padre es discontinua desde un comienzo: en la cercanía de la madre el niño «percibe» a su padre. Según Cyrulnik, «la madre es una estructura afectiva, mucho antes de ser una estructura de parentesco. Ella es percibida, sentida, oída antes de ser nombrada, algo que no sucede con el padre, quien de hecho nace en la designación y quien, por esto, ejerce el poder de separación de la función paternal». Esto último constituye el elemento que favorece la diferenciación del niño, porque cuando el padre está presente favorece la separación del cuerpo a cuerpo madre-hijo (Cyrulnik, 1989).

La comunicación sensorial que los organismos individuales están dispuestos a recoger, facilita y produce el encuentro entre los diferentes miembros de la familia. Estos encuentros crean un ambiente sensorial intersubjetivo, rico en información biológica, y sobre todo emocional, que se intercambia entre un miembro de la familia y otro, constituyendo así estímulos para cada uno de ellos. La composición de una familia, el vínculo o el apego al otro, implica la gestión permanente de las emociones para garantizar el espacio y el respeto de cada uno.

LAS PERTURBACIONES DEL APEGO Y EL MALTRATO

El establecimiento de un vínculo de apego tiene un rol esencial para la vida, sin que esto signifique que la respuesta de la figura de apego deba ser necesariamente adecuada para que un niño se aferre a ella. La observación clínica nos ha mostrado que un niño maltratado por sus padres puede, sin embargo, desarrollar lazos de apego hacia ellos.

En las experiencias realizadas con animales, el apego puede existir entre un joven y su madre, independientemente del hecho de que ésta sea o no gratificante; en el extremo, una madre punitiva o fuente de estrés podría incluso provocar un apego más intenso que el de una madre normal. Un mono rhesus, criado por una madre artificial que le lanza un chorro de agua a intervalos regulares, se aferrará a esta madre más intensamente que a una madre natural (Harlow; citado por Delannoy y Feyereisen, 1987).

Para el niño, los lazos de apego son sinónimo de supervivencia, y por eso se aferra al adulto, independientemente del hecho de que sea adecuado o no.

Según las consecuencias para el niño, la clínica del apego distingue dos formas de apego: el apego seguro y el inseguro. Ainsworth y Bell (1970) desarrollaron un procedimiento para evaluar la calidad o la seguridad del vínculo niño-figura de apego, durante los dos primeros años de vida. Observaron la manera en que el niño organiza su conducta en relación con la figura materna, durante una serie de episodios más o menos estresantes de corta duración: una situación desconocida, un encuentro con una persona desconocida, y una separación corta de su madre. La distinción que se ha hecho entre apego seguro e inseguro, fluye de una parte de la capacidad del niño para utilizar la figura de apego como base para explorar su entorno y, por otra parte, de su forma de reaccionar ante el retorno de su madre después de una corta separación.

Los niños que presentan un tipo de *apego seguro*, llamados «niños del grupo B», se alejan de la madre para explorar la sala y los juguetes después de un corto período de familiarización; no se inquietan ostensiblemente por la separación, pero su exploración disminuye momentáneamente. Cuando la madre regresa, la reciben con alegría, buscando activamente la interacción con ella y tornando progresivamente a la conducta de exploración.

Para el *apego inseguro*, los investigadores distinguieron dos tipos de comportamientos:

1. Un grupo presentó un apego ansioso o ambivalente. Estos niños ejercen una exploración mínima de su entorno, aun antes del alejamiento de su madre; la presencia de ésta después de una corta ausencia no los calma, y manifiestan una actitud ambivalente. Pueden reaccionar hacia su madre con cólera, rechazando el contacto y la interacción, y enseguida buscar ansiosamente la proximidad y la relación. Dichos comportamientos caracterizan a «los niños del grupo C».

2. Un segundo grupo, los «niños del grupo A», presentan lazos de apego huidizos y rechazantes. Estos niños tienden a ignorar o esquivar a su madre, tanto antes como después de la separación. No muestran ninguna diferencia en sus comportamientos en presencia de sus madres o de desconocidos. Aparentemente, se presentan como indiferentes.

Las observaciones clínicas de las interacciones madre-hijo permiten distinguir grupos de madres diferentes para cada grupo de niños. Los niños que tienen un apego más seguro corresponden a las madres más disponibles. Cuando sus hijos lloran o buscan la proximidad, ellas se muestran siempre acogedoras, ofreciendo enseguida un contacto al niño. Al contrario, las madres de los niños ansiosos-ambivalentes no responden a las señales de los niños, pero no les rechazan. Las madres de los niños huidizos y rechazantes no sólo son insensibles a las comunicaciones y demandas del niño, sino que además impiden o bloquean activamente los esfuerzos de éste para acceder a ellas.

En las familias maltratadoras atendidas en nuestro programa, en las que los padres golpean y rechazan psicológicamente a sus hijos, encontramos con más frecuencia niños con apego de tipo A, es decir, huidizos y rechazantes. Este apego con comportamientos esquivos corresponde a menudo a una estrategia del niño para afrontar las amenazas de sus padres. Desgraciadamente, estas reacciones no siempre lo protegen, porque son interpretadas por los padres como signos de rechazo y de agresión. Los padres responden entonces con más violencia, estableciendo de esta manera una espiral trágica de consecuencias lamentables para el niño. Los niños víctimas de negligencia y abandono presentan con más frecuencia modelos de apego inseguro, ansiosos-ambivalentes de tipo C.

Nuestras observaciones coinciden con los resultados de investigaciones que muestran que la mayoría de los niños víctimas de malos tratos son también víctimas de trastornos del apego, y que determinados tipos de malos tratos corresponden a trastornos del apego específicos (Egeland y Stroufe, 1981).

En los casos de *violencia física*, un porcentaje elevado de niños manifiestan un modelo de evitación o un pseudoapego de tipo A. Con respecto a la tonalidad afectiva, este grupo de niños presenta un nivel de agresividad hacia la madre más intenso que el grupo control o que un niño víctima de otros tipos de malos tratos. En lo que concierne al comportamiento de evitación de su madre, George y Main (1979) han constatado que los niños víctimas de violencias físicas no muestran diferencias en su acercamiento espontáneo a la figura materna. Pero frente a las invitaciones de la madre, éstos la evitan.

En los casos de *niños descuidados* o *abandonados*, nuestras observaciones confirman las realizadas por Ainsworth (1970), en el sentido en que el modelo de apego ansioso-ambivalente de tipo C está más presente en los niños descuidados físicamente, pero sólo hasta la edad de doce meses. A partir de un año y medio, ninguno de estos niños se sitúa en este grupo. Algunos evolucionan hacia el apego seguro de tipo B, pero la mayoría evolucionan hacia el modelo de evitación o del pseudoapego de tipo A.

El abandono es lo que provoca las más graves consecuencias para los niños, tanto a nivel afectivo como intelectual. A los doce meses, el 43 % de los niños que tenían madres emocionalmente inaccesibles, presentaban un modelo caracterizado por el desapego y el alejamiento. Después de los dieciocho meses, ningún niño manifestaba un lazo de confianza hacia su madre, y el 86 % estaban catalogados en la categoría A. Ainsworth y Bell (1970) observaron también con sorpresa que cuando la inaccesibilidad emocional de la madre se combinaba con los golpes, las perturbaciones del afecto eran menos graves. Esto confirma una de nuestras constataciones clínicas, en el sentido de que para un niño es menos dramático ser golpeado que la indiferencia y el abandono.

En la *violencia psicológica*, las secuelas de la agresión verbal sobre el apego fueron menos estudiadas, ya que utilizaron una muestra restringida. La observación de los niños sometidos a violencias verbales mostró que a los dieciocho meses la mayoría de esos niños manifestaban un apego poco seguro, desorganizado, que los autores calificaron de tipo D.

LA INFLUENCIA DEL MEDIO EN LA RESPUESTA DE LOS PADRES

La adecuación de la respuesta de los padres a las necesidades de los niños no depende sólo del cuerpo biológico ni de la historia de estos últimos, sino también de las carencias del entorno. A este respecto, la observación etológica del proceso de apego madre-cría en los monos en cautividad, muestra que la presencia de los visitantes inquieta y dispersa la atención de la madre, que responde mal a las necesidades de su cría. Poniéndose nerviosa, ésta puede interrumpir su aseo e incluso arrancarle el cordón umbilical; la pequeña cría sangra y sufre perturbaciones digestivas, llora, se retuerce y gime de dolor. En esas condiciones, la cría no despierta ya los comportamientos maternos. La madre la agarra por una pata, la arrastra sobre la espalda y le impide aferrarse a su vientre. Los gritos de la cría sólo agravan el comportamiento de la madre, que puede desinteresarse hasta dejarla morir y a veces matarla (Cyrulnik, 1989). Situaciones similares pueden presentarse también en el mundo humano, como se ilustra en la siguiente situación:

> Una enfermera social que trabaja en un consultorio de lactantes de un barrio de emigrantes, me pide ayuda a propósito de una joven madre de origen turco cuyo bebé de un mes presenta signos de negligencia y malos tratos físicos. Las visitas a domicilio y las entrevistas con esta joven madre, ayudada por una vecina intérprete, nos permite comprender cómo esta madre que dice amar a su bebé ha llegado a tal estado. Casada con un hombre escogido por sus padres, desarraigada de su medio familiar y enviada a Bélgica pasa el primer año de casada muy aislada. Su marido trabajaba todo el día, y después del trabajo se ausentaba de la casa para participar de las actividades sociales y distracciones con los hombres de su comunidad. Conforme a la tradición, su mujer no podía salir de casa salvo con él. En su pueblo de origen todo hubiese sido diferente; la habrían rodeado las mujeres de la familia y hubiese salido de casa con ellas. En Bélgica todo eso desapareció, ella sólo tenía a su hijo, quien no podía comprender su sufrimiento y desazón y que, al contrario, le pedía cuidados y necesitaba de ella.
>
> Otros factores, ligados al parto, nos permiten comprender mejor las dificultades de esta madre. El niño nació en una maternidad de Bruselas. El parto fue difícil y prolongado, pero lo peor era su soledad: no comprendía ni siquiera lo que se hablaba a su alrededor. Al nacer el bebé, el personal de la sala de partos esperaba que la madre acogiera a su bebé, pero ella estaba demasiado aterrada y con mucho sufrimiento para recibirlo de manera adecuada. Al no producirse el comportamiento esperado, el personal insistió descorazonando aún más a la madre. Desde este momento, se instala una espiral de fracasos en el encuentro ma-

dre-bebé. La maternidad decidió ingresar al niño en el servicio de neonatología, explicando a la madre a través de gestos que podía visitarlo. Ella cuenta que trató de hacerlo, pero cada vez que salía de su habitación, regresaba inmediatamente sin llegar a su objetivo. Le provocaba pánico la idea de perderse en los laberintos de ese hospital moderno y técnicamente irreprochable. Rápidamente su conducta es etiquetada por las enfermeras y médicos como negligente. Una enfermera de servicio externo es alertada para vigilar la evolución de la situación una vez que la madre fue dada de alta de la maternidad. La madre se volvió a encontrar sola en casa con un bebé que ella vivenciaba como extranjero, y que le exigía cuidados llorando, sin tener en cuenta su sufrimiento. El marido, prisionero de sus modelos culturales, fue incapaz de apoyarla, exigiéndole además que se ocupara de las tareas domésticas. En ese contexto, la madre no pudo vivenciar su bebé como un ser gratificante, parte integrante de sí misma. El proceso de impregnación, y por lo tanto el de apego, había fracasado.

El acompañamiento de la madre en sus gestiones para lograr la admisión del bebé en la guardería del barrio, así como las sesiones de terapia madre-bebé para favorecer sus interacciones, realizadas a domicilio, permitieron una evolución favorable de la situación. Tiempo después, la integración de la madre en una asociación de mujeres inmigrantes y nuestro trabajo con el padre, con la mediación de un médico turco, permitió «construir» un pequeño tejido social alrededor de esta familia. Este proceso, que llamamos en nuestro modelo la «tribalización» (Barudy, 1979), y que describiremos más adelante, permitirá a esta joven madre salir de su aislamiento y apegarse a su pequeño.

Al presentar la situación de la «madre mono» en cautividad y el caso de esta mujer joven, hemos querido ilustrar cómo «un desorden ecológico», provocado por el hombre, puede tener como consecuencia un fracaso en el proceso biológico del apego, facilitando la emergencia de maltrato físico y abandono del niño. En el caso de la «madre mono», la alteración del proceso de apego se origina por el hecho de tener que vivir en una ecología inventada por el hombre: un zoológico. En el caso de la mujer joven, no se trata de un zoológico, sino de una clínica moderna inventada también por el hombre, donde la tecnocracia ha reemplazado los elementos fundamentales de las relaciones humanas.

En las dos situaciones, la intervención del hombre hizo desaparecer el efecto apaciguador del grupo, alterando de esta manera el proceso biológico del apego. La «civilización» humana transformó a estas dos madres en «malas madres».

Un enfoque reduccionista podría interpretar el comportamiento de estas madres como ausencia de «instinto maternal». Un enfoque ecosistémico nos ayuda a comprender que el comportamiento negligente y agresivo de estas dos madres es el resultado de un entorno social deshumanizado que alteró el encuentro biológico entre las crías y sus madres.

Sin embargo, no son solamente las perturbaciones del entorno las que favorecen los comportamientos maltratadores; hay que considerar también la influencia de las representaciones, consecuencia de la capacidad «lenguajeante» de la especie humana. Esto conduce a los adultos a «construir niños imaginarios o niños fantasmáticos» que perturban el proceso biológico del apego. Ciertas características atribuidas al bebé, provocan en los adultos determinados gestos y comportamientos de rechazo en el momento del nacimiento. El bebé puede ser rechazado por lo que representa y no por lo que es, instalándose de esta manera una alteración del apego natural.

Por otra parte, las palabras y las creencias permiten transmitir mensajes comportamentales y relatos que influyen de manera favorable en los encuentros biológicos, y que a veces incluso corrigen lo perturbado en los procesos biológicos de impregnación y de apego. Esto fue lo que sucedió con nuestra intervención en el caso de la joven madre y su bebé. El encuentro de esta familia con la red de profesionales que les ayudó, permitió la emergencia de nuevas representaciones de la relación madre-hijo, vinculando de nuevo a la madre, al bebé y al padre. Las «conversaciones» terapéuticas permitieron a esta familia reconocerse como parte de un mismo cuerpo familiar que se integra lentamente en una red más vasta, creada por la solidaridad de las otras mujeres del barrio y de profesionales comprometidos al lado de las familias desfavorecidas.

3. ECOLOGÍA MODERNA DE LA VIOLENCIA HACIA LOS NIÑOS

El análisis exhaustivo de todos los factores ligados al medio humano que impiden el encuentro entre padres y niños y que predisponen a la aparición de la violencia, es imposible en el marco de este libro. Sin embargo, nos parece importante insistir sobre su existencia a fin de evitar el riesgo de asignar toda la responsabilidad del origen de la violencia a la familia. En uno de nuestros primeros artículos habíamos intentado organizar esta complejidad, considerando los niveles detallados en el cuadro 2 de la página siguiente (Barudy y Charler, 1977).

Para ampliar este cuadro, mencionaremos los factores socioeconómicos y socioculturales que facilitan la violencia como resultado de la organización social que caracteriza la época contemporánea y que los sociólogos designan como modernidad. El tema de la modernidad es una preocupación permanente en la sociología; los diferentes investigadores lo abordan en términos bien distintos y a la vez contradictorios. Algunos la consideran como un período de gran avance y desarrollo del ser humano; otros, al contrario, como la transformación más destructiva de la humanidad (Bruner, 1986). Consideramos la modernidad como «la ecología» o el medio humano donde emergen los fenómenos de maltrato infantil que intentamos comprender.

LA MODERNIDAD COMO ECOLOGÍA

La modernidad implica, por una parte, una organización económica que se genera con la expansión del mercado capitalista mundial (Berman, 1982, en Bravo, 1994), y por otra parte, un proceso cultural y social producido por todas las sociedades industria-

CUADRO 2. Ecología de los niños maltratados.

FACTORES
SOCIOECONÓMICOS

Desigualdades sociales.
Lugar del niño en la sociedad de consumo.
Lugar del niño en una sociedad de adultos.

Niño como chivo
expiatorio de los
conflictos sociales
intrafamiliares y
transgeneracionales.
Niño como víctima
de abuso de poder a
menudo mistificado.

FACTORES
SOCIOCULTURALES

FACTORES
PSICOSOCIALES

Representación del niño
en las creencias y en las
teorías psicológicas.

Estrés intrafamiliar.
Ecología familiar del maltrato.
Historia personal de los adultos.
Factores vinculados al desarrollo.

les modernas, independientemente de las fronteras, y regulado e influido por los progresos científicos y tecnológicos (Bruner, 1986). Llamaremos *modernización* a los aspectos económicos, y *modernismo* a las representaciones, valores y creencias.

La familia, en cuanto sistema abierto, está en interrelación continua con el sistema social. En la estructura y el funcionamiento de este último, existen situaciones de violencia latente o manifiesta por la existencia y el mantenimiento de desigualdades socioeconómicas. Por otra parte, la industrialización basada en una política de máximo beneficio es responsable de un proceso de urbanización que no toma en cuenta ni las más elementales necesidades de los niños. Esta misma urbanización contribuye a la nuclearización y al aislamiento de la familia, y muy a menudo es la responsable de la «desertificación» rural, con el desarraigo familiar que la acompaña.

El modelo productivo dominante, basado en una economía de mercado, aunque ha facilitado la integración masiva de la mujer en el mundo laboral, no ha logrado asegurar una estabilidad de empleo para todos. El desempleo amenaza a las familias, a lo que se debe agregar la presión de los estereotipos consumistas ejercidos sobre el sistema familiar. En las sociedades capitalistas industrializadas y basadas en los valores del consumo, los niños pueden ser vividos por sus padres como una carga, o un obstáculo a las posibilidades de consumo o, al contrario, como una presión para consumir. Esto acarrea interferencias en la calidad de los vínculos con ellos, porque no son investidos por lo que son. Los gastos financieros que representan los niños en términos de vivienda, vestido, alimentación, educación, etc., pesan sobre el presupuesto familiar. Ciertos autores hablan incluso de «odio» de los padres hacia sus hijos, en las sociedades basadas en el bienestar material. Los gastos que implica educar a un niño son un obstáculo para que los padres realicen los objetivos que les asigna el sistema social, el estándar económico, el éxito social, etc. (Cantwell, 1984).

A nivel social, se debe mencionar además la acumulación de situaciones generadoras de tensiones y de estrés intrafamiliar, a menudo acompañadas de una insuficiencia de recursos culturales, financieros, etc., que permitan afrontar esta situación. Las investigaciones han podido establecer una larga lista de situaciones de estrés, cuya combinación crea condiciones que facilitan el maltrato, tales como el embarazo en adolescentes, la maternidad en solitario, el aislamiento, el desempleo, la pobreza, la marginación ligada a la emigración, etc.

Si bien admitimos que la violencia ejercida sobre el niño no excluye ninguna clase social, es necesario también admitir que los mecanismos, las formas de aparición y el tipo de intervención sobre la violencia, difieren si se trata de un niño de clase favorecida o no. Por ejemplo, cuando aparece la violencia en una familia pobre, ésta será sometida más fácil y rápidamente a todo un arsenal de intervenciones médico-psicosociales y judiciales. Las representaciones, prejuicios y estereotipos dominantes conducen a la imagen de niños maltratados por padres agresores salidos de clases socialmente desfavorecidas.

En la práctica, las familias en las que la violencia es más visible y reconocida, provienen casi siempre de un medio social desfavorecido. Esto puede explicarse porque la mirada de los trabajadores sociales se dirige preferentemente hacia esta franja de la población. Extrañamente, los investigadores y clínicos se interesan poco por detectar estos problemas en las clases dominantes. Además, los asistentes sociales tienen un acceso privilegiado a los estilos de vida de las familias pobres, que recurren a menudo a sus servicios por problemas financieros.

Los miembros de estas familias son por lo tanto vistos, oídos y acogidos más frecuentemente por los trabajadores sociales. Esto explica que la mayoría de los niños orientados por los servicios sociales de protección a centros de acogida o a albergues infantiles, son pobres. Esto no ocurre con la misma frecuencia con los niños de clase alta, donde la violencia está más camuflada y sus consecuencias son abordadas de un modo más discreto. De esta manera, la violencia ejercida sobre un niño de una familia favorecida permanecerá más «protegida» por el secreto médico o en la impunidad de la «respetabilidad». Paradójicamente, estos niños son a veces los menos protegidos.

Otra razón por la cual la violencia de los pobres es detectada más rápidamente obedece al hecho de que, desde un punto de vista de la cultura dominante, ciertas modalidades de transacciones violentas son mejor aceptadas que otras en nuestra sociedad. Así, la violencia verbal y psicológica que encontramos fácilmente en las clases favorecidas es mejor tolerada que la violencia física y la negligencia, tal vez más frecuente en las clases desfavorecidas.

LOS FACTORES SOCIOCULTURALES VINCULADOS AL MODERNISMO

Los factores que enunciaremos no sólo predisponen a la utilización de la violencia y al abuso sexual de los niños, sino también a una visión del mundo que justifica o banaliza estas situaciones.

El paso a la modernidad de ciertas sociedades, sobre todo cuando transcurre de una manera rápida, produce la desorganización de los rituales que aseguran el mantenimiento de los vínculos intrafamiliares y sociales. Asistimos aquí a un *proceso de desritualización*.

Hasta la aparición de la sociedad moderna industrializada, la familia ampliada constituía el espacio en el que coexistían el marido, la esposa, los niños y otros parientes. En esta estructura de parentesco extensa se desarrollaba la vida de los sujetos, se cumplían las funciones domésticas, así como las sociales, lo que comprendía el aprendizaje de habilidades y técnicas necesarias para participar en la producción familiar.

Con los cambios económicos y políticos producidos por el capitalismo, desaparece poco a poco la estructura de parentesco como organizadora de la vida; las funciones domésticas y sociales se separan hasta constituir lo que hoy llamamos el «espacio privado» y el «espacio público». Lo que constituía una parte de las funciones domésticas se desarrolla ahora en el espacio público a través de la escuela y los medios de producción. De la misma manera, el espacio privado se redefine y adquiere nuevas funciones a través del tiempo, originando nuevas formas de interacciones personales y sociales. Estos dos contextos desarrollan lógicas progresivamente más independientes y opuestas. El espacio doméstico se centrará sobre la afectividad, y el espacio público sobre la racionalidad, la inteligencia, la eficacia y el ejercicio del poder.

Por otra parte, la división de los roles en el interior de la familia se hace en función de estos mismos ejes: el aspecto doméstico-afectivo es atribuido a la mujer, y el aspecto racional-agresivo al hombre.

El tema de la *individualidad* y del *individualismo* empieza también a aparecer con el desarrollo de la sociedad industrial. El lugar y la significación de la individualidad serán redefinidos en el espacio privado y público, dando gran importancia al libre albedrío y a la felicidad personal (Shorter, 1977). Ser moderno implica hoy en día corresponder a una cierta manera de ser o de parecer, transmitida por imágenes presentadas por los medios de comunicación, especialmente la televisión. Corresponder a estas imágenes se transforma en una necesidad vital. Ser moderno implica entonces ser único, original, individualista y consumidor, en desmedro de los vínculos sociales y afectivos que son «cosificados». El sujeto moderno quiere vivir permanentemente en un ambiente promotor de nuevas aventuras, de nuevas fuentes de poder, de goce y desarrollo personal. Paradójicamente, este ambiente amenaza con «desestructurar» todo lo que somos, lo que la historia nos ha enseñado y lo que la humanidad ha construido. Esta carrera modernista nos arrastra a un torbellino de desintegración y renovación, de lucha y de contradicción, de confusión y de ambigüedad, y por lo tanto, a una angustia permanente.

El cuestionamiento de los grandes principios morales religiosos u otros, la crisis de valores, la veneración de la fuerza y del poder, la búsqueda del hedonismo a cualquier precio, así como la desestructuración de la familia en tanto que unidad social, provocarán la fragilidad de los vínculos sociales. Como consecuencia de esto existen cada vez más situaciones de anomia, una acumulación de frustraciones y la despersonalización del mundo adulto. Todos estos factores, dependientes del modernismo, van a tener un rol importante en la producción de la violencia hacia los niños.

Además, con el modernismo las funciones del *matrimonio* y de la *familia moderna* cambian, y las relaciones se vuelven más estrechas y directas. El matrimonio es concebido como un acto voluntario donde la pareja se forma «por amor». Los cuidados y la educación de los niños pasan a ser una función casi exclusiva de la madre y del padre, y el antiguo rol de la familia extensa, garantía de la continuidad del linaje, ya no existe. Socialmente se delega a la familia el poder de manejar la agresividad, los cuidados y la sexualidad en el interior de su vida privada. Esto provoca un cierre de las fronteras de la familia nuclear en lo que concierne a la protección de los niños, lo que tendrá doble implicación en la emergencia de la violencia y en el abuso sexual intrafamiliar. Primero existe la creencia sacrosanta de que la familia, sobre todo los adultos, deben solucionar por sí solos los problemas ligados a la vida familiar, lo que obstaculiza la legitimidad de la intervención social en las familias encerradas en sus creencias y comportamientos abusivos. Esto favorece la cronicidad de estas culturas familiares violentas, facilitando su transmisión transgeneracional. Segundo, tenemos la «no ingerencia» de los actores del espacio público: educadores, profesionales de la salud, opinión pública, etc., en los fenómenos que tocan el espacio familiar, lo que conduce a que los sistemas extrafamiliares tengan sólo un rol de pseudoprotección o pseudorregulación de estas situaciones de violencia. A pesar de los cambios a ese respecto, muchos profesionales no han asimilado todavía el imperativo ético de intervenir para proteger a un niño, lo que es una obligación superior a cualquier visión de la sociedad.

Estas constataciones nos ayudan a explicar las dificultades para movilizar y obtener un verdadero compromiso de los actores del espacio público, para proteger a un niño maltratado y/o abusado sexualmente en su sistema familiar. Esta misma resistencia aparece cuando se propone un programa de prevención de la violencia familiar en una escuela, o cursos de educación afectiva y sexual para los niños. Esto surgirá más fácilmente cuando los profesionales y/o interventores no dispongan de formación ni de una red de apoyo para vencer la soledad y sus temores de inmiscuirse en la vida privada de las familias.

LA ECOLOGÍA FAMILIAR DEL MALTRATO

Se puede afirmar que el maltrato de niños aparece cuando en la célula familiar las funciones parentales no están garantizadas. Algo hace que los recursos propios de las funciones de «padre» y «madre» se vean desviados hacia otras funciones que aparecen como prioritarias y urgentes para los adultos del sistema familiar. Asistimos, entonces, a un fenómeno de *cosificación* o de utilización de los niños por los adultos, ya sea para solucionar conflictos históricos —ajustes de cuentas con sus ancestros— o para solucionar conflictos relacionales en la familia, «niño como chivo expiatorio» de situaciones de conflictos entre parientes. Cuanto más impermeables son las fronteras entre la familia y su entorno, mayor es el peligro de que los niños se queden encerrados, sin protección en su rol de «cosa».

Inspirándome en las ideas de Odette Masson (Masson, 1981), distingo dos situaciones en las que existe riesgo de cosificación y maltrato hacia el niño. Esta distinción nos permite una mejor comprensión así como una mejor adaptación de las modalidades de intervención en cada situación: 1) el maltrato como expresión de una crisis en el ciclo vital de una familia, y 2) el maltrato como experiencia organizadora de la fenomenología familiar: las familias transgeneracionalmente perturbadas.

EL MALTRATO COMO EXPRESIÓN DE UNA CRISIS EN EL CICLO FAMILIAR

El ciclo vital de una familia pasa por momentos de adaptación, ya sea por cambios a nivel intrafamiliar: matrimonio, nacimiento, adolescencia, muerte de uno de sus miembros, etc., o en el entorno: cambio de domicilio, de trabajo, emigración, pérdida del empleo, etc. Estos períodos corresponden al «estado de un sistema en el momento en que un cambio es inminente» (Hangsley, citado por Ausloos, 1983). Estos momentos de «crisis» son a la vez posibilidades de crecimiento, como también fuente de tensiones y de estrés intrafamiliar.

En los momentos de crisis, toda la familia busca un nuevo equilibrio, necesitando de la energía y la información disponibles en su entorno inmediato para recuperar su estabilidad. La sucesión de momentos de equilibrio y de crisis en el ciclo de una familia constituye su proceso histórico. «Cada vez que dentro de un sistema, un estado surge como modificación de un estado previo, tenemos un fenómeno histórico» (Maturana y Varela, 1986). Cuando la intensidad de las fluctuaciones familiares es demasiado grande, y faltan en el tejido social los recursos materiales y/o psicosociales que permitan el manejo de la crisis, aumenta la tensión familiar con el peligro de que los niños, los elementos más débiles del sistema, sean usados como chivos expiatorios.

Factores que dependen del niño también pueden ser desencadenantes de una crisis. Si bien es cierto que el niño no es culpable de lo que sucede, a nivel comunicacional, ya sea por sus comportamientos o por su estado de salud, perturba el sistema familiar y contribuye a la producción de la crisis, con el peligro de convertirse en un chivo expiatorio. Puede ser el caso de los bebés que nacen con hándicap o los niños prematuros que han sido separados de su madre y que por eso presentan trastornos del apego, o de aquellos bebés que presentan problemas de alimentación o con el sueño, etc.

Podemos interrogarnos sobre la naturaleza primaria o secundaria de estos factores como productores de situaciones de crisis, pero lo importante es detectar precozmente las dificultades del niño tratando de ayudar a la familia a reducir la carga agresiva dirigida hacia él.

En nuestro rol de intervinientes médico-psicosociales, entramos en contacto con este tipo de situaciones de maltrato, ya sea después de una demanda de ayuda de un adulto de la familia, o como resultado de una derivación de un profesional que ha constatado un cambio de comportamiento del niño y/o huellas de malos tratos. Para los profesionales que conocen a la familia, ésta es considerada como una entidad que en el pasado fue capaz de asegurar el bienestar de todos sus miembros. En el momento de la interpelación, los padres son conscientes de la situación de crisis y reconocen su violencia; están dispuestos a recibir ayuda, a veces solicitándola ellos mismos; no han perdido su dignidad y pueden diferenciar entre su comportamiento en tiempo de crisis y en tiempo ordinario. Las imágenes positivas que cada uno ha podido construir de sí mismo, asociadas al funcionamiento armónico que estas familias desarrollaban antes de la crisis, permite a los padres criticar sus gestos y a los niños expresar su sufrimiento, precisando las circunstancias y el responsable del maltrato. Las posibilidades de cambio son, entonces, rápidamente factibles, y se puede instaurar un modo de comunicación no violento.

Las posibilidades terapéuticas de estas situaciones de crisis comienzan cuando la familia encuentra en su entorno la solidaridad y los recursos necesarios para lograr un nuevo equilibrio. El acoplamiento con un sistema terapéutico origina una «estructura disipativa» (Prigogine, citado por Ausloos, 1983), es decir, un tejido social de transición que permitirá la difusión de la energía y de la información del entorno a la familia, contribuyendo a su estabilización en un nuevo equilibrio.

Pedro, un niño de tres años, debió alejarse de su país de origen con su madre por razones políticas. Vivían en un pequeño apartamento en los suburbios de Bruselas. La madre pide nuestra ayuda para ella y su hijo, al agravarse la tensión familiar. Pedro estaba más y más difícil. Su madre, no pudiendo controlarlo en sus momentos de impotencia, le había pegado dejándole huellas en el rostro. Antes de dejar su país de origen, Pedro vivía con su madre y su padre, rodeado de la familia extensa. Hasta los dos años, el niño había vivido una vida apacible y nunca hasta entonces había sido víctima de maltratos. Su vida cambió al ser detenido su padre, desaparecido y probablemente asesinado por razones políticas. Él y su madre fueron obligados a abandonar su país. Esta nueva situación enfrenta la célula madre-hijo a una crisis importante, crisis agravada por la separación de la familia de origen, el aislamiento, etc. Además, los recursos personales de la madre estaban agotados debido a las experiencias traumáticas vividas en su país. Por otra parte, las dificultades de lenguaje (comprensión y manejo de la lengua francesa) no le permitían tener acceso a los recursos sociales alternativos propuestos por el país de acogida. En respuesta a esta situación, Pedro reaccionaba con trastornos de comportamiento que la madre no podía dominar. De esta manera la violencia hizo su aparición en la célula madre-hijo.

La aparición de los malos tratos en un momento de crisis familiar puede explicarse también por una falla de los mecanismos naturales que una familia posee para controlar el «estrés familiar» (Cohen y Lazarus, 1982; Meichenbaum y Turk, 1984). Entendemos por *estrés familiar* la tensión intrafamiliar creada por los acontecimientos del entorno y/o internos de la familia, que amenazan el bienestar familiar y a veces la existencia misma de la familia. El impacto de estos acontecimientos depende, por una parte, de su calidad e intensidad, y por otra, de los recursos y capacidad de la familia para afrontarlos. Cada familia posee diferentes mecanismos para afrontar el estrés. Uno de estos mecanismos es el manejo del estrés a través de la resolución de los problemas que lo desencadenaron. Los recursos familiares son requeridos para reducir de la manera más eficaz posible la causa de las tensiones. Esos mecanismos son utilizados preferentemente cuando la situación estresante es percibida como susceptible de ser modificada. Otro mecanismo utilizado es la movilización de los miembros de la familia para *buscar información y apoyo en su tejido social* —profesional y no profesional— para encontrar soluciones a los problemas que desencadenaron la tensión. En ese caso, la familia es aún capaz de manejar los problemas, los miembros del sistema no están totalmente agotados, y todavía tienen fuerza y energía para pedir ayuda.

La última forma de afrontar el estrés es a través del *control de las emociones* engendradas por los problemas que provocan las tensiones. Aquí las respuestas familiares se dirigen sobre todo a calmar, cueste lo que cueste, los estados emocionales y el malestar fisiológico provocados por las fuentes de estrés; estos mecanismos son utilizados cuando la situación-problema es percibida como no susceptible de cambio.

Las familias en estado de crisis que producen maltrato manejan a menudo las situaciones de estrés a través de este último mecanismo. En estas situaciones, los adultos de la familia reaccionarán agresivamente para anular la causa directa de su enervamiento y calmar así la emoción creada por los problemas. Los niños afectados tambien por la situación de crisis pueden presentar trastornos de conducta: se ponen más difíciles, lloran más fácilmente, no obedecen. Esto puede exasperar aún más a los padres, que pueden intentar dominar la situación de manera violenta e irreflexiva. Nuestra experiencia con estas familias nos ha enseñado que, al inicio de la crisis, los padres utilizan los dos primeros mecanismos de manejo del estrés, pero a medida que se les agotan sus recursos, utilizan el tercer tipo de mecanismo.

Por otra parte esta forma de reaccionar es casi permanente en las familias que nosotros llamamos *crónicamente violentas y abusivas*. Estas familias, como veremos a continuación, no poseen los medios para utilizar los modelos centrados en la resolución directa de los problemas ni aquellos centrados en la búsqueda de apoyo en el tejido social.

EL MALTRATO COMO SITUACIÓN ORGANIZADA DE LA FENOMENOLOGÍA FAMILIAR: LAS FAMILIAS TRANSGENERACIONALMENTE PERTURBADAS

Desgraciadamente, existen situaciones trágicas donde la violencia intrafamiliar, en particular el maltrato de los niños, es «un modo de vida» a menudo transgeneracional. Se trata de familias en las que los adultos tienen tendencia a repetir crónicamente comportamientos abusivos y violentos sobre sus hijos, quienes a su vez podrán transformarse en padres abusivos.

El estudio de las historias de adultos implicados en situaciones de maltrato nos ha permitido entender que, cualesquiera que sean las cosas abominables que cada una de estas personas hayan podido hacer, existe siempre un conjunto de circunstancias familiares y sociales que, presentes en dos o tres generaciones, están ligadas a la causa de esos malos tratos. Trabajando con este tipo de familias y su entorno social, hemos tratado de identificar los factores, situaciones, patrones de interacción y contextos, que abren la posibilidad a que los niños sean maltratados. Hemos tratado también de descubrir «las visiones de mundo» o sistemas de creencias que sostienen los comportamientos de maltrato, lo cual nos ha ayudado también a definir el sentido simbólico del acto terapéutico. En este aspecto podemos considerar la violencia intrafamiliar como una modalidad homeostática, es decir, una manera repetitiva de definir las relaciones interpersonales en el interior de un sistema familiar, para solucionar conflictos y contradicciones graves manteniendo así la cohesión familiar.

Para determinar cuándo y cómo un sistema familiar necesita de interacciones abusivas para mantener su homeostasis, hemos escogido como metodología de investigación «la observación participante». El hilo conductor de nuestra investigación es el estudio del lenguaje natural de los miembros de la familia, en los momentos de nuestras intervenciones. Ese momento corresponde al que sigue a la crisis provocada por el descubrimiento del maltrato por un elemento exterior a la familia. La idea de hacer del lenguaje natural de las familias la herramienta de nuestra investigación se basa en los trabajos de Bandler y Grinder, que consideran el lenguaje natural como la herramienta que los seres humanos utilizan para forjar los modelos de sus representaciones (Bandler y Grinder, 1986). El lenguaje natural es pues el instrumento que utilizamos todos para dar nuestras versiones «habladas» de las representaciones de nosotros mismos, de los otros, del mundo, etc. En este sentido, el lenguaje sería como una metarrepresentación de la realidad.

En nuestro enfoque, consideramos el lenguaje natural de las familias como el resultado de la articulación entre «la producción ideológica de la cultura familiar», entendida como el sistema de creencias y de afectos, y la producción material de esta cultura, es decir, el patrón de interacciones y/o de comportamientos, su organización y estructura.

Siguiendo las ideas de Seltzer y colab. (1986), hemos centrado nuestra atención sobre los rituales de la familia para detectar la producción material de las familias abusadoras, y sobre los mitos y las creencias de las familias en su perspectiva histórica para detectar la producción ideológica no observable (Seltzer y colab., 1986).

Es importante señalar que no existe una familia maltratadora típica, sino más bien una heterogeneidad de organizaciones familiares con producciones míticas[1] diferentes, que en un momento dado de su historia generarán el fenómeno de los malos tratos. Así pues, la manera en que cada persona implicada en una situación de maltrato «semantiza» (es decir, explica a través de su lenguaje natural) los gestos de violencia, su historia, su relación con el niño y otros adultos, así como su relación conmigo como observador, constituye el hilo conductor que me ha hecho posible «construir», desde mi posición, un mapa del mundo interactivo de las familias que maltratan a los niños de manera crónica.

Con todo, es posible distinguir vínculos entre las experiencias traumáticas y de carencias vividas por los padres maltratadores en su historia familiar, con los comportamientos violentos que tienen con sus hijos y las «explicaciones» que dan de esos comportamientos. La práctica clínica me ha permitido distinguir cuatro niveles de experiencias, en torno a las cuales se organizan las interacciones abusivas y el sistema de creencias que las justifican o mitifican.

1. Carencias relacionadas con la función maternal

Las interacciones, el comportamiento y el discurso de uno de los padres «abusadores» o de ambos me han llevado a postular que se trata de adultos que crecieron en un medio familiar y social pobre en recursos maternales.[2] Estos adultos se presentan a través de su lenguaje natural como seres hambrientos de amor y con una enorme necesidad de ser confirmados por los terapeutas. Como padres, a menudo esperan que sus hijos colmen total o parcialmente estas carencias del pasado. El peligro de «cosificación» del niño deriva de esta experiencia, dado que se le concibe más como un «ob-

---

1. El mito se entiende aquí como la forma particular del discurso que traduce todos los acontecimientos vividos por las personas como el relato de esos acontecimientos y el relato del relato (Keeney, 1983).

2. Cuidados maternales en el sentido simbólico que otras culturas llaman «la Madre Tierra». En las culturas indígenas de América Latina sería «la Pacha Mama».

CUADRO 3. El mundo interactivo de las familias donde se cometen abusos.

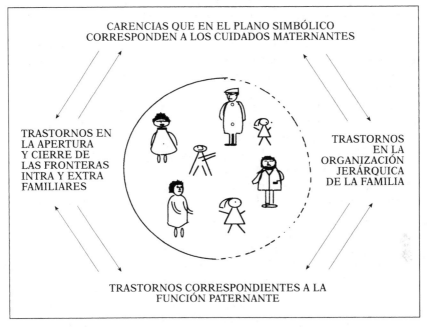

CARENCIAS QUE EN EL PLANO SIMBÓLICO
CORRESPONDEN A LOS CUIDADOS MATERNANTES

TRASTORNOS EN
LA APERTURA
Y CIERRE DE
LAS FRONTERAS
INTRA Y EXTRA
FAMILIARES

TRASTORNOS
EN LA
ORGANIZACIÓN
JERÁRQUICA
DE LA FAMILIA

TRASTORNOS CORRESPONDIENTES A LA
FUNCIÓN PATERNANTE

jeto de reparación» que como un niño. Algunos de estos adultos carenciados desean evitar que los niños vivan lo que ellos vivieron y librarles de los súfrimientos y carencias que conocieron en sus infancias. Pero otros esperan que sus hijos les brinden los cuidados, el amor, el respeto, la aprobación y la disponibilidad que no pudieron tener en sus infancias.

El hecho de que los padres quieran borrar su tragedia histórica a través de la felicidad de sus hijos puede explicar que, a veces, los malos tratos no se repiten con la misma intensidad y dramatismo, pero ello no siempre evita el peligro de que el adulto pueda usurpar a su hijo su proyecto existencial para intentar realizarse a través de él. En este fenómeno reparativo, en sus dos versiones, el niño es utilizado como «objeto transicional» o, para utilizar una metáfora, «como oso de peluche de sus padres» (Barudy, 1989). En la situación descrita existe, pues, el peligro de que se produzcan graves trastornos en el proceso de diferenciación e individuación psicológica del niño y que el adulto se apropie del cuerpo de éste para obtener de él la ternura, el contacto emocional y la autoafirmación que necesita, con el riesgo en algunos casos de la erotización y sexualización de la relación, y por ende de la emergencia de comportamientos incestuosos (Barudy, 1989).

Otro momento crítico se produce cuando el nacimiento de los niños y su presencia real rompe el sueño reparador de sus progenitores. El recién nacido no se corresponde en nada al niño que habían imaginado.

Cuando el niño llora porque tiene hambre, frío, o sencillamente porque no tiene un contacto corporal adecuado, estos padres vuelven a sentir una enorme frustración que puede expresarse por gestos violentos como golpes, sacudidas y/o comportamientos negligentes. Este escenario dramático puede ayudarnos a explicar lo que tanto preocupa en la práctica pediátrica, es decir, que en niños menores de un año se produce un alto porcentaje de situaciones de maltrato.

Nicole, la mayor de cuatro hermanos, tenía siete años cuando su maestra notó marcas de golpes en su cara. La profesora dio parte a la dirección de la escuela que, a su vez, se puso en contacto con nuestros servicios. En la reunión preparatoria que tuvo lugar con todos los operadores médico-psicosociales que conocían a Nicole y su familia, comprobamos que la niña asistía a la escuela con regularidad, que estaba bien cuidada, al igual que el resto de sus hermanos, y que sus padres se preocupaban de que los hijos hicieran las tareas escolares. Se encarga a una enfermera social de la escuela que contacte con la familia y le ofrezca la ayuda terapéutica de nuestro equipo. En la primera reunión, la familia da la impresión de ser muy disciplinada, los niños permanecen sentados en sus sillas con mucha corrección y los padres expresan su indignación ante esta intromisión en su vida privada. Intentan convencernos del valor que tiene para ellos la disciplina en la educación de sus hijos, se muestran orgullosos de los excelentes resultados escolares de éstos y de sus buenos modales. En la historia de los padres encontramos situaciones que nos hicieron pensar en carencias relacionadas con los «cuidados maternales». El padre, primogénito de una familia de ocho hijos y procedente de un medio social más bien desfavorecido, había tenido que asumir un papel parental con respecto a sus hermanos desde su más tierna infancia. Sin duda, aún no había recibido todo lo que necesitaba cuando tuvo que empezar a ocuparse de los demás. Además, tuvo que asumir la misión de conseguir el éxito social que su padre obrero no había podido lograr. En consecuencia, exigía a sus propios hijos que le dieran la satisfacción de ser los mejores alumnos de la clase, para lo cual les sometía a auténticas sesiones de «estudio forzado». Además, les pedía que se mostraran amables y cariñosos con él. El problema era que Nicole «mostraba excesivo interés por sus compañeras de clase y se negaba a estudiar». Esta situación sacaba a su padre de quicio, provocando estallidos de violencia que acarreaban castigos exagerados que se repetían en la familia. La madre no podía mostrarse en desacuerdo con su marido y tomar partido por sus hijos, ya que compartía la misma ideología. Era hija única de una madre que se había divorciado muy pronto y había intentado en todo momento educar bien a su hija para demostrar a su ex marido y a su entorno que era una madre irreprochable. En su familia actual seguía siendo fiel a los valores de su madre, mostrándose muy exigente con sus hijos y pidiéndoles que fueran muy afectuosos con ella.

2. Carencias relacionadas con la función paternal

Los comportamientos y discursos de uno de los padres o de ambos, nos hacen pensar en personas que han sido socializadas en sistemas familiares y/o instituciones, donde los adultos no han ofrecido a los niños suficientes interacciones socializantes. En estos casos, los adultos que tendrían que haber desempeñado el papel simbólico del padre no fueron capaces de garantizar una conducta estructurante en cuanto al control del comportamiento de los niños y a la interiorización de las leyes y normas que protegen los derechos de cada uno de los miembros de una familia.

Con frecuencia, en las familias de origen de estos padres la autoridad se ejercía de forma abusiva, a través de golpes y castigos como método educativo. También nos encontramos con el caso contrario: la ausencia de la función paternal por falta de competencias personales (del padre o de la madre) o por acontecimientos que los mantuvieron alejados de la educación de sus hijos (institucionalización, situación de guerra, inmigración, enfermedad, pobreza, etc.). Estos problemas son la causa de profundas deficiencias en lo que concierne a la transmisión e integración de un modelo de autoridad parental y de las leyes que rigen las relaciones sociales y familiares.

Como consecuencia de estas experiencias, estos padres crecieron con la inseguridad que da el conocimiento impreciso de sus propios límites y de los límites de los otros. Por ello, cuando son adultos les resulta difícil definirse de forma adecuada en tanto educadores y ejercer la autoridad con sus hijos de una forma equilibrada y/o respetar la de las personas que la representan.

Cuando se convierten en adultos-padres, adoptan con respecto a los comportamientos de sus propios hijos actitudes que oscilan entre la debilidad y la indecisión, y la rigidez y el autoritarismo, en el otro extremo.

Así, nos encontramos con que dentro de estas familias coexisten los comportamientos negligentes con los violentos: golpes, amenazas, chantajes, presiones psicológicas, etc. Al principio, el niño podrá soportar pasivamente esta violencia, pero más tarde «experimentará un sentimiento de injusticia que hará crecer en él la cólera y el deseo de venganza contra sus padres, pero ante la fuerza y el poder de éstos desplazará estos impulsos, al igual que sus padres, y los dirigirá contra sus iguales y sus futuros hijos. El niño confrontado al abuso de poder de sus padres no puede traducir la defensa de su integridad en palabras, por lo tanto lo hace con una serie de comportamientos violentos hacia los más débiles, de inhibición ante sus padres, de fracaso escolar o de sumisión que constituirán mensajes que los padres vivirán como agresivos hacia ellos. En ese momento se instaura un círculo vicioso del que las personas implicadas no acertarán a salir» (Barudy y Charlier, 1987). A esto debemos añadir el riesgo que existe de desviación de la sexualidad, ya que, al carecer de modelo de autoridad, estos adultos no han integrado los tabúes sociales que les protegen de abusar sexualmente de sus hijos (Barudy, 1989).

Los malos tratos propios de la situación descrita llegan a convertirse en un automatismo que la familia no puede detener sin ayuda exterior, sobre todo porque los actores de este drama no son conscientes de que su guión empezó a escribirse mucho tiempo atrás.

En estos contextos, el niño se convierte en el objeto sobre el que se proyectan la cólera y los sentimientos de venganza reprimidos que los padres no pudieron expresar contra sus propios padres que, a su vez, los maltrataron y/o no los cuidaron adecuadamente. Muchas veces, estas experiencias y los afectos que las acompañan no se simbolizan ni expresan, por su carácter traumático, a través de la palabra y se mantienen latentes por un proceso de identificación con el sistema de creencias de los padres «abusadores».

La dependencia biológica, psicológica y social de los niños y su vulnerabilidad en las relaciones de poder con los adultos constituyen un contexto favorable para que los padres desplacen la cólera y los deseos de venganza dirigidos contra sus padres hacia sus propios hijos, aunque no lo deseen. El niño no es tanto el objeto real de la violencia como el medio a través del cual los padres «ajustan sus cuentas» con sus propios padres.

«Tanto es así que la emoción, el impulso que el niño expresa delante de sus padres (cuando se manifiesta, por ejemplo, mediante negativas rabiosas o berrinches) contrariará a éstos de tal manera que llegan a olvidarse de estar delante de un niño más frágil y vulnerable que ellos, pasándolo a considerar como un rival. El que reacciona es el niño herido del pasado que sobrevive dentro del adulto actual. En la imaginación de los padres, el niño se enfrenta a ellos casi al mismo nivel sin darse cuenta que lo dominan. Por paradójico que parezca, la violencia resurge de este sentimiento de impotencia de los padres» (Barudy y Charlier, 1987).

Todo está preparado para crear una dinámica de abuso y transmitirla de generación en generación. Nadie establece límites al poder ejercido del uno sobre el otro. Al igual que sus padres, el niño entrará en la edad adulta con el cuerpo traumatizado y con una parte de su vivencia alienada para poder seguir manteniendo una imagen idealizada de sus padres (Miller, 1986).

Valérie, de trece años, hace saber a la asistente social de su escuela que su padre ha intentado varias veces realizar manoseos sexuales con ella. La asistente informa al tribunal de menores; el caso pasa al juez y éste envía a la familia a hacer una terapia con nuestro equipo «SOS Enfants-Famille». A través de su discurso, el padre se nos presenta como alguien irreprochable y partidario de ejercer la autoridad con firmeza. Así le educó a él un padre tiránico y autoritario que utilizaba con frecuencia los castigos corporales y las humillaciones para disciplinar a sus hijos. El padre de Valérie había adoptado la misma ideología que su padre, pero sin poder interiorizar los valores del respeto hacia los demás porque a él no le habían respetado...

3. Trastornos relacionados con la organización jerárquica de la familia

Una familia y su entorno social pueden considerarse sanos cuando, en lo que respecta a sus interacciones (funcionamiento y finalidad) y a sus visiones del mundo (sistema de creencias), son capaces de asegurar el bienestar de todos sus miembros y su socialización (aprendizaje de una cultura de vida). Para ello es preciso que haya una estructura familiar y social capaz de ofrecer a sus miembros las ayudas materiales, psicológicas y sociales que necesitan en cantidad y calidad suficientes. Esta distribución de los cuidados en forma adecuada requiere de una organización capaz de establecer un cierto orden en el reparto de los bienes, manteniendo un orden jerárquico funcional. Para que resulte funcional, esta organización jerarquizada, que implica una descripción de los roles y una distinción de las tareas, debe ser clara y explícita, más o menos aceptada por el conjunto de los miembros del sistema familiar, y tener por finalidad la preservación del ciclo vital de todos ellos.

En los sistemas familiares productores de maltrato infantil existen importantes trastornos de la organización jerárquica, ya sea porque los límites de la jerarquía no están claramente definidos o porque aunque lo estén en teoría, no se respetan en la práctica.

En el primer caso, el niño se ve confrontado con un contexto confuso, donde le resulta difícil distinguir los roles y las tareas de aquellos que deberían ocuparse de él, cuidarlo y protegerlo. Esta confusión puede obligar al niño a asumir la tarea de cuidar y proteger a sus padres. También puede ser que intente, mediante comportamientos provocativos, tantear quién es quién en medio de esa confusión, so pena de entrar en conflicto con los adultos, hasta ser reprimido con violencia por éstos.

En el segundo caso, existe una incongruencia entre la organización establecida y la que funciona en la práctica. Esto puede llevar a un juego de coaliciones entre miembros de la familia pertenecientes a niveles jerárquicos diferentes. Este tipo de coaliciones provoca disfunciones más graves cuando son encubiertas y no declaradas. En los casos de maltrato se observan numerosas posibilidades. Por ejemplo, uno de los padres establece una coalición con uno o varios hijos contra su esposo o esposa. El hijo, atrapado en este juego de poder, se convierte en un peón de la batalla que libran los adultos (coalición intergeneracional). El resultado es que sale doblemente maltratado: por su aliado, que lo cosifica, y por el otro progenitor, que descarga sobre él la cólera que en realidad iba dirigida contra su cónyuge y que puede llegar a herirle moral y físicamente. Otra posibilidad es que se forme una tríada disfuncional constituida por la alianza entre abuelos y nietos contra la nuera, el yerno o incluso el propio hijo o hija, como ya ejemplificamos en otro artículo (Barudy y Charlier, 1987). Los abuelos, omnipresentes en la nueva familia, lejos de reconocer la competencia y los derechos de sus hijos a ser padres y ofrecerles su ayuda, se dedican a criticar sus modelos educativos. Consciente o inconscientemente, intentan conservar a sus hijos evitando la diferenciación generacional.

Muchos autores han puesto de manifiesto este fenómeno de *parentificación* de los hijos, que se produce cuando en una familia uno o varios hijos que ya son adultos son «reaspirados» por su sistema familiar de origen, con el mandato no declarado de cuidar de sus padres. Esto puede llevar a que los nuevos esposos respalden lealmente con su comportamiento esta «reaspiración» y no lleguen a afirmar su necesidad de autonomía, su voluntad de vivir juntos, fundar una familia y ocuparse de sus propios hijos (Masson, 1981). Esta renuncia puede provocar en los padres sentimientos de rabia e impotencia, que se expresan mediante comportamientos violentos cuya víctima puede ser el hijo o nieto/a preferido de los abuelos.

La noción de jerarquía es uno de los pilares para comprender el carácter altamente patológico del maltrato y del abuso sexual, porque tan grave como el traumatismo que provocan es el hecho de que se producen en el marco de una estructura disfuncional que altera todo el proceso de aprendizaje relacional del niño. Esto se produce por la desaparición de las fronteras entre las generaciones y la existencia de una jerarquía patológica caracterizada a menudo por una coalición perversa en la cual el niño se encuentra atrapado y en donde aprende sus primeras armas para la manipulación del otro.

Al margen de las coaliciones familiares mencionadas, es posible también la existencia de otras entre profesionales de diferentes áreas y del niño contra los padres, situación muy frecuente que merece un análisis profundo cada vez que se intenta ayudar a un niño.

4. Trastornos de los intercambios entre la familia y el entorno

La supervivencia de un sistema humano y de sus miembros depende también de las posibilidades de regular la apertura y el cierre de las fronteras que delimitan los diversos subsistemas que lo constituyen y la frontera que lo separa del entorno. A diferencia de la célula, la familia carece de una membrana visible que cumpla esa función de delimitación; lo que existe es un conjunto de interacciones que regulan los intercambios intra y extrafamiliares y que determinan quiénes pertenecen a la familia y quiénes pertenecen a su entorno.

En los sistemas familiares donde se dan los malos tratos esta frontera simbólica es disfuncional, bien porque cierran y abren las fronteras cuando no deberían hacerlo, o bien porque tienden a abrir el sistema en todos los intercambios o, en el caso contrario, a cerrarlo.

Las perturbaciones que se manifiestan a través de la tendencia a un funcionamiento abierto caótico o por la tendencia a un funcionamiento firmemente cerrado y rígido, traducen modalidades

homeostáticas vinculadas a los patrones antes enunciados y contribuyen de forma circular al mantenimiento de esos patrones.

Las familias caóticas y abiertas que funcionan prioritariamente con fronteras demasiado abiertas, a menudo lo hacen como
adaptación a la pobreza de recursos internos y externos. En esta situación, los niños no reciben los cuidados necesarios de protección
y seguridad, y por ende corren el riesgo de recibir abusos y malos
tratos en el interior o el exterior de la familia. Por el contrario, las
familias cerradas y rígidas cierran sus fronteras para protegerse de
los peligros reales o imaginarios que existen en el tejido extrafamiliar o en la dinámica intrafamiliar. En este caso los niños quedan
encerrados en un mundo familiar a menudo rígido y totalitario. En
ninguno de los dos casos la familia cuenta con las informaciones y
los intercambios de «energía» necesarios para garantizar la vida de
todos sus miembros. Los hijos se verán privados de la posibilidad
de enriquecerse con las aportaciones del exterior y de conocer otras
alternativas de socialización.

La negligencia de los hijos está relacionada muchas veces con
necesidades homeostáticas de apertura exagerada de las fronteras,
mientras que los malos tratos físicos o psicológicos y el abuso sexual se dan con más frecuencia en sistemas rígidos y cerrados.

4. LA NEGLIGENCIA Y EL ABANDONO DE LOS NIÑOS

La *familia negligente* corresponde a un sistema donde los adultos, especialmente los padres, presentan de una manera permanente comportamientos que se expresan por una omisión o una insuficiencia de cuidados a los niños que tienen a cargo. Un contexto de pobreza y/o de aislamiento social rodea a menudo al sistema familiar; este contexto coincide muy frecuentemente con una historia de carencias múltiples en la biografía de los padres. Los padres negligentes corresponden a adultos que, como consecuencia de las circunstancias ya enunciadas, no se ocupan de sus hijos y presentan fallos importantes a nivel de sus funciones parentales.

Estos fallos pueden ser el resultado de tres dinámicas que se entremezclan: una «biológica», la otra cultural y la tercera contextual. Se trata de dinámicas diferentes a pesar de que las consecuencias a nivel de los niños pueden ser idénticas. En el primer caso se trata del trastorno del apego biológico entre el adulto y el niño, particularmente entre la madre y su hijo. En el segundo caso el problema se sitúa en la transmisión transgeneracional de modelos de crianza inadecuados y/o peligrosos para los niños. El tercer tipo de negligencia es la provocada por la ausencia o por la insuficiencia de recursos en el ambiente. Esta negligencia corresponde a la asociada con la pobreza y la exclusión social (véase cuadro 4).

LA NEGLIGENCIA BIOLÓGICA: EL FRACASO DEL PROCESO DE APEGO

Aquí se trata de situaciones en las que por diversas razones no pudo establecerse el encuentro sensorial entre el adulto y el niño; por lo tanto, no se crea un sentimiento de familiaridad. Los padres y los niños son recíprocamente «transparentes»; a pesar de los

CUADRO 4. La dinámica familiar negligente.

Tipos de negligencia

1. Negligencia «biológica» por trastornos del apego.
   a) Factores dependientes de la madre:

   – Depresión.
   – Enfermedad mental.
   – Toxicomanía y alcoholismo.
   – Trastornos del apego como consecuencia de traumatismos
   infantiles (madres pasivas-indolentes, madres activas-impulsivas).

   b) Factores dependientes del niño.
   c) Factores dependientes del padre.

2. Negligencia cultural.
   • Trastornos del apego biológico por modelos de crianza inadecuados y
   violentos.
   • Carencias educativas.

3. Negligencia contextual.
   a) La pobreza como medio ambiente:

   – Ausencia de estructuración espaciotemporal.
   – Funcionamiento familiar caótico y predador.
   – Trastornos de la percepción y de la discriminación sensorial (frío,
   calor, hambre, saciedad, agresividad y violencia, ternura, sexo).

   b) Aislamiento social:

   – Marginalidad.
   – Familias monoparentales.

vínculos biológicos que los unen, no se perciben mutuamente porque se encuentran en la imposibilidad de sentirse. Este trastorno grave se manifiesta por la ausencia de interés y/o un rechazo de los niños por parte de los padres. Se trata aquí del trastorno de los «vínculos sensoriales» o de la afectividad interpersonal entre padres e hijos, como consecuencia de trastornos que se presentaron en las relaciones precoces de apego. Este tipo de negligencia puede ser también comprendida como un trastorno o como un fracaso del encuentro biológico entre el adulto y su bebé, producto de una deficiencia en el tratamiento recíproco de las señales químicas, físicas, sonoras o visuales, que les hubieran permitido reconocerse como pertenecientes a un mismo «cuerpo familiar».

Una ilustración de esta situación es la historia de esta madre africana que encontramos en nuestra práctica:

> Me robaron a mi niño, me lo sacaron de mi lado después de su nacimiento para sanarlo, no me explicaron nada, yo no tuve la posibilidad de sentir a mi niño. Después de quince días, cuando me lo trajeron, tenía otro olor, ya no era más mi niño, mi bebé, él no me quería, me rechazaba.

Esto fue expresado por una madre joven de origen africano que había dado a luz en una clínica de Bruselas, con un servicio de neonatología con todos los adelantos de la medicina moderna. Sin ninguna duda, los pediatras salvaron.la vida de este bebé que presentó en el momento de nacer graves trastornos respiratorios, pero sin saberlo, de alguna manera habían dañado una parte de la relación de esta madre joven y su recién nacido. A los tres meses este bebé no se desarrollaba como era debido, y cada día la madre se desalentaba sintiendo que su niño no la quería: «Vea doctor cómo me rechaza, no me quiere», decía esta madre, sintiéndose impotente frente a su bebé, que no paraba de llorar y no quería mamar.

El encuentro biológico, fundador de las primeras relaciones de apego madre-niño, había sido alterado por los cuidados médicos que habían cambiado la significación de este bebé para su madre. Cuando la madre de nuestra historia dice: «Mi niño no tenía mi olor», nos recuerda la importancia que tiene el olfato en los procesos de apego. A través del olor la impregnación de los dos cuerpos, el cuerpo de la madre y el cuerpo de su bebé, puede concretarse. La intervención médica, sin ninguna duda técnicamente acertada, había interrumpido el proceso relacional entre esta madre y su bebé. Lo que los pediatras habían olvidado en este caso es que esta madre, en tanto ser singular, vivía en un mundo mental que le era propio, donde ella percibía a su bebé a través de experiencias sensoriales que le eran significativas sólo para ella (Cyrulnik, 1993). Cuando ella dice: «Me cambiaron a mi bebé», nos dice: «Me han transformado el bebé que yo había creado, percibido en mi mundo mental; por lo tanto ahora no nos podemos encontrar». Si en el proceso terapéutico ella reencontró poco a poco a su bebé fue porque los intercambios permitieron tejer una nueva historia de amor y darle un nuevo sentido a su relación con su hijo.

No siempre es posible una evolución favorable de estos trastornos. A veces, en este tipo de negligencia de carácter biológico los padres, particularmente la madre, permanecen totalmente indiferentes a las necesidades y a los problemas de sus hijos, y manifiestan un rechazo activo que se expresa en comportamientos violentos. Estos padres se sienten poco implicados por el bienestar de sus hijos y les consagran el menor tiempo posible. Presentan además una tendencia crónica a retirarse física y psicológicamente de la relación con sus hijos, lo que puede llevar a una situación de abandono.

LAS FUENTES DE LA NEGLIGENCIA «BIOLÓGICA»

Corresponden a trastornos de los padres que les impiden apegarse a sus hijos sanamente. Nuestro enfoque ecosistémico nos ayuda a considerar que muchos de estos trastornos o características individuales son el resultado de procesos relacionales familiares en un contexto de vida, determinado tanto por el pasado como por el presente. Nos limitaremos aquí a mencionar ciertos problemas detectados en las madres y ciertas características del niño, responsables de impedir un apego suficientemente sano. No obstante, no debemos olvidar el papel del padre. Ya hemos mencionado en diferentes oportunidades su importancia como factor facilitador u obstaculizador de un buen proceso de apego.

El hecho de mencionar sólo los factores dependientes de las madres podría reforzar la idea de que los cuidados de los niños son de su exclusividad. Este prejuicio, demasiado común en nuestra sociedad, explica quizás la tendencia a minimizar la importancia del padre en la crianza de los hijos. No hemos incluido los factores ligados al padre porque en las familias negligentes que nosotros hemos acompañado, a menudo el «jefe de familia» era la madre con un padre ausente o de paso. Por lo tanto él era parte del problema pero generalmente nos era inaccesible a la observación.

Entre los problemas detectados en las madres, como fuentes de trastornos del apego biológico, mencionaremos la depresión, la enfermedad mental, la toxicomanía y los traumatismos.

Las madres depresivas fueron derivadas a nuestro programa bien por diferentes servicios de maternidad, o por consultas posnatales de los servicios de atención primaria.

En nuestra práctica hemos podido distinguir un grupo de madres que presentaban comportamientos negligentes como consecuencia de una reacción depresiva generada por una acumulación de factores de estrés durante el embarazo, parto y puerperio, y otro grupo en el cual los síntomas depresivos correspondían a una descompensación de una enfermedad siquiátrica que existía antes del embarazo. En este último grupo los trastornos del apego eran más graves y de evolución crónica. Estas madres presentaban especialmente trastornos esquizofrénicos, antes de su embarazo o bien presentaron una descompensación compatible con la descripción de la «sicosis posparto». Las manifestaciones clínicas que estas madres presentaron fueron una tendencia al aislamiento social caracterizada por una extrema timidez e indiferencia por todo intercambio interpersonal o bien una actitud de aislamiento activo. Esto último se manifestó por un rechazo a salir de su habitación de la maternidad o de salir de su cama, así como de ocuparse de su bebé. Estas madres presentaban también un humor francamente depresivo en forma permanente, mostrándose totalmente indiferentes a la presencia de su bebé, o manifestaban cambios súbitos de humor inexplicables exigiendo ocuparse de su hijo excluyendo a toda otra persona y por supuesto haciéndolo de una forma totalmente inadecuada. Además, presentaron comportamientos extraños y muecas que corresponden a menudo a ideas delirantes o a trastornos alucinatorios acompañados de una ansiedad profunda, como resultado de un sentimiento de perder el contacto con la realidad.

Las madres toxicómanas. Nuestra experiencia con las madres toxicómanas es bastante limitada. Las familias toxicómanas que tuvimos la oportunidad de acompañar fueron derivadas al programa por situaciones de negligencia y/o de malos tratos a niños en edad preescolar. No tenemos experiencias en relación con el comportamiento de estas madres con sus recién nacidos o con sus bebés. En los casos que nosotros seguimos, la negligencia se debía a menudo a la no disponibilidad de los padres hacia sus niños a causa de sus problemas de adicción.

El estudio del Washington Center for Addictions en Boston, que estudió 200 padres toxicómanos (92 alcohólicos y 108 heroinómanos) nos parece interesante. Este estudio se realizó con padres toxicómanos que se encontraban en tratamiento (Black y Mayer, 1980, en Mayer-Renaud, 1985). El estudio evaluó los cuidados proporcionados a sus niños por estos padres toxicómanos. Los resultados del análisis muestran que todos los niños de estas familias sufrían cierto grado de negligencia, y el 30,5 % de estas familias se mostraron gravemente negligentes. Todos estos padres tenían en común que proporcionaban muy poca atención a las necesidades de sus hijos. Los resultados de esta investigación y de otras nos ayudan a considerar la toxicomanía como un factor que predispone a la negligencia infantil. A pesar del resultado de estas investigaciones y de las constataciones clínicas de los profesionales de la infancia, frecuentemente los profesionales que trabajan con adultos toxicómanos y alcohólicos no están suficientemente sensibilizados sobre la necesidad de ampliar sus acciones para ocuparse también de la protección de los hijos de sus pacientes.

Los traumatismos de la madre. Todas las madres negligentes derivadas a nuestro programa habían sido víctimas de alguna de las formas de violencia abordadas en este libro. Estas mujeres habían recibido golpes y a veces abusos sexuales, pero lo que más las había marcado era el hecho de no haber sido amadas.

«Me internaron en una institución a la edad de cuatro años; ni mi madre ni nadie me amó verdaderamente; aquí con ustedes me siento por lo menos ayudada y respetada», afirmaba la madre de Eric y Pierrot durante una sesión de red, en la que participaban su compañero, los dos niños, los educadores del centro de acogida, una colega asistenta social de nuestro equipo, y yo. Nos cruzamos con la vida de Pierrot cuando tenía cuatro años y con Eric cuando tenía dos años, como consecuencia de una demanda de colaboración por parte de una trabajadora social del barrio donde vivía la familia, que estaba inquieta por las dificultades que la madre presentaba para ocuparse de sus niños. Les acompañamos durante años a través de un proceso de «tribalización»[1] que consiste en crear, con la familia, un tejido psicosocial capaz de aportar cuidados complementarios a los niños. Hoy día Pierrot tiene doce años y Eric diez, y a lo largo de estos últimos años han agregado a su tejido familiar educadores, sicólogos y trabajadores sociales de los diferentes centros donde los acogieron, así como a nosotros mismos. Hemos realizado juntos un bello y largo recorrido con esta familia, tratando de ofrecerles mejores condiciones de vida y reparando de esta manera la injusticia que esta madre había conocido en su infancia. Eric a veces todavía viene a consulta porque presenta problemas para controlar su agresividad; sus dificultades probablemente sean la consecuencia de haber sido golpeado y además de haber sido testigo, cuando era muy pequeño, de terribles escenas de violencia generadas por el comportamiento abusivo de su padre frente a su madre. El padre biológico de estos niños era un individuo violento y abusivo que martirizaba a su mujer y a sus hijos. La madre, bajo la dependencia afectiva de este sujeto, ocultó el carácter violento de su marido durante años. Fue mucho después, en el transcurso de la intervención, cuando ella pudo reconocer el haber aceptado que sus niños fueran ingresados en una institución con la finalidad de ofrecerles protección frente a la violencia de

1. Mi idea de «tribalización» nació de los encuentros con familias africanas exiliadas donde me impresionó mucho su capacidad natural de funcionar en red para hacer frente a las carencias existentes en el medio ambiente y/o para aportar cuidado a uno de los suyos en el caso de que la familia natural no pudiera hacerlo, y siempre en el marco de un interés comunitario por los niños.

su marido, de lo cual ella nunca había podido hablar porque tenía miedo de que se los quitaran para siempre.

El acompañamiento de esta familia nos permitió constatar que los comportamientos maternales de la madre estaban caracterizados por una contradicción entre sus intenciones manifiestas y lo que ella podía hacer realmente por sus niños. Esta constatación la hemos hecho a menudo y corresponde a la experiencia con la mayoría de la madres negligentes acompañadas en nuestro programa. Por una parte tienen en su imaginario, en sus discursos, todas la intenciones de recuperar a sus niños de los centros de acogida y ocuparse de ellos en sus casas; por otra parte presentan una incapacidad de poder hacerlo realmente. Como ellas no recibieron cuidados, no tienen la capacidad de cuidar adecuadamente a sus hijos; por eso pueden rivalizar con éstos para lograr la atención de los profesionales que se ocupan de ellos.

Por otro lado, es probable que las carencias y/o los maltratos que sufrieron, provoquen una alteración de su capacidad empática, lo que perturbará los procesos de apego con sus hijos. Así, estas madres traducen mal las necesidades de sus niños porque sus propias necesidades no fueron adecuadamente satisfechas por sus padres. A menudo, estas madres han conocido el encierro institucional durante largos períodos en diferentes instituciones desde su niñez. Todas estas experiencias les proporcionaron el sentimiento doloroso de que sufrieron abandono y se consideraron culpables e indignas del amor de sus padres. La consecuencia de estas experiencias es una baja autoestima que se expresa en el hecho de que estas madres se prestan muy poca atención y consideran que, como ellas, sus hijos no merecen mayores cuidados.

UNA TIPOLOGÍA DE LAS MADRES CARENTES Y NEGLIGENTES

Aquí presentamos una tipología que articula las experiencias vitales de estas madres con sus modos preferidos de relación, especialmente con sus hijos, pero también con otras fuentes de afecto. Como resultado de nuestras observaciones, hemos podido distinguir los dos tipos de madres que presentan comportamientos negligentes descritas por Polansky (1981): las madres carenciadas pasivas e indolentes, y las madres carenciadas activo-impulsivas.

Las madres carenciadas, pasivas e indolentes. Corresponden a mujeres que fueron gravemente descuidadas en su infancia y que conocieron a menudo institucionalizaciones y separaciones múltiples. La experiencia fundamental que organiza su vida es una «hambruna» afectiva que las empuja continuamente a la búsqueda de cuidados y nutrición afectiva. Esto explica su carácter dependiente y su pasividad en relación con todas las fuentes de reconocimiento y cuidado. Habitualmente estas mujeres no tienen el antecedente de haber sido golpeadas, a diferencia del otro tipo de madres. Su modo de relacionarse se caracteriza por comportamientos de gran apatía y una profunda convicción de que nada vale la pena, pero al mismo tiempo tienden a apegarse a toda persona que demuestra un poco de interés por ellas. Sin embargo, sus relaciones son generalmente superficiales; estas madres difícilmente se comprometen de una forma duradera y presentan gran dificultad para expresar a través de la palabra su mundo interior. A menudo muestran sus frustraciones bajo la forma de cólera pasiva y/o de consentimientos hostiles.

El lector advertirá con facilidad la relación que existe entre las características de estas madres y sus dificultades con el apego y el cuidado de sus hijos. Por otra parte, como veremos en los capítulos posteriores, especialmente en el dedicado a los abusos sexuales, encontraremos a menudo este tipo de madre como esposa de un abusador sexual violento e impulsivo.

Las madres carenciadas activo-impulsivas. Son las madres que fueron no solamente descuidadas, sino además víctimas de violencia física. Parentificadas, fueron explotadas por sus padres y/o obligadas a ocuparse de sus hermanos y hermanas menores. Animadas por un profundo sentimiento de injusticia, esperan demasiado de los demás y sobre todo de sus hijos. Sus exigencias sin límites respecto a los demás se expresan por verdaderos comportamientos de «depredación afectiva», con muy poca tolerancia a la frustración y una ausencia total de empatía para aceptar los límites del otro. Sus experiencias como niñas físicamente maltratadas y las frustraciones acumuladas las llevan a reaccionar de forma violenta, por lo que estas madres no sólo descuidan a sus hijos, sino que además los golpean. Encontramos este tipo de madre entre las autoras de maltrato físico o como esposas de abusadores sexuales, pasivos y dependientes.

LOS FACTORES DEPENDIENTES DEL NIÑO

Es difícil imaginar cómo puede favorecer un niño los comportamientos negligentes de sus padres. Es mucho más fácil imaginar que ciertas características del niño, por ejemplo la hiperactividad, los problemas de sueño o los trastornos de la alimentación, aumentan los riesgos de que pueda ser golpeado.

La experiencia clínica nos muestra que existen ciertos factores que favorecen los comportamientos negligentes de los padres a pesar de ser difícil saber si, por ejemplo, los comportamientos pasivos del niño, que no hace nada para llamar la atención de su madre, son causa o consecuencia de un trastorno del apego. Ciertas observaciones de nuestra práctica clínica coinciden con lo que ya han descrito largamente otros autores. Por ejemplo, los trastornos del apego pueden aparecer en la díada madre-niño cuando el niño posee minusvalías particulares (Lemay, 1983). Estas dificultades se agravan a menudo por la incapacidad del personal de las maternidades de acompañar a las madres y a los padres que se enfrentan a esta situaciones. Por otra parte se sabe que los niños prematuros o que presentan trastornos neonatales quizá no toleren las estimulaciones de sus madres y por lo tanto las puedan decepcionar. Estas situaciones a veces se agravan por una hospitalización mal manejada por el personal encargado de su atención, y pueden acarrear una ruptura del vínculo afectivo del niño con sus padres.

La negligencia cultural

En este tipo de negligencia, los padres son portadores de modelos de crianza peligrosos para los niños. Algunas de las creencias contenidas en esos modelos pueden provocar incluso la muerte del niño; otras menos peligrosas son la consecuencia de una falta de conocimientos y/o conocimientos inadecuados sobre los cuidados necesarios para asegurar un crecimiento y un desarrollo sano al niño.

A menudo estos modelos de creencias son parte de la cultura de una familia y/o de su comunidad; por lo tanto, tienen una función en el mantenimiento del sentido de pertenencia no solamente a una familia sino también a una colectividad.

La idea de la existencia de patrones culturales de crianza negligentes nos introduce en un terreno difícil y contradictorio. Son numerosos los autores que insisten sobre la necesidad de respetar los componentes culturales de una comunidad en el momento de definir la negligencia (Garbarino y Guilliam, 1980).

Es importante considerar que no existe ninguna fórmula universal para determinar los cuidados óptimos que necesita un niño. Esto es necesario para prevenir cualquier actitud «etnocentrista» en donde se impongan determinados modelos culturales de crianza porque se consideran superiores a otros. No se trata tampoco de caer en un relativismo cultural extremo, al límite con la indiferencia, que podría impedirnos proteger al niño víctima de negligencia bajo el pretexto del respeto a la cultura.

Una alternativa a este falso dilema es el diálogo intercultural, es decir, la búsqueda con las familias de consensos alrededor de las nociones de bienestar, cuidados y protección de los niños. Una ilustración de esta práctica intercultural la realizamos en un programa de salud rural en el sur de mi país, donde intentábamos crear puentes entre la cultura médica occidental y los métodos curativos tradicionales de los indios mapuches en relación con los modelos de cuidados y de crianza de los recién nacidos.

En esas comunidades indígenas, donde tuve la suerte de trabajar como médico rural, antes de mi exilio en Bélgica, existía en las parteras una creencia que consistía en aplicar en la región umbilical del recién nacido —después de haber cortado el cordón— un ungüento que contenía, entre otras cosas, tela de araña. Como consecuencia de esto, un número importante de recién nacidos presentaban una grave infección periumbilical que a menudo se complicaba con una septicemia, produciendo la muerte del niño.

El carácter mágico-religioso de esta práctica era un elemento cultural que se transmitía de generación en generación y las infecciones eran también explicadas en el marco de estas creencias más como «castigos» divinos que como infecciones causadas por la tela de araña.

Las conversaciones con los miembros de nuestro equipo que pertenecían a esas comunidades nos ayudaron a comprender la utilidad de esas prácticas como vínculos sociales de estas comunidades. Por otra parte, concluimos rápidamente que los componentes del ungüento no eran, en sí mismos, los causantes de las infecciones, sino su mezcla con barro y el hecho de que éste se aplicaba con instrumentos o con las manos sucias.

Nuestras «conversaciones» interculturales permitieron elaborar y proponer una nueva manera de aplicar este ungüento; así, los miembros mapuches de nuestros equipos de terreno propusieron a las comadronas preparar el ungüento siguiendo los ritos tradicionales; luego el ungüento lo esterilizaban en el hospital, al mismo tiempo que les enseñaban la importancia de lavarse las manos y aplicarlo con espátulas estériles. El impacto de estos cambios disminuyó la incidencia de infecciones perinatales sin que la función simbólica de la creencia fuera alterada.

La negligencia contextual: la pobreza
y el aislamiento social como medio ambiente

Acusar a los padres de familias pobres de maltratar a sus hijos porque presentan signos exteriores de estar «mal cuidados», sin considerar la situación social en la que viven, es una nueva injusticia social que agrava la situación de los niños. No se puede exigir a padres que no tienen trabajo, ni vivienda adecuada y que viven con un mínimo de dinero que cuiden, vistan, alimenten y eduquen a sus hijos como si esta situación no existiera.

En lugar de designar a estos padres como únicos responsables de la negligencia de sus hijos, el enfoque ecosistémico nos ayuda, como ya hemos señalado, a explicar estas situaciones considerando también la organización de nuestras sociedades que por sus estructuras y funcionamiento generan desigualdades sociales, discriminación y exclusión social.

Los profesionales de programas de protección infantil e investigadores de todo el mundo estamos de acuerdo en que la pobreza y el aislamiento social acompañan casi siempre a las situaciones de negligencia (Mayer-Renaud, 1985). Eso no excluye la existencia de la negligencia en familias de clase media, o alta, aunque en ellas es más común que la negligencia sea de tipo psicoafectiva.

En la mayoría de los casos de negligencia en que hemos intervenido, los niños y sus familias vivían en lo que nosotros llamamos una *ecología de supervivencia* caracterizada por una situación crónica de pobreza, exclusión social y marginación. Si utilizamos los indicadores clásicos para detectar las situaciones de negligencia, más de la mitad de los niños de los países pobres y todos los niños pobres de los países ricos deberían ser considerados como víctimas de negligencia.

Con una mirada ecológica se hace enseguida evidente que las causas de la negligencia son múltiples y se encuentran no sólo en los comportamientos de los padres, en las dinámicas familiares, y en las situaciones de injusticia social generalizada características de los países del Tercer Mundo, sino también en la injusticia interhemisférica que divide el mundo en países ricos y pobres.

La clínica de la negligencia infantil nos ha permitido constatar que la pobreza crea un contexto de vida para los niños y sus familias que les obliga a desarrollar una serie de comportamientos y de creencias que a menudo se transmiten de generación en generación y que corresponden a respuestas adaptativas a esta situación injusta y carenciada.

La ausencia crónica de componentes nutritivos, vestido, higiene, alojamiento adecuado, cuidados médicos y de educación, acompaña las experiencias existenciales de estas familias. Esta realidad concreta organiza, a través de generaciones, un modo de vida basado en estrategias destinadas a no sucumbir de hambre, de sed, de frío y de falta de amor.

La pobreza como contexto obliga a la familia a funcionar con un estilo que un observador podría considerar «caótico», indiferenciado, predador e inestable, que a menudo es la única alternativa de supervivencia en un medio ambiente pobre y marginal. Las familias pobres de los suburbios de Santiago de Chile, o de los barrios pobres de Manila o de Río de Janeiro, así como las familias pobres de los países ricos, conocidas como familias «del cuarto mundo», tienen en común las mismas estrategias de supervivencia.

Estas estrategias se manifiestan por el hecho, por ejemplo, de que la vida cotidiana de los miembros de estas familias, especialmente la de los niños, no se ordena por la función estructurante del tiempo y del espacio. La dimensión temporal puede fallar o estar ausente en la medida en que la distinción entre el día y la noche quizá no exista o tenga un valor relativo, porque lo que estructura la vida cotidiana son preferentemente los acontecimientos que en la realidad o en la imaginación son asociados con fuentes de afecto, cariño y nutrición.

Por esto, lo que marca el tiempo de la vida cotidiana no son los ritos como el «levantarse», las horas de las comidas o las horas de acostarse, etc., sino diferentes acontecimientos asociados con las posibilidades de recibir algo de lo que se necesita. En la constelación de la pobreza, la vida en el bar, el ser visitado o visitar intempestivamente a familiares, amigos y/o vecinos, los momentos de conflicto y querellas entre vecinos, así como las diferentes estrategias para conseguir un trabajo o algo de comer, etc., son los factores temporales que estructuran un funcionamiento familiar por ende «desorganizado y caótico».

La dimensión espacial tampoco juega un rol estructurante, en la medida en que los diferentes acontecimientos de la vida cotidiana se suceden en espacios exiguos donde todo sirve para todo. Así por ejemplo, una misma habitación sirve a la vez de comedor y dormitorio, donde se recibe a los invitados, se come, juegan los niños, los adultos tienen relaciones sexuales y los diferentes miembros de la familia se pelean o se manifiestan ternura y cariño. En este contexto será muy difícil que cada miembro de la familia, y especialmente los niños, identifiquen y distingan sus diferentes experiencias y sensaciones de frío y calor, de hambre y de saciedad, de agresividad y de violencia, o de ternura y de excitación sexual.

Las carencias psicoafectivas existen desde siempre, y algunos de los modos de compensación más frecuentes que se transmiten de generación en generación son la comida, la sexualización de las relaciones interpersonales, y/o la sobreinvestidura de los objetos materiales.

> Apenas tenemos un poco de dinero compramos todo lo que podemos, aunque no lo necesitemos de inmediato, porque para el mes próximo nunca se sabe...

A pesar de que esto puede parecer paradójico, la pobreza no implica sólo una falta de dinero, sino más bien un conjunto de carencias afectivas y sociales que las familias intentan compensar a través de la obtención de bienes de consumo comprados a crédito.

El aislamiento social y la marginación acompañan a menudo la vivencia de estas familias. Polanski y Chalmers (1981) en sus investigaciones sobre diferentes grupos de madres negligentes, concluyen que el único rasgo común de todas ellas era la profunda soledad en la que transcurrió su existencia. Este aislamiento casi siempre se agrava por el hecho de que estas madres forman parte de familias monoparentales o participan de modelos familiares matriarcales donde la presencia del hombre es inconsistente y/o esporádica. Como consecuencia de esto, ni siquiera cuentan con el apoyo de un cónyuge para afrontar las tareas familiares.

En una revisión bibliográfica, Micheline Mayer-Renaud (1985), del Centro de Servicios Sociales de Montreal, muestra que en los estudios de incidencia de negligencia las familias monoparentales donde la madre era la jefa de familia estaban sobrerrepresentadas.

En nuestro programa, la mayoría de las familias que son señaladas por comportamientos negligentes corresponden a familias monoparentales, o cuando no es el caso, llegan a serlo como consecuencia de la acogida de los niños.

El aislamiento social de estas familias —causa y consecuencias de situaciones de carencias— se mantiene por el sentimiento general que tienen sus miembros de ser incompetentes o incapaces de resolver los problemas y conflictos de la vida cotidiana. Las exigencias afectivas exageradas, los comportamientos «inadecuados» y el carácter multiproblemático que caracteriza a estas familias, pueden provocar el alejamiento de profesionales o amigos potenciales, lo que refuerza su aislamiento. La sociedad no es totalmente

ajena a esta situación, en la medida en que estas familias son víctimas de un *proceso de marginación* explícito o implícito, por el hecho de que sus estilos de vida se desvían demasiado de las normas
impuestas por las clases dominantes.

Cualesquiera que sean las causas, el aislamiento afecta profundamente a la vivencia de los niños, que se encuentran a menudo en
una posición de anomia, atrapados entre las normas culturales de
supervivencia de sus familias y las de la cultura dominante reflejada por la escuela.

Además, el aislamiento social aumenta los riesgos de negligencia causada por la pobreza, porque los padres excluidos del funcionamiento social tienen menos acceso a fuentes educativas que
podrían ayudarles a mejorar los cuidados a sus hijos. En este contexto, los padres pobres pueden sentirse totalmente indefensos
frente aquellos que los consideran malos padres, lo que refuerza
sus vivencias de injusticia y sus frustraciones históricas por falta de
reconocimiento y amor. Las familias pobres son «negligentes» porque son pobres, y por serlo se encuentran más fácilmente aisladas,
aunque paradójicamente la pobreza les hace más dependientes de
una red social de apoyo. Sin esta ayuda, no se benefician de los contactos sociales que podrían aliviar en parte sus frustraciones col-
mando en cierta medida las consecuencias de la miseria.

La importancia del aislamiento social como causa y consecuencia de la negligencia infantil en familias atendidas en nuestro programa, nos llevó a concebir prácticas alternativas para romper el
aislamiento de madres solas en un barrio pobre de Bruselas. Uno de
los ejes de nuestro proyecto ha sido crear lugares de encuentro para
ellas, transformando las salas de espera de las consultas materno-in-
fantiles en espacios de animación madre-niños (Barudy y colab.,
1991, 1994). Las actividades principales de estos espacios son lúdicas, centradas en los niños y animadas por una educadora y por las
propias madres, y también hay actividades de grupo para ellas.

LAS CONSECUENCIAS DE LA NEGLIGENCIA EN LOS NIÑOS

Los niños mal cuidados sufren de una ausencia o una insuficiencia crónica de cuidados, ya sea físicos, médicos, afectivos y/o
cognitivos. Por lo tanto se presentan sistemáticamente mal alimentados y hambrientos, sucios y mal vestidos (ya sea demasiado abri-
gados o desabrigados). Habitualmente sus padres o sus cuidadores
les dejan solos sin vigilancia adecuada, y durante largos períodos

sus enfermedades pueden ser ignoradas y, por ende, no reciben la atención sanitaria adecuada. Ignorados y/o rechazados por sus padres, estos niños son víctimas de una deprivación psicoafectiva permanente, así como de una falta de estimulación social y cultural necesaria para asegurarles un desarrollo sociocognitivo adecuado.

La mayoría de los niños acompañados en nuestro programa habían sufrido simultáneamente diferentes tipos de negligencia, y en muchos casos presentaban además signos de otros tipos de maltrato, especialmente de maltrato físico.

LAS CONSECUENCIAS DE LA NEGLIGENCIA FÍSICA

Éstas son múltiples y van desde el retraso en el crecimiento por la desnutrición hasta el síndrome de enanismo psicosocial causado no sólo por las deficiencias alimentarias, sino también por la depravación social y afectiva.

El niño víctima de negligencia se siente a menudo un ser aparte, su falta de higiene, así como su forma inadecuada de vestirse y comportarse, provocan un rechazo de sus compañeros de clases y de los adultos que le cuidan. Su aspecto sucio y su mal olor provocan el alejamiento de sus amigos potenciales, reforzando sus vivencias familiares de rechazo y soledad.

En la medida en que a estos niños se les deja frecuentemente solos y sin vigilancia o al cuidado de otros menores, sufren a menudo accidentes domésticos o pueden ser agredidos física y/o sexualmente por niños mayores o adultos abusadores. Los niños «mal amados» son las víctimas predilectas de pedófilos y/o violadores de niños.

En los países industrializados existe una categoría singular de niños que están descuidados —los llamados «niños con la llave al cuello»— a los que desde edad muy temprana los padres les amarran las llaves de la casa en el cuello, obligándoles a «cuidarse» solos la mayor parte del día.

LAS CONSECUENCIAS DE LA NEGLIGENCIA PSICOAFECTIVA

Este tipo de negligencia se produce en ciertas familias en ausencia de maltrato y de negligencia física. Los niños exteriormente parecen bien cuidados, pero interiormente sufren de la falta de afecto y del reconocimiento de sus necesidades infantiles. Estas carencias afectivas se acompañan a menudo de violencias psicológicas y se presentan con más frecuencia en familias pertenecientes a las clases más favorecidas. Allí los niños son golpeados físicamente con menor frecuencia, están bien vestidos y alimentados y sufren de una violencia que no deja huellas visibles, por lo que suelen ser menos ayudados y protegidos.

Las carencias afectivas pueden también provocar trastornos del crecimiento físico de las víctimas. La nosología psiquiátrica ha incorporado, en su clasificación de criterios diagnósticos, trastornos físicos provocados por carencias afectivas en el síndrome *reactive attachement disorder* (DSM IV). Esto corresponde a los retrasos de crecimiento por causa no orgánica que se manifiestan en los bebés como consecuencia de estas carencias.

En relación con los comportamientos que caracterizan a los padres que descuidan afectivamente a sus hijos, Cantwell (1984) propone la siguiente descripción: «Estos padres son fríos, distantes y poco demostrativos con sus hijos. No miran casi nunca a sus hijos, les hablan muy poco, no muestran interés por ellos y en presencia, por ejemplo, de otros adultos y/o interesados por sus propias actividades, ignoran rápidamente la presencia de sus hijos. La ausencia de cariño, empatía y aceptación, así como de estímulos afectivos y cognitivos (mostrarles cariño, hablarles, estimularles) son evidentes».

LA CARRERA MORAL DE LOS NIÑOS VÍCTIMAS DE NEGLIGENCIA

Los comportamientos negligentes y los discursos que los acompañan, constituirán un contexto de vida para el niño. Debido a la dependencia frente a sus padres, y al aislamiento social de la familia, este contexto puede ser comparado al de una institución totalitaria en el sentido enunciado por Goffman (1975),[2] por esto también nos parece pertinente hablar del proceso existencial de los niños víctimas de la violencia como su «carrera moral». Los componentes más frecuentes de esta carrera moral para los niños carenciados son la consecuencia del carácter traumático de la experiencia, por una parte, y, por otra, de los mecanismos de adaptación a la situación que el niño está obligado a desarrollar.

2. Irving Goffman (1975) utiliza el término «institución totalitaria» para hablar de instituciones como los manicomios, las prisiones, los campos de concentración, que se caracterizan por el hecho de que organizan todas las actividades de sus miembros. Goffman denominó «carrera moral» al proceso que las víctimas aprenden dentro de estas instituciones.

CUADRO 5. La carrera moral de los niños víctimas de negligencia.

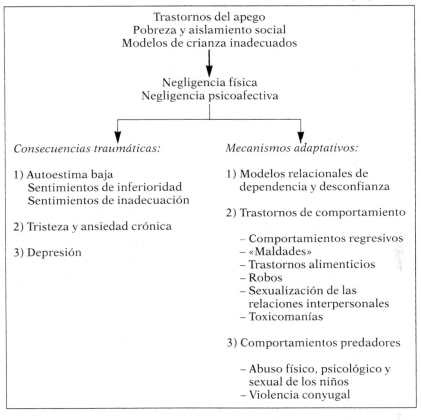

Trastornos del apego
Pobreza y aislamiento social
Modelos de crianza inadecuados

Negligencia física
Negligencia psicoafectiva

Consecuencias traumáticas:

1) Autoestima baja
   Sentimientos de inferioridad
   Sentimientos de inadecuación

2) Tristeza y ansiedad crónica

3) Depresión

Mecanismos adaptativos:

1) Modelos relacionales de
   dependencia y desconfianza

2) Trastornos de comportamiento

   – Comportamientos regresivos
   – «Maldades»
   – Trastornos alimenticios
   – Robos
   – Sexualización de las
     relaciones interpersonales
   – Toxicomanías

3) Comportamientos predadores

   – Abuso físico, psicológico y
     sexual de los niños
   – Violencia conyugal

LAS CONSECUENCIAS TRAUMÁTICAS DE LA EXPERIENCIA

Éstas son evidentes en la medida en que el mensaje analógico que el niño falto de cuidados recibe todo el tiempo es «tú no eres digno de nuestro amor o tú no eres lo suficientemente importante para que nos ocupemos de ti». Las manifestaciones más frecuentes son:

A. *Una baja autoestima y un sentimiento de inferioridad*
Los comportamientos negligentes, reforzados por las palabras que los acompañan, desarrollan poco a poco en las víctimas un sentimiento de inferioridad, una baja estima de sí mismo, un sentimiento de inadecuación, así como tristeza y ansiedad crónica (Cantwell, 1980, Garbarino, 1980).

En un proyecto piloto de intervención para ayudar a los niños víctimas de negligencia en 35 familias, Sullivan y Spacer, 1977 (citados por Mayer-Renaud, 1985), observaron que estos niños son terriblemente miedosos y ansiosos, y que por ejemplo una nueva experiencia, aunque sea agradable y positiva, les provocará excitación y ansiedad. Cuando participan en una actividad, el rostro de estos niños se caracteriza por la tristeza, la frustración y la ansiedad, y casi nunca demuestran placer y alegría. Reaccionan a la mínima frustración como si el hecho que les frustra se tratara de un rechazo a su persona o un ataque que pone en peligro su integridad física. Además, manifiestan un profundo sentimiento de fracaso y de vergüenza frente sus dificultades de aprendizaje. Estos sentimientos explican en parte la gran inseguridad que presentan, así como su limitada tolerancia a la frustración.

B. *La vivencia depresiva*

El niño «mal amado» no sólo tiene una mala imagen de sí mismo, sino que desarrolla una visión del mundo que le es amenazante y poco segura. Esta vivencia depresiva se explica porque una parte de su mundo —sus padres—, el más importante para él, objetivamente le rechaza, y además porque el niño tiende a proyectar sus sentimientos de frustración, hostilidad, inseguridad e inadecuación sobre el mundo exterior. Su visión desconfiada de los seres que le rodean se explica también porque, por el hecho de recibir poco de sus padres, espera muy poco de los demás.

Muchos pacientes adultos que presentan trastornos depresivos pueden ser ayudados si se les conduce a establecer vínculos entre el contenido de sus síntomas y sus experiencias infantiles de negligencia y carencias afectivas. Con esta nueva visión, el uso de medicamentos antidepresivos puede tener un sentido reparador. El medicamento ya no es utilizado para sanar una psique enferma, sino en un medio en donde al paciente se le brindan cuidados para afrontar de una manera más fiable los problemas de la vida cotidiana.

Nuestras experiencias con niños víctimas de carencias nos permitieron también constatar lo que M. L. Blumberg (1981) había enunciado, es decir, que una de las causas principales de la depresión infantil era la deprivación afectiva. Esta depresión puede permanecer enmascarada por otros trastornos del comportamiento.

LOS MECANISMOS ADAPTATIVOS A LAS SITUACIONES CARENCIALES

Las situaciones de negligencia provocan no sólo sufrimiento en el niño, sino que al mismo tiempo lo obligan a invertir una parte de su energía psíquica en el desarrollo de comportamientos adaptativos. Los comportamientos característicos son:

A. *Un modelo relacional de dependencia-desconfianza*

El modelo de relación interpersonal de estos niños se caracteriza por oscilaciones entre la dependencia y el rechazo. Debido a la indiferencia de sus padres, el niño puede ser extremadamente dependiente de cualquier signo de afecto de éstos y de cualquier adulto. Por eso, trata de llamar la atención utilizando todos los medios posibles para procurarse un poco de cariño y de cuidados. De esta manera puede abrirse hacia cualquier adulto sin discriminar, exponiéndose a situaciones de peligro (abuso sexual) o de rechazo. En la guardería, la escuela maternal, etc., o con otros niños, puede manifestarse muy posesivo y exigente buscando el contacto físico, la aprobación y el afecto de los que le rodean. Una vez lograda la preocupación del adulto, esta dependencia puede transformarse en retirada, que él utiliza para protegerse del sufrimiento suplementario que conlleva la posibilidad de una nueva frustración. Así, estos niños pueden dejar de buscar el afecto, congelar sus emociones y aislarse emocionalmente, negándose a ofrecer o participar en relaciones afectivas calurosas y duraderas. Poco a poco se transforman en niños apáticos y distantes, pudiendo llegar a adultos con las características del tipo de «madres carenciadas, pasivas e indolentes».

La otra posibilidad para protegerse de la frustración es retirarse hacia un universo de fantasía donde el niño se evade de su dolor imaginando ser un niño todopoderoso que no necesita de nadie. Como estas carencias afectivas son a menudo crónicas, el niño termina por transformar este mecanismo de defensa en una estructura narcisista, llegando a ser un adulto que corresponde al tipo ya descrito de la «madre carenciada, activo-impulsiva».

B. *Los trastornos de comportamiento*

El niño descuidado presenta trastornos de comportamiento como una forma de llamar la atención sobre todas las personas que le podrían servir de fuente de cuidado. Las estrategias que puede utilizar son múltiples, por ejemplo hacer el payaso, ridiculizarse, presentar comportamientos de bebé, hacer diabluras y a veces incluso automutilarse. De todos los problemas de comportamiento, los robos son los que llaman más la atención de educadores y profesionales. Lemay (1983) nos expone una explicación interesante en relación con este síntoma; habla de una «delincuencia específica de los carenciados». Según este autor, el niño, y posteriormente el adulto carenciado, roba para llenar el vacío afectivo que le habita, robando sobre todo objetos simbólicos como alimentos o dinero para comprar regalos y ofrecérselos a sus amigos en un vano intento por ganar y mantener el cariño de éstos. Por lo tanto, roba sin apegarse o casi sin interés por el objeto robado; por eso, el sujeto carenciado es muy malo como delincuente, ya que lo atrapan fácilmente.

Este tipo de comportamientos no agotan todo el arsenal de recursos que las víctimas de negligencia utilizan para sobrevivir. Habría que agregar, por ejemplo, todos aquellos trastornos alimenticios que conducen a la obesidad, la utilización de drogas y de alcohol, así como la sexualización de las relaciones interpersonales.

C. *Los comportamientos predadores*

Los trastornos del apego y las experiencias de negligencia que hemos descrito llevan a las víctimas a desarrollar una serie de estrategias de supervivencia donde la predación psicoafectiva y la sexual son unos de los componentes más importantes. Estos *comportamientos predadores* pueden alcanzar su máxima expresión cuando estos niños carenciados se transforman en padres. Al no encontrar en su medio social experiencias compensatorias para sus carencias, existe el riesgo de que utilicen a sus hijos como fuente de reparación. Esto explica las interrelaciones posibles entre negligencia, maltrato físico y maltrato psicológico, así como con el abuso sexual.

Las manifestaciones clínicas de la carrera moral de estos niños se expresan por los indicadores directos e indirectos presentados en el cuadro 6 de la página siguiente. Estos indicadores nos permiten la detección y el diagnóstico de estas situaciones.

EL ABANDONO DE LOS NIÑOS

En el caso del abandono, afrontamos una situación de ruptura con las figuras de apego, especialmente la madre. A este propósito Bowlby (1973) utiliza la noción de separación para hablar de la ausencia temporal de las figuras de apego, y la noción de pérdida para referirse a la ausencia permanente de éstas, ya sea por fallecimiento o por abandono. Los conceptos de negligencia y de abandono se aproximan al abordar dos tipos de situaciones: el abandono explícito y el abandono implícito (Turcotte, 1992).

En el caso del *abandono explícito*, los padres rechazan claramente asumir el cuidado de sus hijos y quieren que otros adultos

CUADRO 6. Protocolo de validación de la negligencia.

Indicadores de abandono físico		
Indicadores físicos en el niño	Indicadores comportamentales en el niño	Conducta del cuidador
– Constantemente sucio, escasa higiene, hambriento o inapropiadamente vestido. – Constante falta de supervisión, especialmente cuando el niño está realizando acciones peligrosas o durante largos períodos de tiempo (solo o con sus hermanos). – Cansancio o apatía permanentes. – Problemas físicos o necesidades médicas no atendidas (por ej., heridas sin curar o infectadas) o ausencia de los cuidados médicos rutinarios necesarios. – Es explotado, se le hace trabajar en exceso o no va a la escuela. – Ha sido abandonado.	– Participa en acciones delictivas (por ej., vandalismo, prostitución, drogas y alcohol, etc.). – Pide o roba comida. – Raras veces asiste a la escuela. – Se suele quedar dormido en clase. – Llega muy temprano a la escuela y se va muy tarde. – Dice que no hay nadie que le cuide.	– Abuso de drogas o alcohol. – La vida en el hogar es caótica. – Muestra evidencias de apatía. – Está mentalmente enfermo o tiene un bajo nivel intelectual. – Tiene una enfermedad crónica. – Fue objeto de negligencia en su infancia.

asuman todas las responsabilidades y los derechos del rol parental. Sin embargo, los padres no tienen siempre todos los elementos para elegir libremente el abandono de sus hijos. Son numerosos los casos de madres que abandonaron a sus hijos como consecuencia de graves problemas sociales y/o como consecuencia de presiones familiares. En mi práctica como psicoterapeuta, he constatado el enorme sufrimiento de mujeres que en la adolescencia fueron obligadas a abandonar a sus niños para evitar el escándalo social. Estas madres llevan para siempre la huella de estas pérdidas expresada en sentimientos de injusticia y de culpabilidad que muchas veces les impiden sentirse bien en tanto mujeres, esposas o madres de otros niños. La vivencia de estas madres se puede comparar a lo que experimentan las madres que perdieron a un hijo como consecuencia de un accidente o una muerte súbita.

El *abandono implícito* es un abandono tácito que comienza habitualmente por el ingreso forzado o voluntario en instituciones de protección infantil que evolucionará poco a poco hacia el abandono definitivo del niño. En este caso, el niño es víctima de un abandono generado por comportamientos ambivalentes y difusos caracterizados por una mezcla de movimientos de separación afectiva y de acercamientos. Esta situación se describe por una alternancia de comportamientos de negligencia y descuidos, y la búsqueda excesiva de contacto, resultante de una tensa angustia de separación. Los niños quedan prisioneros en una dinámica impredecible con momentos de gran proximidad que se alternan con períodos de abandono.

Un ejemplo de esta situación corresponde a los niños de la familia Valois:

> Los tres niños de esta familia frecuentaban una escuela católica. La mayor, de siete años, Vanessa, había llamado la atención de las religiosas por su carácter ruidoso y por sus actitudes de protección y de cuidado en relación con sus dos hermanos pequeños, Baudoin de cinco años y Albert de cuatro años. Sus retrasos y ausencias repetidas a clase, motivaron que la escuela contactara con nuestro programa. Para nuestra sorpresa, en las visitas a domicilio que realizamos con la asistenta social, fuimos bien acogidos por los padres. Sin embargo, estas visitas nos permitieron constatar rápidamente numerosos signos de negligencia. Por ejemplo, los niños estaban mal alimentados, desaseados, descuidados, sin adecuada atención médica, y a menudo se los dejaba solos sin ninguna vigilancia durante largos períodos. Por otra parte, la niña mayor presentaba todos los signos de una «madurez prematura», consecuencia de todas las tareas que debía asumir en la familia, que sobrepasaban su capacidad y su fuerza. A pesar del acompañamiento socioeducativo de la asistenta social, las sesiones de terapia familiar a domicilio, la presencia de una persona que les ayudó en las tareas domésticas y de un educador familiar, la situación de los niños no mejoraba. Un accidente doméstico que se produjo en un momento de falta de atención de la madre y que provocó graves heridas a Albert, el menor de cuatro años, nos condujo a solicitar medidas de protección al tribunal de menores de Bruselas, el cual decidió un acogimiento temporal de los niños en una institución y la continuación del acompañamiento terapéutico para los padres.
>
> Después de la separación de los niños, seguimos tratando a la familia, ampliando esta vez nuestro territorio de intervención a la institución

de acogida. A partir de una estrategia de red, tratamos de facilitar un trabajo de «tribalización» en el sentido de ayudar a la familia a vivir la nueva situación como una ampliación de su tejido social, más que como una descalificación de los padres. Este tipo de intervención pudo disminuir el sentimiento de abandono de los niños, pero no pudo asegurar la continuidad de los contactos entre padres e hijos ni la cohesión de la pareja. Asistimos rápidamente a movimientos de abandono, como, por ejemplo, el olvido de los horarios de visita, la desaparición de la madre, conflictos de pareja que alternaban con momentos en los que la madre intentaba reapropiarse de los niños, que se traducían en visitas intempestivas a la institución o por el retraso del regreso de los niños a la institución después de las visitas a domicilio, etc.

Todos estos hechos fueron interpretados rápidamente como una manifestación de la dificultad de ser padres de niños «colocados», y de mantener relaciones permanentes con ellos. Nuestro enfoque fue entonces el de ofrecernos a los padres como «peluches» en el lugar de sus hijos, «maternándoles», lo que se expresó en cosas tan prácticas como ir a buscar a los padres dos veces cada mes a su domicilio para llevarlos de visita al centro de acogida donde se encontraban sus hijos. En cada visita al centro de acogida se ofrecía una merienda a la familia y durante una hora los padres recibían los cuidados de una parte del equipo mientras que los otros facilitaban interacciones lúdicas y educativas entre los padres y los niños.

Es difícil determinar el resultado o el impacto a largo plazo de este tipo de acción sobre el futuro de los niños. En nuestra práctica intentamos trabajar con este modelo cada vez que constatamos que el sufrimiento de los padres es lo que les lleva a descuidar o abandonar a sus hijos.

Este tipo de modelo tiene el mérito, por lo menos, de ser coherente con la idea de que, en los casos de carencias y de riesgo de abandono, la finalidad terapéutica es aportar cuidados de todo tipo a los miembros de la familia, incluyendo también a los padres, para facilitar la emergencia de vínculos de apego entre ellos. Nuestras evaluaciones periódicas de los niños, complementadas por aquellas realizadas por equipos institucionales que han participado en este tipo de proyectos, indican una evolución favorable de los niños, con una mejor adaptación y un mejor aprovechamiento por parte de éstos de los espacios institucionales, y una disminución considerable del riesgo de abandono de hecho.

Siguiendo los estudios de Moras y Eugler (1959), muchos investigadores han constatado que los niños que permanecen en acogida institucional durante más de un año corren un grave riesgo de perder todo contacto con sus padres biológicos y por lo tanto de no volver a vivir con ellos (Jenkins y Norman, 1972; Magura, 1979; Angles, 1983; Costin y Rapp, 1984).

Todo esfuerzo para mantener el vínculo entre los padres y los niños acogidos, utilizando dinámicas de red, tiene la ventaja, por una parte, de ampliar las fuentes de cuidado para los niños y, por otra parte, de asegurarles una relación continua y sana con sus padres.

La carrera moral de los niños abandonados

Para el niño, la frontera entre la experiencia de la negligencia grave, el abandono de hecho y el rechazo afectivo debe ser, en sus inicios, muy difícil de percibir. En los casos de abandono, los padres no asumen de ninguna manera la responsabilidad de cuidar y proteger mínimamente a sus hijos. Por el contrario, la negligencia se expresa en gestos por los cuales los padres, voluntariamente o no, asumen muy mal las funciones de proteger y de cuidar a sus niños. El rechazo parental corresponde más a una forma de maltrato psicológico. En este caso, se asume la responsabilidad de protección y de cuidado mínimo, pero el niño no es aceptado como sujeto ni es amado en tanto tal.

Los relatos de las vivencias de los niños abandonados me han permitido acceder a la manera en que estas experiencias se organizan en sus mundos subjetivos y relacionales, constatando que estas experiencias van a determinar una parte importante de sus mundos comportamentales y relacionales, y también de sus visiones del mundo.

La semejanza entre un niño de la calle del Brasil y un niño que vive en una institución en Bélgica abandonado por sus padres, es que ambos tienen el sentimiento de no ser más que algo sin valor. En un cierto momento de su desarrollo tendrán que afrontar la imposibilidad de contarse una historia de sí mismos enraizada en una vivencia real de pertenencia familiar, ya que no disponen de todos los elementos de su origen o porque como mecanismo de compensación del abandono se inventaron una historia tan extraordinaria e inverosímil que a menudo nadie se la cree.

El desafío existencial de un niño abandonado es poder dar un sentido a la experiencia extrema del abandono. Por lo tanto, tiene que encontrar una forma de autopercibirse entre dos experiencias. Por un lado «me abandonaron, yo soy como un niño basura», y por otro lado, «soy un niño excepcional porque soy capaz de arreglármelas solo y no necesito a nadie». Un niño institucionalizado en

Bélgica o un niño de la calle de Brasil construyen su personalidad a partir de una seudoidentidad en la que se ve como un personaje todopoderoso para poder de esta manera controlar la angustia de su sentimiento de desprotección, de fragilidad y de terror.

Para un niño golpeado, su supervivencia depende de su capacidad para disminuir las situaciones amenazadoras y escapar a los golpes. Para el niño que ha sufrido abusos sexuales, el poder escapar a la excitación sexual de su abusador en el peor de los casos significa simular la aceptación del abuso para poder tener tranquilidad lo más rápidamente posible. A diferencia de estos dos casos, la supervivencia de un niño abandonado depende de su capacidad para desarrollar estrategias relacionales que le permitan obtener los cuidados necesarios para sobrevivir, así como de su capacidad para inventar una historia para poder enfrentarse a su angustia causada por la anomia y la soledad. En situaciones más dramáticas está obligado a desarrollar estrategias relacionales para dominar, seducir o agredir a sus semejantes para obtener lo que no ha recibido.

Una parte de sus fuerzas estará destinada a reparar las heridas que originaron su historia, y una manera de poder realizarlo es adoptando una identidad de todopoderoso o de gigante. El niño abandonado se transforma de esta manera rápidamente en un «viejo prematuro» con comportamientos y discursos de un gigante, pero con un corazón de niño pequeño con hambre de amor y consuelo. El educador, el psicoterapeuta, conoce bien este fenómeno y también que si quiere ayudarle no debe equivocarse. Si uno tiene la desgracia de hablar al niño pequeño cuando el sujeto se encuentra en posición de niño gigante, éste no nos perdonará nuestro error. El «gigante» no podrá soportar la definición de una relación en tanto que niño pequeño; por lo tanto, reaccionará con todo su poder para escapar a su angustia, respondiendo violentamente contra el adulto o los otros niños. En el caso contrario, si uno cree hablar al gigante en el momento en que es el niño pequeño que está despierto, provocaremos una reacción llena de miedo y de desamparo.

El niño abandonado difícilmente puede tomar distancia de su experiencia traumática porque el abandono es el origen de su historia. Este abandono estará siempre presente, ya sea por los diferentes períodos pasados en instituciones, por las rupturas repetidas vividas una tras otra o por la ausencia de apegos; todo esto está ahí para recordárselo. Para sobrevivir a esta situación, el niño abandonado debe crearse un personaje, un nombre, una reputación. No puede sentir que existe si no es a través de un falso yo, por medio de una identidad «como si».

Así por ejemplo, casi todos los niños adoptados que fueron abandonados en su infancia y adoptados por otras familias que yo he tratado, se habían inventado una especie de «telenovela», por medio de la cual compensaban la ausencia de información sobre sus padres reales o la reemplazaban por una historia idealizada. Esta estrategia les había evitado, evidentemente, responder con un «sí» a la pregunta: «¿Soy una basura?».

5. LA VIOLENCIA FÍSICA SOBRE LOS NIÑOS

La observación de una familia suficientemente sana cuyos miembros están ligados por un apego sano, nos permite constatar que los adultos y los niños están vinculados por afectos, comportamientos y sistemas de creencias cuyos objetivos están destinados a promover y proteger la vida, así como a facilitar el crecimiento de sus miembros. Además, todos ellos están destinados a asegurar la continuidad de la especie.

Estos comportamientos asociativos, a través de los cuales se distribuyen en forma más o menos justa los recursos existentes en el entorno, corresponden a lo que los etólogos llaman comportamientos sociales «altruistas», es decir, comportamientos individuales que comportan consecuencias benéficas para el conjunto del sistema.

Hay múltiples ejemplos en el reino animal que demuestran que la supervivencia de las familias y de las especies depende de la existencia de estos comportamientos sociales altruistas.

Por ejemplo, los antílopes que viven en terrenos montañosos: si el rebaño debe huir de los predadores, para pasar de una cima a otra el rebaño se mueve con una formación que lleva al macho dominante a la cabeza, seguido de las hembras y los jóvenes. Cierran el rebaño otros machos, uno de los cuales se rezaga en la cima más cercana y mantiene al predador a la vista mientras los demás descienden. Tan pronto como han alcanzado la nueva altura, se les une. Sólo retorna al grupo cuando éste, guiado por los machos dominantes, ha llegado a la cima vecina (Maturana y Varela, 1984). Esta forma peculiar de conducta altruista es comparable a la de una madre o un padre que cuida, protege y educa sus hijos, aun en detrimento de sus propios intereses individuales.

Sin embargo, en numerosas situaciones asistimos al fracaso de estos comportamientos altruistas. Y como ya hemos señalado, no siempre por razones individuales y/o familiares, sino también por la existencia de una ecología violenta que impide la emergencia de estos comportamientos.

Una conversación con los miembros de una familia sana y altruista, nos permite constatar rápidamente que sus sistemas de creencias están al servicio de la promoción y defensa de la vida de todos, incluyendo las personas significativas de su entorno. La cultura familiar no se ha dejado contaminar por los elementos culturales abusivos y violentos existentes en la sociedad. La familia se inserta en una dinámica de respeto de los derechos humanos, de las diferencias individuales, y de reflexión abierta y constante sobre el sentido de la vida, la solidaridad, las relaciones hombre-mujer, la afectividad, la sexualidad, el cuidado de los niños, etc. En este tipo de familia, la interacción adulto-adulto y adulto-niño tiene por función confirmar a cada miembro en su condición humana. En ella, la agresividad, la sexualidad y los modelos de crianza son recursos para producir, defender y reproducir la vida. El contexto o el ambiente, es decir, la emocionalidad predominante en este tipo de familia, es la «emocionalidad del amor» (Maturana, 1991).

Para promover este ambiente, el sistema familiar posee recursos y mecanismos naturales destinados, por una parte, a canalizar la agresividad y la sexualidad dentro de la familia, y, por otra, a producir los comportamientos y las creencias necesarias para cuidar, proteger y socializar a los niños. Estos mecanismos corresponden al conjunto de rituales —comportamientos y representaciones— que cumplen el rol de reguladores para garantizar las funciones familiares y mantener la cohesión del conjunto de la familia.

Cuando estos rituales fallan, los miembros de la familia se ven confrontados a un desbordamiento emocional que puede expresarse en el fenómeno de la violencia familiar. En esta perspectiva, la violencia familiar es la consecuencia de una perturbación de las relaciones de apego, por un fracaso de los rituales que regulan las emociones suscitadas por los intercambios interpersonales que se producen en este territorio singular que es la familia. El concepto de *ritual humano* puede ser considerado como una forma singular de «conversación» (Maturana, 1991). Más precisamente de una metaconversación, es decir, una conversación que ordena y rige las emociones desencadenadas por las otras conversaciones en el interior de una familia. El aspecto «parlante» que distingue la humanidad de los otros animales será considerado en su doble dimensión. Por un lado, como fuente de creencias que facilitan la violencia, y por otro, como un instrumento que permite apaciguarla. Desgraciadamente, la palabra puede crear también mundos y creencias que derroten a los mecanismos ritualizados para regir las emociones y son, entonces, origen o herramienta de violencia.

Los niños aprenden a utilizar la palabra para manejar sus emociones desencadenadas por sus interacciones con los otros, en la cotidianeidad de la vida familiar. Los momentos de las comidas, del aseo, del dormir, los paseos, los juegos, despiertan emociones que invitan al intercambio verbal. Al mismo tiempo, estos intercambios incitan al niño a comprender y aprender el sentido de los gestos y de las palabras que componen el ritual. Integrarse en estos rituales le permite a su vez participar en la dinámica familiar destinada a regir las emociones y a darle sentido al mundo que percibe.

Cuando los que fallan son los rituales humanos encargados de manejar la agresividad en el interior de la familia, el resultado es *la violencia y el maltrato físico*. Si lo que falla son los rituales que regulan la atracción sexual entre los adultos y niños ligados por la experiencia del apego, las consecuencias serán los *abusos sexuales*.

Cuando la palabra es utilizada sistemáticamente para manipular y/o destruir el mundo de los niños, nos encontramos en presencia de una situación *de maltrato psicológico* asociada tanto a la violencia física como a la sexual.

Sin embargo, en todas estas situaciones dramáticas físicas, sexuales y psicológicas, a pesar de la deficiencia o la derrota de los rituales, persisten los lazos entre los sujetos que componen la interacción.

En el caso *del abandono o de la negligencia de los niños*, falla parcial o totalmente la existencia misma de los lazos de apego. En estos casos los rituales casi no existen, porque los miembros de la familia son casi «transparentes» los unos para los otros, es decir, no significan nada el uno para el otro. Los niños y sus necesidades son prácticamente invisibles para el adulto.

AGRESIVIDAD, VIOLENCIA Y MALTRATO FÍSICO

Para permanecer vivos y desarrollarse, los organismos vivientes tienen que destruir y «devorar» a otros. Una fuerza emocional es necesaria no sólo para alimentarse y alimentar a los miembros de la familia, sino también para defenderse y defenderlos de los ataques que vienen del exterior.

La *agresividad* corresponde a esta mezcla de emociones, de comportamientos y de palabras presentes en una familia, que tiene la finalidad de producir la «energía» necesaria para subsistir, actuar, reaccionar y mantener una jerarquía sana entre los miembros, de tal manera que permita hacer frente a los desafíos creados por las fluctuaciones del medio ambiente.

Si el principio mismo de la vida impone la necesidad de destrucción de otros seres vivientes, el desafío para los miembros de una familia será evitar su autodestrucción y la destrucción de aquellos que constituyen su tejido social. El manejo de la agresividad familiar tiene una doble finalidad: por una parte, mantener una cierta «indiferencia afectiva» hacia otros organismos vivos que sirven de «alimento», y por otra parte, controlar la agresividad interior por rituales destinados a evitar «comerse» y destruirse los unos a los otros.

La observación de ciertas dinámicas animales nos permite ilustrar esta situación. Por ejemplo los ratones, por su configuración corporal y sus movimientos, son estímulos poderosos para la agresividad de los gatos. Cuando éstos los atrapan, los matan y se los comen sin ningún remordimiento. Lo que permite a un gato matar a un ratón no es solamente su agresividad, sino también la ausencia en su mundo de la capacidad de representarse el mundo del ratón y comunicarse con él. La ausencia de un canal que permite la comunicación entre dos especies demasiado diferentes, es lo que explica que una pueda destruir a la otra. El padre o madre maltratador se encuentran en el mismo estado que un gato en relación con un ratón, cuando por razones internas o por razones que dependen del medio ambiente golpean a sus hijos. Pero aquí, a diferencia del significado del ratón para el gato, sus hijos forman parte de su cuerpo familiar. Algo terrible ocurre a esos padres que les impide ritualizar su agresividad, y por eso dañan a sus propios hijos.

Por otra parte son numerosos los ejemplos de la vida cotidiana en los que los humanos son capaces incluso de no matar animales que les podrían servir de alimento. Esto ocurrió algunas veces en mi propia familia, que era numerosa y en donde nuestra madre, «centinela» de la economía familiar, tenía la costumbre de comprar de vez en cuando un cerdo —generalmente una cerda— para engordarla y matarla luego para alimentar a la familia. Las interacciones cotidianas entre el animal y los diferentes miembros de la familia, incluida mi madre, facilitaban un proceso de apego cuyo resultado era que la cerda pasaba a formar parte de la familia. El solo hecho de darle un nombre, como el de «Petunia», facilitaba este proceso, que hacía que poco a poco la marrana respondiera a nuestras llamadas, comiera en la mano y sirviera de montura a hermanos y hermanas. Por supuesto, cuando llegaba el momento de sacrificarlas, nadie en la familia tenía el corazón dispuesto para aceptar que las «petunias» fueran conducidas al matadero. El momento en que nuestro padre decidía vender los animales al carnicero del pueblo es recordado todavía como una experiencia penosa. Cuando llegaban a buscarlo, todos y principalmente mi madre nos encerrábamos dentro de casa para no ser testigos de la partida del animal, ni oír sus berridos.

Estas posibilidades de intercambio comunicacional y afectivo son precisamente las que ayudan a una familia a no «matar a sus petunias», y que corresponden a lo que hemos llamado *los rituales*. En este caso, la finalidad del ritual es controlar la agresividad de las personas implicadas en una relación, a fin de evitar la emergencia de la violencia destructiva entre ellos.

AGRESIVIDAD Y VIOLENCIA FAMILIAR

Uno de los desafíos de la familia humana es el control de la agresividad de sus miembros. Diferentes observaciones etológicas nos enseñan que para destruir o hacer daño a alguien de su especie o de su familia es necesario que los rituales que mantienen los vínculos afectivos y la sincronización de los miembros en un sistema se debiliten o desaparezcan (Cyrulnik, 1991). Por otra parte, estas mismas observaciones nos enseñan que en las familias animales y en las humanas los rituales destinados a manejar la agresividad constituyen una estructura homeostática, de tal manera que toda variación de agresividad en una parte del sistema va acompañada de respuestas compensatorias en otra parte dirigidas a mantener el equilibrio global.

Los animales manejan su agresividad en la manada con gran eficacia. En las familias de los lobos, por ejemplo, existe una serie de rituales comportamentales destinados a calmar la agresividad en la manada y canalizarla hacia el exterior para defenderse o atacar. Si un lobato comete el error de agredir a un lobo adulto, éste le responderá con otro comportamiento agresivo más potente, por ejemplo un zarpazo, que tiene un valor comunicativo, es decir, transmite un mensaje que puede incluso doler, pero no destruir. Un gesto de sumisión por parte del lobato como alejarse o bajar las orejas, será suficiente para interrumpir la secuencia agresiva. De esta manera, los lobos, como otros animales, en condiciones de equilibrio ecológico no dejan jamás que su agresividad se transfor-

CUADRO 7. Agresividad, violencia y maltrato.

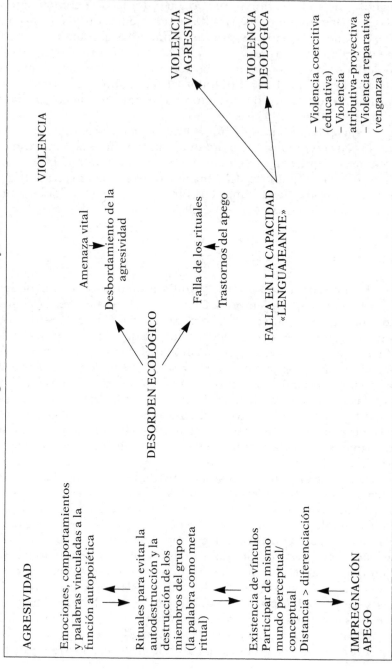

me en violencia en el interior del grupo. Cuando la manada es perturbada por un desorden ecológico que desorganiza los rituales destinados a manejar la agresividad en el grupo, es probable que la secuencia agresiva no se interrumpa y se transforme en violencia destructiva.

La «manada» humana no es totalmente diferente a la familia de los lobos u otros mamíferos; en ella la agresividad también debe equilibrarse entre dos fuerzas antagónicas: la de agredir y la de apaciguar. Como ya hemos señalado, a diferencia de los animales, en el humano existe también la palabra y la representación. Esto facilitará el manejo de la agresividad en algunos casos y la obstaculizará en otros.

En la familia los rituales reguladores de la agresividad permiten además la sincronización de los subsistemas y de cada miembro del grupo. Así, en los conflictos conyugales el ritual evita el desbordamiento, facilitando además la sincronización entre el hombre y la mujer en la resolución del problema que desencadenó la agresividad. Estos mismos rituales permiten la sincronización de los comportamientos de los testigos del conflicto, por ejemplo, el comportamiento y las palabras que cada niño deberá decir o no decir, hacer o no hacer, para calmarlo en vez de amplificarlo.

El ritual no es solamente un mecanismo que permite la regulación de los intercambios agresivos dentro de la familia, sino que también organiza la atribución de roles, tareas y funciones de los miembros del sistema para afrontar las situaciones conflictivas. Los rituales también permiten reencontrarse, dialogar y asegurar el respeto a las personas implicadas en la interacción. Estos rituales son necesarios para la supervivencia de la familia; cualquier falla puede desencadenar una situación de violencia que ponga en peligro a algunos o a todos los miembros del sistema familiar. En otras palabras, los comportamientos que constituyen un ritual son símbolos que transmiten mensajes.

Así, por ejemplo, entre los niños, incluso entre aquellos que no hablan todavía, en casos de conflictos provocados ya sea por el deseo de un juguete, de un lugar al lado de los padres etc., o en situaciones donde uno de los hermanos trata de imponerse al otro, la agresividad puede subir rápidamente y los niños podrían hacerse realmente daño si tuvieran los medios. En estos casos la intervención de un tercero, adulto u otro niño, puede frenar las interacciones agresivas antes de que se transformen en destructivas. Interpretadas por los niños como mensajes que calman la emoción agresiva, sirven para controlar los comportamientos dañinos. La mirada severa del adulto o el gesto del niño que se interpone entre los dos beligerantes evoca una amenaza agresiva, pero al mismo tiempo transmite una emoción tranquilizadora. Los comportamientos de terceros que calman y disminuyen la tensión de sujetos en conflicto son parte fundamental de los rituales familiares.

LA VIOLENCIA AGRESIVA

En situaciones de equilibrio ecológico, una familia no produce violencia en su seno si los diferentes miembros que la componen están vinculados por un apego sano y si los rituales permiten controlar la agresividad manteniendo una distancia adecuada que asegure al mismo tiempo un sentido de pertenencia y una experiencia de individuación.

En situaciones donde esto no ocurre, las emociones interpersonales intensas y no controladas pueden conducir a una «explosión» de comportamientos, gestos y palabras incontroladas que golpean o incluso destruyen a uno o varios miembros de la familia. La existencia de relaciones de poder asimétricas hace que esta fuerza agresiva incontrolada se dirija casi siempre del más fuerte al más débil, es decir, del hombre hacia la mujer, del adulto hacia el niño, y del adulto hacia el anciano.

Este desbordamiento agresivo, que corresponde a lo que nosotros llamamos *la violencia agresiva,* puede aparecer dentro de una familia en las condiciones siguientes:

a) Cuando la familia se enfrenta a amenazas vitales como consecuencia de un desorden ecológico. Esta situación puede desencadenar un desbordamiento de la agresividad, agotándose los rituales normales destinados a controlarla.

b) En casos de familias en equilibrio ecológico pero en donde los rituales fallan o se agotan rápidamente como consecuencia de trastornos del apego y/o fallas en la capacidad simbólica de la palabra.

EL AGOTAMIENTO DE LOS RITUALES COMO CONSECUENCIA DE DESÓRDENES ECOLÓGICOS

La violencia agresiva, en este caso, es el resultado de una ruptura del equilibrio ecológico de la familia, que se produce ya sea por la reducción brusca del hábitat familiar o por la invasión de estímulos estresantes que hacen fracasar todo el funcionamiento ritualizado. El caso de la familia Richard ilustra una situación donde la violencia agresiva emerge como consecuencia de una *restricción del hábitat familiar*:

> Se trata de una pareja joven con dos niños. El mayor tenía tres años y el segundo dieciocho meses cuando su padre queda sin empleo como consecuencia de la quiebra de su empresa, causada por «la mundialización de la economía». El señor Richard no sabía que este concepto sirve para ocultar el hecho de que las empresas internacionales cierran sus fábricas en los países ricos para trasladar sus capitales y explotar la mano de obra más barata de los países pobres, acumulando así más capital que les permite continuar sus políticas de lucro en los países pobres y en los países ricos.
>
> La repercusión directa de este fenómeno en la vida cotidiana de la familia Richard fue que el padre perdió su empleo y a medida que el tiempo pasaba se sentía cada vez peor consigo mismo, creyendo que el hecho de no poder conseguir trabajo nuevamente era culpa suya. Estos sentimientos se acentuaban a medida que los sectores empresariales culpaban del traslado de sus empresas a la intransigencia de los asalariados, que no aceptaban reducciones de sus «privilegios» salariales.
>
> Con el desempleo, el mundo cotidiano de este hombre se redujo a una rutina de tareas domésticas a las que no estaba acostumbrado. Poco a poco, comenzó a sentirse agresivo y a manifestar comportamientos de intolerancia hacia las conductas de sus hijos, llegando a zamarrear y golpear a su hijo de tres años. En este momento decide consultar para pedir ayuda. Las entrevistas familiares nos permitieron darnos cuenta de que el cierre de su empresa también había privado a los niños de sus guarderías, confinándolos al espacio reducido del pequeño apartamento familiar, situado en un edificio habitado por personas mayores. A menudo los vecinos golpeaban en los muros o en el techo para señalar que los niños hacían demasiado ruido, lo que evidentemente aumentaba la tensión familiar.
>
> La señora Richard diría hablando de su marido: «Desde que se quedó en casa es como un animal enjaulado, se enoja por cualquier cosa, no hace más que fumar y pasear dentro del apartamento; a veces me daba miedo porque tenía la impresión de que podía explotar en cualquier momento».

Esta descripción nos hace pensar en los comportamientos de los animales enjaulados descritos por ciertos etólogos, que relatan la deambulación continua de los mamíferos en los zoológicos, o los casos de osos y elefantes que llegan a destruirse las articulaciones de sus rodillas a causa de los movimientos repetitivos de balanceo, como resultado de la tensión del encierro (Rappaport, 1991, cit. por Cyrulnik, 1993).

El señor Richard y su familia conocieron una forma repentina de restricción del espacio vital, pero como el desafío era seguir viviendo y a medida que todas las puertas se cerraban, la fuerza agresiva iba creciendo y buscando desahogos: «se paseaba todo el día», decía su esposa. Como el contexto no cambiaba, él se volvió agresivo y por lo tanto peligroso, incluso para sus hijos. Lo que al principio era una fuerza sana para afrontar las dificultades, se transformó poco a poco en una fuerza difícilmente manejable por los rituales habituales. Inicialmente los rituales se deformaron y luego degeneraron en estereotipos como el de pasear constantemente, fumar y enojarse por nada, llegando por fin a ser totalmente inútiles y provocar la emergencia de la violencia agresiva. En situaciones similares, los padres pueden desquitarse con ellos mismos, con sus cónyuges o con sus hijos, sin darse cuenta de que en el entorno se encuentran las causas de su situación.

Nombrar los elementos contextuales responsables de la crisis constituye uno de los pasos importantes del trabajo terapéutico, facilitando de esta manera un proceso de *externalización de los problemas* siguiendo el modelo de Michael White (1994).

En el caso de la familia Richard, el método de White utilizado en las sesiones familiares les ayudó a tomar conciencia del origen socioeconómico de su situación. En tanto terapeutas, les ayudamos de una manera activa a comprender la injusticia de su situación, más injusta todavía por el hecho de que la violencia social causante de sus sufrimientos se había «infiltrado» en la familia, provocando como consecuencia que se dañaran entre ellos. La terapia permitió el resurgimiento de nuevos rituales que les ayudaron a canalizar la fuerza agresiva de una forma constructiva. El señor Richard comenzó a participar activamente en un grupo de defensa de los derechos de los‚desempleados y la señora Richard encontró trabajo como vendedora en una tienda de uno de sus conocidos. Por último, el trabajo familiar facilitó la toma de contacto de la pareja con sus suegros, quienes aceptaron ocuparse más activamente de sus nietos.

Un medio ambiente demasiado rico en información y estimulación puede también facilitar la aparición de la violencia. En este caso estamos en presencia de una violencia agresiva que es la consecuencia de una *sobrecarga de estímulos ambientales estresantes*. Las familias que viven en barrios superpoblados en las grandes ciudades son las que se encuentran en esta situación al ser familias bombardeadas por demandas múltiples ligadas al carácter consumista de nuestra sociedad. Cuando las informaciones y las demandas llegan de todos lados sumergiendo a los individuos y a sus familias en un océano de estímulos, los rituales pueden fallar y las relaciones de apego alterarse.

Como ya hemos denunciado, los padres de hoy día son bombardeados masivamente por la publicidad, que les presenta imágenes estereotipadas de niños casi perfectos, que por su carácter irreal construido por las políticas de mercado no corresponden a la naturaleza real del niño. Comparado con estos niños virtuales, cualquier niño está en desventaja y los padres pueden sentirse frustrados con ellos, sobre todo si sus propias vidas de niños les han «fragilizado» la identidad y la autoestima.

Además, asistimos desde hace algunos años a una verdadera eclosión de libros y vídeos que proponen a los padres diversos métodos para cuidar, amar y educar a sus niños. A menudo los contenidos de estos métodos son contradictorios los unos con los otros, confundiendo y generando inseguridad a los padres respecto a sus propios recursos naturales, lo que perturba los procesos biológicos de apego.

El fracaso de los rituales como consecuencia de trastornos del apego

Una mirada etológica nos permite encontrar en las fallas de la regulación de la distancia entre sí mismo y el otro, otros factores explicativos de la emergencia de la violencia agresiva. Esta violencia puede aparecer en un contexto relacional caracterizado por una gran distancia, o al contrario, por una gran proximidad.

La existencia de una gran distancia entre los sujetos impide la ritualización de la agresividad. Esta gran distancia que puede ser física, emocional, intelectual o de los tres tipos a la vez, no permite el intercambio de emociones y de ideas entre los participantes de una interacción, y por ello sentirse como pertenecientes a un mismo cuerpo social y/o familiar.

Por ejemplo, los jefes del campo de concentración donde nos encontrábamos, en Chile, impedían todo contacto entre los prisioneros y los guardianes. Cada uno de nosotros era designado por un número, sin poder jamás dirigir la palabra a un guardia: solamente podíamos responder a sus preguntas. En el caso de los torturadores era parecido: estaban entrenados para hacernos daño y por ese motivo los habían formado para mantener una distancia afectiva con nosotros, de tal manera que no podían establecer ninguna comunicación con sus víctimas fuera de los interrogatorios. Si esto ocurría, era sólo con el objetivo de manipular a la víctima a quien hacían creer que eran sus aliados para obtener la información que buscaban. Esto corresponde a una técnica que consiste en utilizar dos torturadores, uno que juega el rol de bueno y otro el de malo, para confundir y someter a la víctima.

Ciertas situaciones de maltrato físico encontradas en mi práctica me han hecho pensar en nuestras experiencias de tortura. Pero en estos casos los torturadores son los padres, que a causa de sus tragedias históricas no pueden establecer una relación empática con sus hijos. Sus sufrimientos y sus representaciones crean una distancia que les impide reconocer a sus hijos como pertenecientes a su propio mundo.

Nuestras experiencias terapéuticas con antiguos torturadores latinoamericanos arrepentidos nos enseñaron que éstos recibían un entrenamiento especializado para insensibilizarse respecto al carácter humano de la víctima. No solamente eran adoctrinados para internalizar el «carácter maléfico» de sus víctimas, que amenazaban la patria, los valores y la seguridad nacional, sino que también debían seguir cursos prácticos para aprender a torturar sin afectarse por el sufrimiento de sus víctimas. Para esto, asistían a clases de tortura donde el sufrimiento de las personas atrozmente maltratadas era banalizado, recibiendo además recompensas cuando eran capaces de vencer todos los sentimientos de compasión que las víctimas podían inspirarles. Esto explica que estos hombres y mujeres pudieran torturar sin remordimiento, como simples funcionarios de la degradación humana.

A diferencia de los torturadores, a los padres que golpean a sus hijos los «formaron» sus experiencias familiares y sociales, donde ellos fueron «torturados» por sus propios padres en un contexto comunicacional que les impidió reconocer sus propios sufrimientos y desarrollar la compasión. A kilómetros de distancia de sus propias experiencias les es imposible sentir o representarse el dolor que provocan a sus hijos.

Una gran proximidad relacional puede también impedir o dificultar el funcionamiento de los rituales. Por ejemplo, en los casos en que los padres están convencidos de ser los propietarios exclusivos de los niños, no existe la distancia necesaria para asegurar el respeto del niño como sujeto. «La proximidad afectiva obstaculiza el ritual transformando el cuerpo del otro en algo accesible a cualquier gesto, a cualquier palabra, a cualquier comunicación de la emoción; no se necesita un ritual para tocar su propio cuerpo» (Cyrulnik, 1992).

Esta situación explica que cualquiera que sea la cultura, la familia puede llegar a ser el lugar donde todas las violencias son posibles, porque este pequeño conjunto humano cimentado por la afectividad, la sexualidad, la educación de los niños y las obligaciones sociales, organiza un campo afectivo tan próximo que el ritual puede perder fácilmente su efectividad. En una pareja, por ejemplo, la emoción provocada por un conflicto puede ser muy difícil de manejar porque la proximidad afectiva no deja un espacio para crear un ritual. Por eso a veces es necesaria la intervención de un tercero para reinstalar una distancia que permita la ritualización de los intercambios.

A diferencia de los animales, los seres humanos poseen además la palabra como un metarritual que tiene un efecto regulador de la agresividad. Desgraciadamente, nuestras experiencias nos enseñan que a menudo los padres golpean a sus hijos porque no tienen un lenguaje adecuado para hablarles.

«¡Cómo quiere usted que lo haga», decía una madre que no podía controlar a sus hijos de cuatro y seis años si no era a través de golpes y castigos, «si cuando les hablo no me escuchan!». Esta madre no se daba cuenta de que sus mensajes verbales eran descalificados por sus propios gestos, e incluso por el carácter ambiguo de sus palabras: «Por favor, sé bueno con tu mamá, deja de jugar y obedéceme». Con una orden de ese tipo, los niños no dejaban de jugar, no obedecían, lo que enfrentaba a la madre con su impotencia y el sufrimiento de no ser reconocida por sus hijos.

LA VIOLENCIA IDEOLÓGICA

Como ya señalamos, siguiendo las ideas de Maturana (1984), la experiencia emocional que permitió la emergencia del lenguaje humano en la evolución natural de los seres vivos fue la sensualidad del amor. El lenguaje que hoy día conocemos y utilizamos fue el resultado de la coexistencia y la transformación de los participantes en la convivencia. Según este autor, la palabra no habría existido jamás sin una historia de convivencia; por lo tanto, esta capacidad de comunicar a través de la palabra es el resultado de compartir reconociendo al otro como «un otro» en la relación.

La palabra introducirá otro elemento fundamental para la especie humana en lo que se refiere a la regulación de la agresividad. Se puede afirmar que, gracias a la palabra, la especie humana es una de las que tiene más acceso al mundo de los seres vivos; por lo tanto, debería ser la que tiene las mayores posibilidades de respetar la naturaleza, la vida y los derechos humanos. Desgraciadamente son numerosos los ejemplos que nos muestran de forma dramática la enorme capacidad destructiva de los seres humanos como resultado de sus representaciones, ya sean ideológicas, religiosas o científicas.

Maturana y Varela (1984) en su libro *El árbol del conocimiento*, que ha influido profundamente en mi práctica clínica, hacen referencia a la existencia en el zoológico del Bronx de una jaula vacía en el pabellón destinado a los primates. Cuando un visitante se aproxima a esta jaula, se ve a sí mismo entre los barrotes en un gran espejo situado al fondo de la misma. Bajo su imagen reflejada se lee un letrero que dice: «El primate más peligroso del planeta». Aclara la leyenda que el hombre ha matado a más especies sobre el planeta que ninguna otra especie conocida.

Cada vez que los miembros de un sistema humano creen que su forma de ver y comprender el mundo a través de sus creencias son verdades absolutas que hay que defender a cualquier precio, incluso destruyendo a otros seres humanos, estamos en el límite en el que comienza *la violencia ideológica*. A diferencia de la violencia agresiva, que proviene de una falla de los rituales comportamentales y verbales destinados a manejar la agresividad en el grupo, la violencia ideológica es el resultado de creencias destructoras que impiden la utilización adecuada de estos rituales.

En este caso las representaciones y las creencias son más importantes que la «biología del amor». La creencia y la idea que nos hacemos de alguien es más importante que su condición de ser vivo. En este contexto, el otro ya no es un semejante en la sensualidad del amor y la coexistencia, sino que él o ella, niño, mujer u hombre son «una cosa» o «un objeto» vivido como peligro, que amenaza el sentido de pertenencia y seguridad, sobre todo de los miembros dominantes del sistema.

A partir de estas creencias los sujetos o los sistemas violentos legitiman el sufrimiento, los castigos y/o la destrucción que producen. Encontramos este fenómeno de no respeto por la vida en todas las formas de violencia organizada a partir de una ideología: la tortura, la persecución política, la persecución religiosa, así como en la violencia familiar y/o institucional, donde las víctimas de las ideologías abusivas de los adultos son los niños.

En las situaciones de violencia ideológica producidas en el interior de la familia, las víctimas no sólo reciben malos tratos, se abusa de ellas o son traumatizadas por los adultos, sino que además se les obliga a adoptar las ideologías que la justifican. Así, el carácter mórbido de estas situaciones es que la violencia emerge además en un contexto que mistifica o niega a los sujetos la posibilidad de reconocerse como víctimas de maltrato y/o de nombrar al autor y a los instigadores del mismo.

La verdadera significación de los malos tratos está camuflada o simplemente negada. Los golpes serán presentados como «gestos necesarios para la educación» o los gestos de abuso sexual como «gestos necesarios para el desarrollo sexual de las niñas». A menudo el niño no tiene siquiera el derecho de expresar el sufrimiento provocado por estas violencias. Así, una madre que golpea a su hijo puede prohibirle llorar o un padre que abusa de su hija obligarla a que no se queje, con argumentos como «otras hijas serían felices de ser amadas así por su padre».

Toda situación de violencia ideológica implica un proceso altamente traumático para la víctima, pero además un proceso de «lavado de cerebro» a través del cual el adulto, manipulando la dependencia del niño, le impone un conjunto de valores y representaciones del mundo que banalizan sus gestos maltratantes y abusivos.

Este proceso abusivo es diametralmente opuesto al sentido que le hemos dado a *la conversación* (Maturana, 1992), que constituye con certeza el más humano de todos nuestros actos en la medida que crea un campo sensorial estructurado como un ritual en el que el otro será siempre respetado. A través de la conversación, nuestros psiquismos se encuentran y expresan la afectividad que nos vincula dentro de un sistema. De esta manera, la palabra conversada evita, por su carácter regulador y mediador, la transformación de la agresividad en violencia. En el curso de este acto de conversar, que se repite infinitamente dentro de los sistemas humanos, especialmente en la familia, se intercambian los afectos, al mismo tiempo que se cuentan las historias que precisan las identidades de cada uno y el sentido de pertenencia.

EL DESAFÍO DE SER MADRE O PADRE

Ocuparse de sus hijos, comprender sus necesidades, sus exigencias y responder a ellas en la medida de lo posible, no es fácil para ningún padre o madre. La dificultad es aún más grande cuando se trata de guiarlos en sus aprendizajes sociales, dándoles órdenes, imponiéndoles prohibiciones y frustraciones para que lleguen a ser sujetos autónomos y responsables. En este proceso, la agresividad natural ocupa un lugar importante, tanto para proteger al niño como para enseñarle a respetar las reglas y las normas que aseguren su integridad y la de los demás. Para todos los adultos la tentación de sustituir el diálogo por los golpes y la violencia es grande. Esta tentación puede ser aún mayor si existe una tradición cultural muy expandida que da derechos absolutos a los padres sobre sus hijos.

De acuerdo con esta tradición que se transmite de generación en generación, la manera «dura» es la mejor forma de controlar a los niños y a los adolescentes, entendiendo por manera dura la utilización de golpes, castigos corporales y amenazas que parten de la idea de que una buena corrección no ha hecho nunca mal a nadie, o bien que si todos los niños hubiesen recibido una buena paliza a tiempo no existirían delincuentes. Hay muchos adultos que hacen de estas ideas el fundamento de sus modelos relacionales y pedagógicos, ignorando que detrás de estas premisas se esconden sus propios sufrimientos y que estas creencias les impiden utilizar su agresividad de una forma constructiva para amar, proteger y educar a sus hijos.

Además, cualquier adulto puede transformarse en un padre o madre violento si se encuentra en una situación de desbordamiento de su agresividad natural y/o si existe además un trastorno o un fracaso de los mecanismos naturales que permiten su ritualización. La intoxicación ideológica amplifica los riesgos de transformar la agresividad sana en violencia destructora.

Según sean las causas, los padres podrán presentar dos tipos de comportamientos físicamente maltratantes: el maltrato físico como consecuencia de la *violencia agresiva*, o como expresión de la *violencia ideológica*.

El *maltrato físico como consecuencia de la violencia agresiva* se trata de un maltrato producido por un padre o una madre que, desbordados por situaciones de estrés se encuentran en la imposibilidad de ritualizar su rabia y que tratan, a través de los golpes, de controlar una de las fuentes inmediatas de su enervamiento. Los padres, descontrolados de esta manera, golpean al niño por lo que acaba de hacer. El adulto en esta situación puede reconocer que ha hecho daño al niño, darle explicaciones e incluso pedirle disculpas y a menudo recuperar el control si un tercero interviene. Este adulto golpea generalmente con la mano, casi nunca con objetos. Estos golpes pueden dejar huellas visibles, por ejemplo marcas en la cara, en las piernas o en las nalgas, generalmente superficiales y sin gravedad. Pero en ciertas circunstancias la pérdida del control puede provocar lesiones graves.

Una situación dramática de este hecho es el fenómeno de la sacudida o zamarreo del bebé, que será abordado más adelante. Estos padres están abiertos al diálogo terapéutico, son conscientes de haberse desbordado y lamentan el daño provocado a sus hijos. Además, hay una cierta plasticidad en sus sistemas de creencias que permite cambios rápidos en sus modelos educativos inadecuados.

El *maltrato físico como expresión de la violencia ideológica*. Como hemos señalado, la palabra del ser humano es una fuente de amor pero al mismo tiempo de todas las violencias. La palabra crea las representaciones y las creencias que dan sentido a lo vivido, pero se transforma en una fuerza destructora cuando es producida y manejada por individuos que por sus historias traumáticas no pudieron convertirse en personas (Rogers, 1977). Se trata de hombres y mujeres poco diferenciados que tuvieron una experiencia de individuación integrada incompleta (Stierlin, 1979), que se expresa en un «yo individual» frágil todavía, dependiente de un «yo colectivo indiferenciado de una familia de origen» violenta y maltratante (Bowen, 1988).

Estos adultos golpean con facilidad a sus hijos porque los consideran una parte de sus yos indiferenciados. Estos yos están sostenidos por creencias e ideologías violentas que constituyen los ingredientes fundamentales de lo que Bowen llama el *pseudoself*.

El *pseudoself* es aquel que resulta de una masa de hechos, creencias y principios heterogéneos adquiridos a través del sistema relacional por medio de emociones prevalentes. Esto comprende cosas aprehendidas porque se supone que se las conoce, creencias prestadas de otros o adaptadas para reforzar su posición sobre los otros (Bowen, 1988, 1994). Los sujetos con un *pseudoself* se fusionan con los otros en un campo emocional intenso.

Las concepciones de Bowen nos permiten comprender mejor la paradoja trágica de los padres ideológicamente maltratadores; que golpean a sus hijos porque los fusionan en su *pseudoself* en ciertos contextos, pero en otros los golpean porque los perciben como una cosa extraña y amenazadora. «No la soporto, me enferma», decía un padre al que acabábamos de llamar la atención como consecuencia del descubrimiento de marcas de golpes en todo el cuerpo de su hija de seis años. O «me mira con una mirada de maldad, la misma que la de su padre», decía una madre, a quien los vecinos acababan de rescatar a su hijo, al que estaba estrangulando. Estas dos situaciones expresan dos experiencias diferentes; la primera, la inclusión del niño en la vivencia del padre; la segunda corresponde a lo que hemos llamado la «cosificación» (Barudy, 1994). Los padres colocan una gran distancia entre ellos y sus hijos hasta el punto que se ilustra en el ejemplo: «El hijo ya no es más su hijo, es la cara de su padre». En los dos casos asistimos a un proceso de negación o de falta de respeto a la intersubjetividad de la vivencia del niño.

LAS EXPERIENCIAS VITALES DE LOS PADRES VIOLENTOS

Como el lector podrá suponer, muchas de las constataciones clínicas relativas a los padres que utilizan la fuerza física para comunicarse con los niños son también válidas para los otros tipos de maltrato. La experiencia vital de los padres negligentes, los abusadores sexuales y/o maltratadores psicológicos también sufrió los mismos tipos de traumatismos.

Un primer grupo de experiencias traumáticas corresponden a *situaciones de abandono, de separación y frustraciones precoces como producto de los trastornos del apego.* Aquí lo que ha faltado es la presencia del otro al que apegarse. El padre o la madre, antiguo niño desapegado, «es como un ser sin otro», que se repliega fundamentalmente sobre su cuerpo y su modo experiencial, profundamente egocéntrico, sin acceso a los rituales comunicacionales que le hubieran permitido apegarse a sus hijos en tanto seres vivos, y cuidarlos en el marco de una dinámica altruista.

Desde otro ángulo, podemos considerar que en estos padres que han sufrido privaciones precoces de todo tipo y trastornos biológicos, cerebrales y endocrinos, se expresa una dificultad para apegarse y ser apegado, y ante todo quedan autocentrados. La más mínima emoción puede provocar una serie de actividades o comportamientos centrados en ellos mismos y en contra de otros seres vivos que, como sus hijos, están incluidos en su mundo. Esto nos ayuda a comprender el vínculo, tan presente en la clínica, que existe entre la violencia y la depresión, como también a considerar el maltrato como una automutilación (Erlich, 1989, citado por Cyrulnik, 1993).

Cuando fueron pequeños estos padres no conocieron la experiencia «segurizante» y fortificante de un apego adecuado. Diferentes autores se han referido a la importancia vital de esta experiencia para el sano desarrollo de la personalidad. Spitz (1946) llamaba a esta experiencia la «experiencia anaclítica», y Marie Ainsworth (1989) «seguridad de base»; todos estos autores han querido resaltar la importancia del poder segurizante y fortificante del apego materno. La ausencia o la pérdida de una seguridad de base fortificante como resultado de los trastornos del apego, conduce a una espiral en la biografía del niño, que un día será padre o madre, encaminándole hacia un desarrollo fragilizado, que le puede llevar a organizar su vida alrededor de un *pseudoself*. Esto explica la dificultad de apegarse a los hijos y la violencia que podría resultar de esta fragilidad.

Encontramos así, en las poblaciones de niños que vivieron separaciones precoces, un número de depresiones diez veces mayor que en las poblaciones donde los niños tuvieron apegos normales (Widlöcher, 1982). En este grupo entran, por ejemplo, los niños no deseados, los niños prematuros separados de sus madres sin que se asegurara una continuidad del vínculo, los niños «víctimas» de una intervención quirúrgica sin apoyo psicológico, los niños abandonados, a veces retirados de sus familias de acogida por sus padres por razones adultistas, los niños adoptados, en fin, todos aquellos niños que sufren la incapacidad del mundo adulto de ofrecerles una continuidad de cuidados, seguridad de base y una protección adecuada, como los niños del exilio, los niños de la calle, los niños de la guerra, etc.

Para ilustrar el impacto de estas experiencias en la vida de una persona, presentamos el testimonio de Benoît, un joven adulto que habla de su experiencia de padre de un pequeño niño:

> Sé que desde que nací ella no se ocupó de mí en mis primeros dieciocho meses, y de repente esta madre, que era mi madre, pero que, por lo que a mí respecta, sólo hoy la percibo como una persona que me trajo al mundo, me tomó para ir a vivir con ella y su nuevo marido. Me imagino que el cuerpo que yo era, el niño que yo era, no conocía a esa mujer, no conocía su cuerpo; yo la rechacé; creo que incluso, al principio, cuando ella quería tomarme en brazos, yo la golpeaba. Ella nunca pudo admitir que cuando uno abandona a sus hijos hay que esperar una reacción parecida, y ella no estaba lista. ¿Por qué?, ¿por qué me retomó en lugar de dejarme donde estaba?, ¿por qué no me dejó tranquilo?; hubiera podido ser adoptado, así, todo esto hubiese terminado ahí porque después poco a poco comencé a ser golpeado, incluso a veces empujado y tirado al

suelo. Más tarde recibí golpes cada vez más fuertes. Siendo más grande, tenía dos hermanos y en la habitación, por ejemplo, no podía tocar nada, no podía tocar sus juguetes; cuando lo hacía me acusaban ante mi madre, quien me gritaba: «Devuélvele esto a François, a Jean». Una tarde, incluso tomó a los dos niños en sus brazos y me dijo: «Tú no eres nada para mí, tú eres un monstruo, a ti te sacamos de la basura; éstos son mis hijos, éstos son mis tesoros».

Algo que fue terriblemente dramático para mí es que a mi hijo, el hijo que hemos concebido mi esposa y yo, no logro amarlo totalmente, no tengo odio en mí mismo, nunca lo he golpeado porque me dije que nunca haría a mi hijo lo que me hicieron a mí. Pero como no tuve amor no logro acariciarlo, tomarlo en mis brazos, darle ternura, porque no puedo dar lo que no he recibido. En el fondo de mí mismo he sufrido mucho porque no he podido ser plenamente el padre de familia que hubiese querido ser. Afortunadamente, mi esposa me ha ayudado mucho al asistir a mi terapia; a veces me siento bien, pero no puedo olvidar lo que me pasó, y entonces caigo en una especie de depresión. Una infancia triste deja huellas, y desafío a cualquiera a decir lo contrario. Actualmente tengo veintidós años; he llegado hasta esta edad para tratar de comprender esto y todavía no puedo. Es una pérdida, son años de horror y faltaría toda una vida para poder comprenderlo.

El segundo grupo de experiencias que han marcado profundamente la existencia de los padres maltratadores corresponde a la de haber sido ellos mismos *víctimas de violencia durante su infancia*, Esto no significa un determinismo rígido. No todos los niños maltratados se transforman en malos padres. La experiencia clínica nos permite relativizarlo, por lo que preferimos hablar de *transmisión transgeneracional* más que de repetición. Las experiencias no pasan de una generación a otra como una fotocopia. Las diferentes experiencias en el ciclo vital de una persona, la elección de pareja así como el fenómeno de la procreación, pueden introducir variaciones en la continuidad del fenómeno a través de generaciones. El acto reproductivo produce individuos de la misma especie, similares en parte a sus genitores, pero al mismo tiempo diferentes, por la combinación que produce la fusión de los dos gametos.

Nuestro zigoto es el resultado de la unión de parte de nuestros dos padres, pero esta unión nos da la posibilidad de que no seamos exactamente iguales a ellos; tenemos la posibilidad de nuestra propia singularidad. En este fenómeno biológico de haber recibido la vida de nuestros padres y al mismo tiempo tener la posibilidad de ser singulares, podemos encontrar una de las explicaciones al fenómeno psicológico de la lealtad de los niños hacia sus padres. «Tras recibir la vida, el niño manifiesta un deber ético hacia sus padres» (Boszorneny-Nagy, citado por Heireman, 1989). El concepto de lealtad nos ayuda a comprender que algunos miembros de las nuevas generaciones puedan repetir las mismas interacciones violentas que los progenitores, aunque estas interacciones pongan en peligro la vida de las nuevas generaciones.

En este sentido se puede hablar de *memorias transgeneracionales* que integran de manera más o menos igual ciertas características de los organismos que coevolucionan juntos, así como de sus modelos relacionales. Las memorias familiares representan una parte de las memorias transgeneracionales que aseguran la transmisión cultural de los ascendientes a los descendientes, por medio de los aprendizajes individuales. La estructura de esta memoria está influida por los ritos y los mitos, que funcionan como organizadores (Miermont, 1987). Una de las posibilidades que genera este proceso es la transmisión de la violencia.

La violencia puede nacer también de la destrucción cuantitativa y cualitativa de la memoria, por una falla en la transmisión de la cantidad necesaria de rituales que podrían permitir el manejo de las emociones desagradables provocadas por la presencia del otro y por la destrucción cualitativa de la infiltración de estos mismos rituales por mitos e ideologías destructivas. Sin embargo, si el niño guarda su capacidad reflexiva en relación con la experiencia vivida, se puede reconocer como víctima y mantener una distancia con su abusador, esto le podrá permitir el desarrollo de un yo propio diferente al yo indiferenciado de su familia de origen (Bowen, 1988).

Para que esto sea posible, otras fuentes de socialización deben jugar un rol fundamental, ya sea en la familia extensa o en el tejido social que rodea a la familia. Estas fuentes de socialización alternativa, tíos, tías, abuelos, instituciones de acogida, terapeutas, profesores, etc., al ir introduciendo nuevas formas de relación no violenta, ayudan a la víctima a encontrar modelos eficaces o alternativos para socializar a sus hijos. En este marco, es necesario insistir que cuando estamos hablando de modelos de socialización no violenta no nos referimos a dejar que los niños hagan lo que quieran; estamos insistiendo en la importancia de la autoridad parental vinculada al respeto de sí mismo y de los hijos, elemento fundamental para ayudarles a crecer.

El tercer grupo de experiencias que caracterizan la vida de los padres violentos es el hecho de haber sido *sujetos de una socialización violenta y abusiva*. En sus procesos educativos, aprendieron que la violencia es una «respuesta eficaz», porque puede poner fin rápidamente a un conflicto o una situación amenazadora. Al mismo tiempo, puede ser considerada como un escape a una tensión que procede de conflictos familiares o de tensiones en el exterior de la familia. De esta manera, no es sorprendente que la violencia se integre en el repertorio comportamental del sujeto. La teoría del aprendizaje social muestra que si un método concreto en la resolución de conflictos es percibido como eficaz, se incorporará rápidamente al repertorio de los comportamientos individuales (Steinmetz, 1977). Los métodos utilizados por los padres para resolver sus conflictos de pareja se transforman en modelos de respuesta, entre otros, para afrontar la disciplina de los niños. Steinmetz (1977) describe tres estrategias de resolución de conflictos: la discusión, las agresiones verbales y las agresiones físicas. Este autor muestra una relación clara entre los métodos de resolución de conflictos utilizados por la pareja y los utilizados para resolver los conflictos padre-hijo.

Como consecuencia de esto, los hijos tendrán una mayor disposición a emplear los mismos métodos que sus padres, en la resolución de conflictos entre hermanas y hermanos. Ésta es otra forma de abordar el problema de la transmisión intergeneracional. La mayoría de mujeres abusadoras vienen de familias donde existía la violencia; de esta manera, aprendieron a utilizarla siendo reforzadas socialmente, usándola como forma estratégica de respuesta privilegiada. En tanto el pasado esté más cargado de violencia, mayor será la tolerancia a ésta, tanto en la pareja como en la familia, ya sea en el rol de agresor o en el rol de agredido.

Intoxicación ideológica del padre maltratador

Nos referimos especialmente a los padres que se relacionan con sus hijos a través de golpes o castigos corporales como resultado de la socialización que conocieron en su infancia. Esto explica que siendo adultos se adhieran a sistemas de creencias que fueron en parte responsables de su propio sufrimiento, y los impongan a sus hijos. Con frecuencia estos sistemas de creencias están relacionados, al menos parcialmente, con creencias presentes en la cultura dominante, donde la representación del niño justifica el uso de la fuerza para educarlo y/o protegerlo de sus «pulsiones peligrosas». Mi investigación clínica basada en el análisis de discurso natural de padres implicados en casos de maltrato físico de niños, me ha permitido descubrir tres *modelos de creencias*:

1. Las creencias o los golpes que forman parte de un sistema de creencias de tipo altruista.
2. Las creencias o los golpes utilizados como instrumento para defenderse de una amenaza.
3. Las creencias o los golpes que forman parte de un derecho a la venganza.

En el primer caso, el niño es golpeado a partir de una idea altruista, en donde los golpes se presentan como una demostración de amor: «Quien bien te quiere, te hará llorar». Los golpes generados por este tipo de creencias corresponden a lo que Enmanuel Marx (1976), sociólogo israelí, llama el «modelo de la violencia coercitiva», es decir, un tipo de violencia relativamente controlada y que tiene un objetivo. Esto implica la utilización de una amenaza y una escalada en los castigos corporales hasta obtener lo que el adulto concibe como sus objetivos educativos. En la familia, el ejemplo más frecuente son aquellos padres que golpean a sus hijos como parte de sus proyectos educativos (Marx, 1977, citado por Minuchin, 1991).

En este caso, los adultos maltratan teniendo una justificación para su comportamiento, y están totalmente convencidos de que ésta es la única y mejor manera de amar y educar a sus hijos. La ideología intoxica su capacidad de empatía y al mismo tiempo les permite mitigar la culpabilidad a través de una vivencia de impunidad. Estos padres aplican el mito al derecho de la corrección en todo su rigor, con el sentimiento de legitimidad. Confrontados con la gravedad de sus comportamientos como consecuencia de huellas evidentes de golpes en el cuerpo del niño, están convencidos de que los profesionales están en un error. He aquí la historia de María:

> A la edad de ocho años, María se presenta en la escuela cubierta de huellas de golpes y correazos en el cuerpo y con un enorme hematoma en su nalga izquierda. Su profesor de gimnasia detectó la huella de los golpes y la dirección de la escuela contactó con nuestro servicio por teléfono. La asistente social de nuestro programa, pide al director llevar inmediatamente a la niña al servicio de urgencias de pediatría del hospital del cual depende nuestro programa. El pediatra examina a la niña y redacta un acta médica detallada.

La constatación y la descripción por escrito del carácter de la lesión es un trámite fundamental que servirá para contrarrestar la negación del familiar y, a menudo, la negación de la víctima.

CUADRO 8. Indicadores de maltrato físico (Le Boeuf, 1982).

Indicadores físicos en el niño	Indicadores comportamentales en el niño	Conducta del cuidador
– Magulladuras o moretones en rostros, labios o boca en diferentes fases de cicatrización; en zonas extensas del torso, espalda, nalgas o muslos; con formas no normales, agrupados o como señal o marca del objeto con el que han sido infligidos; en varias áreas diferentes, indicando que el niño ha sido golpeado en distintas direcciones. – Quemaduras de puros o cigarrillos; quemaduras que cubren toda la superficie de las manos (como un guante) o de los pies (como un calcetín) o quemaduras en forma de buñuelo en nalgas o genitales, indicativas de inmersión en líquido caliente; quemaduras en brazos, piernas, cuello o torso provocadas por haber estado atado fuertemente con cuerdas; quemaduras con objetos que dejan una señal claramente definida (plancha, parrilla, etc.). – Fracturas en el cráneo, nariz o mandíbula; fracturas en espiral de los huesos largos (brazos, piernas) en diversas fases de cicatrización; fracturas múltiples: cualquier fractura lógica en un niño menor de dos años. – Heridas o raspaduras: en la boca, labios, encías u ojos, en los genitales externos, en la parte posterior de los brazos, en piernas o torso. – Lesiones abdominales, hinchazón del abdomen, dolor localizado, vómitos constantes. – Señales de mordeduras humanas, especialmente cuando parecen ser de adulto o son reiteradas. – Cortes o pinchazos. – Lesiones internas. – Asfixia o ahogamiento.	– Cauteloso con respecto al contacto físico con los adultos. – Se muestra aprensivo cuando otros niños lloran. – Muestra conductas extremas (por ej., agresividad o rechazos extremos). – Parece tener miedo a sus padres, por ir a casa, o llora cuando terminan las clases y tiene que irse de la escuela o guardería. – Dice que su padre o madre le han causado alguna lesión.	– Ha sido objeto de maltrato en su infancia. – Utiliza una disciplina severa, impropia para la edad, falta cometida y condición del niño. No da ninguna explicación con respecto a la lesión del niño, o éstas son ilógicas, no convincentes o contradictorias. – Parece no preocuparse por el niño. – Percibe al niño de manera significativamente negativa (por ej., lo ve como malo, perverso...). – Psicótico o psicópata. – Abusa del alcohol u otras drogas. – Intenta ocultar la lesión del niño o proteger la identidad del responsable de ésta.

Aunque esto pueda aparecer chocante para algunos, lo ideal sería poder tomar fotos o filmar las lesiones para evitar que se banalice posteriormente la situación. Los elementos que se utilizan para realizar esta validación están contenidos en el cuadro de protocolo de validación de maltrato físico (véase cuadro 8).

Me entrevisté con la madre de la niña, que fue convocada al servicio de urgencias por mis colegas. De la discusión con la madre pude reconstruir la situación. Se trataba de una escalada de castigos corporales «para forzar a la niña a que dejara de hacer travesuras», para que aprendiera a obedecer a su madre y, sobre todo, para que dejara de responderle mirándola de una forma desafiante y provocadora. La última vez se había desbordado más allá del límite y, no pudiendo más, había perdido el control; ella explicaba sus gestos de la manera siguiente:

MADRE: Yo la agarré; no sé cómo la golpeé con una correa por todo el cuerpo; ella se escapaba... yo no debiera haber hecho todo esto... corría por todo el apartamento gritando «¡Socorro, socorro!». Cuanto más gritaba, más la golpeaba; sus gritos me enervaban cada vez más. Me destrozaba los oídos y no podía soportarla, era culpa suya... yo no hacía más que castigarla.

TERAPEUTA: En ese momento usted estaba tan enojada con ella que no pensó que le podía hacer daño. ¿Tampoco tuvo miedo de que sus vecinos intervinieran?

MADRE: No, ¿por qué? Yo no estaba haciendo nada malo, los vecinos no están en mi lugar y no saben lo que pasa. Mi hija lo merecía; necesitaba que la corrigiera de una vez por todas.

TERAPEUTA: ¿Sintió algo cuando constató las huellas o las marcas de los golpes sobre el cuerpo de su hija? Yo mismo sentí mucha lástima por ella, me dio mucha pena ver su cuerpo lleno de marcas.

MADRE: Es verdad, cuando vi las marcas de los golpes, para mí fue horrible, se me puso la piel de gallina, incluso tuve lágrimas en los ojos, me dieron ganas de llorar, pero después dije que ella necesitaba un castigo. Ella misma me dijo al día siguiente: «Mamá, tengo clase de gimnasia, es mejor que no vaya». Ella quería que yo le diera un certificado para justificar su ausencia; le dije: «No, tú irás a clase de gimnasia y le explicarás a la profesora por qué te castigué». Yo no tenía nada que esconder, nunca pensé que uno no podía castigar a sus hijos; además, ella sabía que yo la castigaría así por lo que había hecho.

En el segundo tipo de creencias, *el niño es vivido como una amenaza*. Los padres se perciben a sí mismos como víctimas. Creen que su hijo es una amenaza para su integridad, ya sea porque le atribuyen intenciones maléficas o porque proyectan sobre él una parte de sus propias violencias. Enmanuel Marx lo llama «la violencia de apelación»; ésta corresponde a una estrategia de defensa frente a un peligro creado por un padre a través de la designación de su hijo como malvado y perseguidor (Marx, 1976).

El padre violento percibe los comportamientos de su hijo como una amenaza, atribuyéndole características o poderes que escapan a la capacidad de cualquier niño. A menudo este sentimiento de amenaza se transfiere a otros miembros del entorno, incluyendo a las personas que tratan de ayudar. Cuando estos padres se enfrentan con lo que hacen o hicieron, reaccionan con vehemencia para mostrar lo injustos que somos con ellos, quejándose porque nadie les comprende, y sienten que se les está dando la razón a sus hijos, que son los únicos responsables de la situación.

La explicación de esta forma de pensar y actuar hay que buscarla evidentemente en la historia de estos padres. Con frecuencia, estos padres crecieron en una ecología familiar abusadora, donde los niños fueron designados por los adultos como pequeños monstruos de los cuales había que desconfiar siempre, e incluso de los que había que protegerse. Para ilustrar este tipo de drama, presentaremos aquí el testimonio de Lamia, una adolescente de dieciséis años que nos cuenta su experiencia:

TERAPEUTA: ¿Cómo entiendes ahora los comportamientos de tu mamá contigo?

LAMIA: Ella me golpeaba porque no me podía ver, no necesariamente porque me portase mal. Me decía siempre que no me quería ver, que me detestaba, que yo quería destruir su vida. Cuando era pequeñita creía que mi mamá tenía razón y tenía miedo de mí misma... le rezaba a Dios para que me ayudara a no hacer sufrir a mi madre. Después comprendí que se descargaba conmigo cuando estaba nerviosa. Al principio siempre tuve la impresión de que yo tenía la culpa por estar ahí, incluso culpa de haber nacido.

TERAPEUTA: ¿Qué quieres decir con tener la culpa de estar ahí?

LAMIA: Bueno, por no haber venido a este mundo, estar muerta... Mira, yo no debería haber nacido.

TERAPEUTA: ¿Tu madre te hacía sentir esto?

LAMIA: Lo que me hacía más daño no eran necesariamente los golpes, sino el hecho de que me echara a un lado, de oír que soy mala, que quiero hacer daño a mi mamá. Yo encontraba eso terriblemente injusto porque había tratado siempre de agradarle y ser buena con ella; eso es lo que me hace sentir peor. ¿Por qué me detestaba?, ¿qué era lo que yo le había hecho? Ese sentimiento de rechazo era insoportable. ¿Por qué me pasó esto a mí? Es una injusticia.

En el tercer tipo de creencias abusivas, el niño es concebido como un *objeto de venganza* y golpeado por sus padres como el objeto simbólico que les permite vengarse del dolor y los sufrimientos de los castigos corporales y de todo lo vivido cuando sus propios padres los maltrataban. Los padres establecen por medio del niño una balanza de justicia, pero a través de una dinámica de legitimidad destructiva (Nagy, 1986, citado por Heireman, 1989).

Los padres que fueron maltratados en su infancia exigen que sus hijos les testimonien un amor incondicional, reparador de todo el sufrimiento que soportaron cuando niños. Como ningún hijo puede responder a esta expectativa, los padres castigarán a sus hijos situándose en el lugar de sus propios padres, que les hicieron daño sin darse cuenta de lo injusto de sus actos, porque se encuentran en la imposibilidad de reconocerse y reconocer a sus hijos como víctimas de una misma tragedia.

El niño, transformado en un objeto de venganza, recibe los golpes sin reaccionar, se adapta a la situación sintiéndose culpable y malo, guarda el secreto y/o esconde la causa de las marcas de golpes en su cuerpo. Unido por la consanguinidad a sus padres maltratadores y por el hecho de haber recibido de ellos la vida, el niño está vinculado por un deber ético que corresponde a lo que Nagy llama «lealtad existencial».

Esta lealtad está condicionada por una especie de balanza de justicia que se establece a través del diálogo transgeneracional. Esta lealtad existencial puede ser reforzada si los padres, reconociendo sus errores, se esfuerzan por superar las circunstancias que los llevaron a maltratar a sus hijos, adquiriendo de esta manera el mérito de ser reconocidos en su legitimidad de padres; así, pueden restablecer un equilibrio en la balanza de la justicia.

Por lealtad a sus padres los niños soportan sus torturas. De la misma manera que sus padres, ellos tratan de una forma desesperada de darles lo que necesitan o de darse por entero, pero su sacrificio no es reconocido y de esta manera padres e hijos son arrastrados en una espiral de venganza que se amplía de generación en generación.

Los hijos de estos padres tratarán a su vez de equilibrar la injusticia con sus propios hijos, y la balanza de justicia se desequilibrará cada vez más con el paso de las generaciones. Esto perturbará profundamente las dinámicas afectivas naturales que se dan en la capacidad de dar y recibir (Nagy, 1986, citado por Heireman, 1989). Un balance de justicia adecuado en una familia sana se caracteriza por la equidad.

En las familias donde los padres exigen de sus hijos que reparen las injusticias que ellos sufrieron se somete a los niños a unas exigencias que sobrepasan sus capacidades y que corresponden al fenómeno de adultificación y/o de parentificación en el sentido empleado por Nagy. En esta situación, el niño es castigado por no ser capaz de ser un buen padre o una buena madre de sus propios padres.

El padre o madre que golpea a su hijo en esta dinámica de reparación niega además la asimetría natural que existe entre el adulto y el niño, lo que implica que éste no es solamente martirizado, sino que además no se le considera en su singularidad de sujeto, es decir, como un ser que necesita ser cuidado, educado y protegido.

LA IDENTIDAD DEL PADRE VIOLENTO

Las experiencias que marcaron la vida de los padres maltratantes están lejos de ser simples incidentes o anécdotas; son realidades vividas que por su carácter crónico y su intensidad se transformaron en organizadores de sus subjetividades, de sus modelos de comportamientos y relación, y de sus sistemas de creencias.

Lo que caracteriza la vivencia subjetiva de estos padres es una imagen narcisista todopoderosa que descansa sobre bases afectivas muy frágiles, pero que se sostiene en creencias y discursos absolutos y radicales. La identidad de estas personas se muestra al observador como fuerte y amenazadora, pero esto se trata a menudo de una máscara que esconde un miedo profundo a ser abandonado, agredido o destruido.

Este tipo de personaje puede despertar en los profesionales un sentimiento de amenaza y de peligro, por lo que suelen responder contraatacando o con comportamientos de rechazo. Desconocedores de estas dinámicas, los profesionales traducen la presentación personal de estos padres como una realidad objetiva, lo que impide una posibilidad de encuentro y de diálogo y amplía en estos padres los sentimientos de injusticia y frustración.

Estas situaciones pueden acrecentar la violencia de estos padres, que se dirigirá preferencialmente sobre el niño y los profesionales que intentan protegerlo. Se creará una escalada de violencia que constituirá el único medio de comunicación y de relación posible. En los casos en que se puede establecer una verdadera relación terapéutica con estas personas, descubriremos rápidamente que detrás de estos comportamientos violentos se esconde un sujeto invadido por el miedo, la angustia y la depresión.

A medida que el proceso terapéutico permite que estas personas abandonen su violencia, poco a poco las amenazas y los golpes se transforman en crisis de angustia, los sentimientos todopoderosos en depresión, y la necesidad de dominar en pánico por ser abandonado.

La historia de mi encuentro con la señora Dato me permite testimoniar este proceso:

La señora Dato tenía treinta y cuatro años cuando la recibí en mi consulta por primera vez junto a los miembros de su familia compuesta por su compañero y los tres hijos de éste: Mauricio de doce años, Alberto de diez años y una hija, Rosalía, de ocho años. La familia me había sido derivada a causa de los problemas de comportamiento que los niños presentaban en la escuela.

La madrastra de los niños se quejaba de que los profesores no eran capaces de disciplinar a los hijos de su marido, que ella consideraba como suyos. La dirección de la escuela había perdido la paciencia con esta madre, que era vivida por los profesores como alguien violento, intruso y autoritario. Ademas, éstos habían constatado en numerosas ocasiones huellas de golpes en el cuerpo de los niños.

Cuando los niños eran interrogados sobre el origen de estas lesiones, solían responder con evasivas o con respuestas poco convincentes. Esta actitud se mantendría aún durante meses, a pesar de nuestras entrevistas individuales con ellos. A pesar de la crisis desencadenada por el diagnóstico de malos tratos y la colocación de los niños en una institución por el juez de menores, la señora Dato no interrumpió su trabajo terapéutico. Los niños y el padre siguieron un tratamiento con una psicóloga de nuestro equipo, quien mantuvo un contacto estrecho con la psicóloga y el equipo educativo de la institución.

A través del diálogo con esta mujer, pudimos reconstruir su historia, que comenzó con su nacimiento de una madre soltera y adolescente y un padre desconocido. Inmediatamente después de su nacimiento fue colocada en una guardería en donde permaneció hasta la edad de cuatro años y medio. Ella cree recordar que su madre la visitó algunas veces en este período. Sus recuerdos más nítidos se refieren a su vida en la familia en la que se integró, que ya estaba compuesta por el esposo de su madre y dos hermanastros que tenían dos años y ocho meses respectivamente.

Su vida en esta familia se volvió rápidamente dramática; ella cree que fue culpa suya que su madre la rechazara, pues no sabía cómo comportarse, cometiendo travesuras y desobedeciendo constantemente a sus padres. Su madre solía castigarla y/o a exigir que su marido la golpeara.

Mi paciente parece estar convencida de que sus padres tenían razón al tratarla así porque ella era como un animal salvaje, y que gracias a los golpes y castigos había logrado enderezarse y llegar a ser alguien en la vida. Con mucho orgullo ella presentaba sus éxitos profesionales en el seno de las fuerzas armadas de su país como una demostración de lo bien fundado de su educación.

Todo lo que su padre le había enseñado le permitió asimilar el valor de la disciplina y el orden. Para ella era inaceptable la indulgencia con que se educa a los niños actualmente y estaba convencida de que esto explicaba por qué había delincuentes en todas partes. En numerosas ocasiones expresó sus temores de ver a sus hijos transformados en verdaderos delincuentes, por el hecho de que se los habían quitado y no le permitían ocuparse de ellos.

Poco a poco, nuestras conversaciones terapéuticas permitieron a esta mujer reconocer otro tipo de experiencias contradictorias con su discurso idealizado (Miller, 1984). Comenzó por aceptar que a lo mejor «el animal salvaje» que ella era no merecía los golpes, las amenazas y los castigos que su padre, que no era su verdadero padre, le propinaba. Pudo poco a poco ponerse en el lugar de la niña golpeada que ella había sido, expresar y sentir pena por los golpes que recibió, por las noches pasadas encerrada en un sótano, por los días sin comida y otras humillaciones que había sufrido. Además, pudo abordar progresivamente su experiencia de abandono por parte de su madre y de su padre biológico, al que nunca conoció.

A medida que co-construimos un relato alternativo al impuesto por su idealización, mi paciente se sumergió en la verdadera pesadilla de su historia, sintiéndose cada vez cerca de sí misma y por lo tanto más empática y solidaria con la víctima que había sido. Esto le permitía acercarse a la vivencia de los niños que había maltratado. Sin embargo, esto no excluyó nuevas crisis de violencia, ocurridas durante las visitas de fin de semana de los niños a la familia. Éstos, sintiéndose protegidos por el juez y los profesionales que se ocupaban de ellos, instigados además por su madre biológica, formaron un bloque contra la madrastra, que se encontraba una vez más enfrentada a la injusticia de no ser reconocida, a pesar de todos los esfuerzos que realizaba por cambiar.

Por otra parte, pudo integrar progresivamente la idea de que su tozudez de querer demostrar a cualquier precio que era una buena madre tenía más que ver con la necesidad de dar una lección a su propia madre, que no lo había sido. El trabajo terapéutico realizado con el padre y sus hijos y la terapia de pareja permitieron introducir cambios significativos en la estructura de esta familia. El padre, que también había conocido una experiencia de abandono con separaciones múltiples y precoces, había delegado en su mujer no solamente el rol de padre que le correspondía ejercer, sino además el de, simultáneamente, una madre para sus hijos y una madre para él. La terapia lo impulsó a asumir su rol de padre en la medida que las tareas que se le asignaban le obligaban a manejar las relaciones de la familia, la escuela y la institución, además de ejercer la autoridad y el cuidado de sus hijos cuando volvían a casa los fines de semana.

Al final de nuestra participación en la rehabilitación de esta familia, la situación se resumía de la manera siguiente: los niños continuaban en la institución, que, en colaboración con los padres, les cuidaba, les protegía y les educaba. El sistema judicial, en la persona de la jueza de menores y la asistenta social, seguía siendo el garante de la protección de estos niños cuando volvían a casa los fines de semana y durante los períodos de vacaciones. Las últimas noticias que tuvimos de esta familia fue que la madre había dado a luz a una niña, que la pareja seguía unida y que los niños continuaban en la institución luchando por crecer y asimilar las consecuencias de sus historias.

Esta presentación resumida de la historia de una mujer me permite ilustrar el proceso a través del cual una persona que se presenta como amenazante y agresiva puede, si las condiciones se lo permiten, entrar en contacto con su verdadero yo herido y traumatizado. A partir de aquí, identificarse no solamente con la víctima que vive en ella sino también con sus propias víctimas, es lo que permitirá una posibilidad de cambio en sus comportamientos y discursos violentos. Por otra parte este caso nos permite insistir sobre la importancia del trabajo de red tanto para proteger a los niños como para brindar una ayuda terapéutica a los miembros de la familia.

En relación con la identidad del padre o la madre violentos, es importante agregar que éstos pueden ser también portadores de una personalidad que sea consecuencia de lo que hemos llamado «intoxicación maternante». Esta intoxicación ocurre cuando el adulto que cumple con la función maternante no deja un lugar al niño para asegurarle una «individuación integrada» (Stierling, 1979). La «madre tóxica» satisface los deseos de sus hijos incluso antes de que éstos sepan reconocerlos y expresarlos. La consecuencia de esto es que cuando este niño sea adulto, tendrá una gran dificultad para distinguir sus propios límites y los límites y derechos del otro. Esto explica que cuando sea padre o madre pueda golpear y agredir a sus hijos a partir de una imagen de sí mismo caracterizada por ideas de grandeza e impunidad. Estos padres presentan un trastorno narcisista caracterizado por una identidad profundamente egocéntrica, en el que se sienten con el derecho de invadir, controlar y domesticar a sus hijos para reafirmar una imagen todopoderosa de sí mismos.

El otro miembro de la pareja parental a menudo está «incluido» en su cónyuge o totalmente ausente, por lo que no juega ningún rol en el proceso de diferenciación de sus hijos. Esta constelación corresponde también a la observada en familias que cometen violencia psicológica, en donde la madre es todopoderosa e intrusa y el padre, mal diferenciado y ausente, es incapaz de jugar su rol de tercero en la relación madre-hijo. Estas situaciones de violencia psicológica en una generación, que pueden transformarse en violencia física o sexual en otra, dejan al descubierto el rol del tercero en la dinámica maltratante.

LA PAREJA DEL PADRE O DE LA MADRE MALTRATADORES: EL ROL DEL TERCERO

Trataremos de compartir lo recogido en nuestro trabajo en relación con el mundo subjetivo y relacional del otro padre o madre, el que no agrede directamente pero que participa pasivamente en la producción de este drama. Él o ella están implicados en una relación de pareja con el abusador caracterizada por una fusión profunda de sus funciones intelectuales y emotivas. La relación con la pareja está contaminada por una angustia crónica de separación y una necesidad de dependencia que son consecuencias de una identidad frágil.

La pareja del agresor, por su dinámica personal y relacional, se sitúa en la mitad inferior de la escala de diferenciación del yo propuesta por Murray Bowen (1994). Según este autor, el grado de diferenciación de un niño —que equivale a ser un sujeto autónomo y responsable—, está influido por el grado de diferenciación que sus padres tenían de sus propios padres en el momento de su nacimiento, por su propio sexo y sobre todo por la manera como los padres vivieron el sexo del niño, por su posición en relación con sus hermanos, por el clima emocional de cada uno de los padres en el momento del matrimonio, y antes y después del nacimiento del niño.

El proceso de diferenciación está influido también por los problemas que la pareja parental tuvo que afrontar antes del nacimiento y durante los años que lo siguieron, por la calidad de la relación padres-hijos, así como por la capacidad de los padres para afrontar los desafíos emocionales planteados por las diferentes etapas del ciclo vital individual, familiar y social.

Por lo tanto, el nivel de diferenciación de base de cada persona es en gran parte el resultado de su experiencia relacional en su familia de origen. El nivel de diferenciación alcanzado tendrá una influencia determinante para la vida relacional del sujeto después de su partida de la familia parental, especialmente en lo que se refiere a su vida de pareja. Las experiencias de apego no se oponen a la experiencia de diferenciación. Bowen emplea indistintamente los términos de apego y de diferenciación para describir el nivel de madurez psicológica de las personas. La carga emocional del apego y la ausencia de evolución de los afectos con respecto a los padres impide al joven adulto sentirse él mismo en relación con los demás. El resultado de esto será que el sujeto continuará viviendo emocionalmente «pegado» a sus padres, compensando la angustia de la indiferenciación a través de mecanismos de negación de sí mismo y de aislamiento social.

La dependencia de un cónyuge violento

El sujeto no diferenciado convertido en esposo o esposa de un agresor es alguien cuyas posibilidades de reflexión personal y sus capacidades éticas están inmensamente perturbadas por los procesos emotivos de dependencia hacia su cónyuge. El objetivo fundamental de su existencia es obtener a cualquier precio el amor y el reconocimiento de su pareja; por lo tanto, no dispone de suficiente energía y recursos para construir proyectos personales y ocuparse adecuadamente de sus hijos.

Estas personas presentan una gran dificultad para hacer frente a los comportamientos y discursos violentos de su pareja y serán incapaces de proteger a sus hijos en los momentos de crisis. Envueltos en la masa indiferenciada del ego familiar, estos sujetos son emocionalmente dependientes de aquellos que les rodean y soportan muy mal las situaciones que representan el peligro de perder sus fuentes de amor.

Los cónyuges de los padres violentos pueden ser capaces de funcionar adecuadamente en ciertos dominios extrafamiliares, como por ejemplo a nivel laboral, pero en sus relaciones afectivas y amorosas sus desempeños están determinados por las emociones.

La formación de la pareja y su dinámica fusional

Cuanto más bajo sea el nivel de diferenciación de los futuros cónyuges, mayor será el riesgo de una pareja fusionada emocionalmente. En estos casos, uno de los esposos jugará un rol activo, es decir, tomará las decisiones en nombre de los dos, mientras que el otro se adaptará pasivamente a la situación. Es habitual constatar que el período que sigue al encuentro entre el hombre y la mujer que formarán más tarde una pareja estable, es vivido de una manera armoniosa por ambos; los síntomas de fusión aparecen a partir del momento de la cohabitación.

Eso no significa que la pareja no fuese fusional; significa simplemente que este hecho no provocaba ningún problema para sus componentes por la dependencia mutua y por el hecho de que la relación se estructuraba a través de un encuentro corporal sabiamente sincronizado por las historias de cada uno.

En estos encuentros desafortunados, los amantes se atraen para luego perderse, porque el elegido o la elegida está también hambriento de amor y reconocimiento, a pesar de que su personaje hace pensar lo contrario. En la vida de pareja, rápidamente el «niño» o la «niña» que dormía en el cuerpo del adulto se despertará y desencadenará la angustia de la fusión.

Pero como ambos se necesitan mutuamente y no están dispuestos a separarse, entrarán en juego diferentes mecanismos destinados a la regulación de la distancia emocional. Estos mecanismos podrán ser: a) las repetidas disputas conyugales, b) la enfermedad psicosomática de uno de los cónyuges, o c) la proyección de los problemas de la pareja sobre los hijos.

En las parejas productoras de violencia física, los modos de «conflicto conyugal» y la «proyección sobre los niños» son los más frecuentes. El modelo relacional típico de estas parejas, productoras de violencia conyugal y de maltrato infantil, consiste en una forma de complementariedad rígida donde un miembro de la pareja toma el rol pasivo, o en una forma simétrica donde los cónyuges están imposibilitados de ceder el uno al otro. En esta última situación se produce una contaminación de la violencia que deriva hacia el subsistema de los hijos, con la aparición de un niño «chivo expiatorio» que permite la regulación de la agresividad y la «sobrevida» de la pareja.

En el modelo de complementariedad rígida, el carácter activo, dominante y autoritario, permite a uno de los cónyuges sentirse seguro de su pareja; en cambio al pasivo el sentimiento y la ilusión de protección le proporciona este sentimiento de seguridad. Pero en el fondo el que parece fuerte y dominante esconde detrás de este «falso yo», un yo herido, hambriento e indiferenciado que espera recibir del otro/a los cuidados y el reconocimiento que sus padres no pudieron darle. Además él o ella esperan siempre que su pareja los defina como el mejor, para controlar el peso angustioso de la imagen negativa que tienen de sí mismos. Así, en el fondo de este personaje fuerte y todopoderoso, hay un niño miedoso y no amado que llora para que lo cuiden y lo protejan.

Desgraciadamente, su cónyuge, prisionero/a en su rol pasivo y de sumisión no puede responder a esta demanda, porque, profundamente dependiente, no espera otra cosa sino ser consolado de las desgracias de su infancia y busca sobre todo la protección y la guía de su pareja, quien decidirá en su lugar. Pero en este personaje pasivo y aparentemente inofensivo duerme un niño desconfiado y reivindicador que acepta mal los límites de su pareja y, probablemente por sentimientos de lealtad hacia sus propios padres, no puede disfrutar con lo positivo que la vida de pareja le proporciona (Boszormenyi-Nagy y Framo, 1980).

Lo descrito nos permite comprender la intensidad emotiva contenida en este tipo de relación, que nos explica además que los cónyuges pasarán por ciclos de intensa intimidad, alternados con otros de profundos y violentos conflictos.

Una disputa conyugal con violencia y/o la agresión física de los hijos por parte del cónyuge más violento les aleja, ofreciéndoles un momento de distancia emocional, pero rápidamente se reconcilian en torno a su necesidad de fusión, lo que anuncia un nuevo ciclo de intensa intimidad. Los cónyuges implicados en situaciones violentas tienen probablemente una de las relaciones más emotivas existentes.

En estas dinámicas, los sentimientos son extremos y de gran intensidad. Los sentimientos negativos como el odio y el desprecio del otro son tan intensos como los positivos de amor y admiración. Una crisis conyugal con violencia los puede conducir a una separación, pero, basta con que se alejen un poco el uno del otro para que los sentimientos de enamoramiento y necesidad vital del cónyuge vuelvan a aparecer. Ésta es una de las explicaciones posibles del porqué las mujeres golpeadas por sus maridos se reconcilian con ellos, lo que a veces es difícilmente comprensible para las trabajadoras sociales que tratan de ayudar y proteger a estas mujeres.

La mujer del hombre violento

En los casos de maltrato físico ocasionado por el padre, generalmente asistimos a una situación de doble violencia: el agresor golpea a sus hijos y también a su mujer. Esta madre, por su dependencia hacia su pareja, es incapaz de proteger a sus hijos. Estas mujeres hacen mucho por soportar otro tanto del otro, pero la finalidad de sus acciones es sobre todo conservar «el amor» de su cónyuge violento más que cuidar y proteger a sus hijos.

Esto se explica porque estas mujeres han vivido experiencias de carencias precoces y crónicas, además de rupturas relacionales repetidas. La historia de estas mujeres corresponde a aquellas que «aman demasiado» (Norwood, 1986). Estas mujeres, que no han logrado convertir a sus padres en seres afectuosos y acogedores, se sienten naturalmente atraídas por un tipo de hombre inaccesible desde el punto de vista afectivo, al que tratarán de cambiar con su amor.

La pasividad de la madre frente al comportamiento violento de su marido puede comprenderse también porque se la utilizó siempre para dar satisfacción a las necesidades de los demás, a menudo en contextos de pobreza afectiva y relacional. Estas situaciones facilitan la estructuración de una identidad en la que el atributo positivo principal es el de estar «al servicio de los otros».

El otro, la pareja de esta mujer, que se presenta como el más fuerte, es el que le da la ilusión de protección, pero al mismo tiempo el niño frágil que se esconde en él le proporciona la posibilidad de continuar «maternando». «En el fondo mi marido no es malo, es como un niño rabioso», decía una paciente defendiendo a su marido, que la golpeaba regularmente. La dificultad de renunciar al rol de víctima de un marido violento se explica no sólo por el terror de las consecuencias, sino porque este rol es el único que estas mujeres han aprendido a jugar: «Ser la mujer víctima de este niño colérico» implica al mismo tiempo ser su «madre reparadora», lo que le da la ilusión de ser alguien significativo para otra persona.

La esposa de un hombre violento tiene a menudo la esperanza de salvarlo, de cambiarlo: «Conmigo tendrá el amor que nunca tuvo y cambiará». La posición de estas mujeres se explica también por el peso de la socialización patriarcal y sexista, en donde fueron sometidas a un aprendizaje «forzado» de roles de dependencia y sumisión al hombre que representa el poder, la autoridad, el saber, la protección y la dominación. Desde su temprana infancia, estas mujeres fueron educadas en la creencia de que la feminidad significa ser dulce, pasiva, seductora, dependiente y sumisa respecto a los sujetos masculinos.

Estas creencias y comportamientos las sitúan en una condición de dominadas, sin saber afirmarse ni ocuparse prioritariamente de ellas mismas. Sometidas a este modelo patriarcal, les es más difícil salirse de su rol de víctima. Además, el modelo patriarcal contiene una representación idealizada de la familia como lugar de serenidad, de felicidad, de cuidados y gentilezas, imagen alimentada por la socialización sexista de la mujer. La mayoría de las esposas de hombres violentos han interiorizado el esquema estereotipado según el cual la vida familiar es la única fuente de felicidad y bienestar.

A pesar de haber tenido una infancia difícil, ellas mantienen la ilusión de que podrán realizar sus sueños con sus esposos e hijos. Por ello, harán todo lo posible para negar y esconder la violencia existente en sus familias, lo que conduce a una situación de aislamiento social que a su vez agravará esa violencia.

Otro mecanismo para mantener la ilusión de familia feliz es la tendencia del agresor y de los agredidos a justificar el comportamiento violento del adulto al estar causado por factores externos al sujeto, tales como el alcohol, las dificultades laborales o una enfermedad. Estas explicaciones quitan la responsabilidad al agresor y le hacen creer que la solución de sus problemas se encuentra en manos ajenas, tales como Dios, la buena suerte o el destino.

Los maridos de mujeres violentas

Es raro que el esposo de una madre violenta sea también golpeado por ella. En nuestra práctica hemos conocido algunos, pero son una minoría. Se trata de hombres con un yo débil y poco diferenciado, dependientes de una mujer que corresponde al estereotipo de «la mujer que lleva los pantalones». En estas situaciones familiares, la madre agredía físicamente a sus hijos, y el padre era testigo pasivo y a menudo ausente, y por tanto incapaz de proteger a sus hijos.

Un primer grupo de estos hombres había vivido experiencias de carencia o inestabilidad afectiva que les habían dejado un vacío afectivo, caverna sin fondo donde este niño carenciado espera su turno de ser amado, reconocido, acariciado... Hambrientos de afecto, recogen afecto y cuidados de quienes pueden, especialmente de sus esposas, con las que se comportan como niños. Una gran parte de sus energías están dirigidas a mantener el amor de sus esposas, antes que a cumplir sus roles de padres. Sus carencias afectivas pueden conducirles a sexualizar la relación con sus hijas, como veremos a propósito del abuso sexual.

El caso del señor Duarte ilustra esta situación:

Padre de seis niños, tres hijas mayores y dos varones de trece y siete años y uno menor, de tres años, el señor Duarte trabaja como obrero, y es estimado por sus colegas por su gentileza y espíritu de servicio. Pero en su familia su mujer «lleva los pantalones», y además tiene un problema de obesidad importante. Ella es físicamente imponente comparada con su esposo, que es un hombre delgado y más bien tímido. La escuela se había mostrado inquieta en varias ocasiones por Ludovico, el niño de siete años, que tenía problemas de concentración, trabajaba mal y en varias ocasiones había presentado huellas de golpes.

Después de haber sido contactados por la escuela, propusimos a la familia un trabajo de acompañamiento a domicilio, para ayudarles a resolver los problemas que los llevaban a golpear al niño. La primera entrevista con esta familia quedó grabada en mi memoria: la madre, sentada en un sillón con todo su peso, rodeada de sus cinco hijos; el padre se quedó sin silla y debió ir a buscar una banqueta al pasillo. La sesión fue difícil; la madre, muy molesta por nuestra visita, mostró rápidamente su carácter impulsivo y autoritario, increpando al mismo tiempo a su hijo Ludovico, señalado como responsable de todos los problemas familiares y luego acusando a su marido de no tener autoridad y de pasar demasiado tiempo con sus amigos. El señor Duarte no hizo nada para responder a su esposa en lo que le concernía; con respecto a su hijo, no hizo más que confirmar las acusaciones de su esposa.

Un segundo grupo de padres no protectores corresponde a aquellos que se identifican marcadamente con la violencia de sus esposas sobre sus hijos, y a veces son los instigadores. Se trata de hombres que crecieron bajo la influencia de una madre todopoderosa y autoritaria con un padre a su vez pasivo, de salud frágil y/o ausente de la vida familiar. Su dependencia y poca diferenciación con respecto a la figura materna explica su incapacidad para proteger a sus hijos y su complicidad con la madre violenta.

LA CARRERA MORAL DEL NIÑO GOLPEADO

Las fuentes de sufrimiento de los niños golpeados provienen del conjunto de experiencias crueles e inhumanas que vivieron crónicamente cuando estaban a merced de sus padres violentos. En estos casos de niños víctimas de negligencia, siguiendo las ideas de Goffman (1975) describiremos este proceso como la «carrera moral del niño golpeado».

CUADRO 9. La carrera moral del niño golpeado.

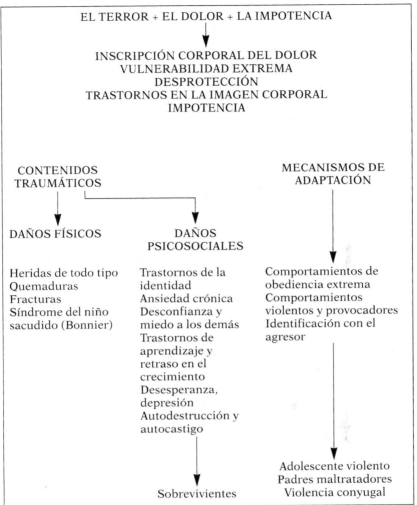

EL TERROR + EL DOLOR + LA IMPOTENCIA

↓

INSCRIPCIÓN CORPORAL DEL DOLOR
VULNERABILIDAD EXTREMA
DESPROTECCIÓN
TRASTORNOS EN LA IMAGEN CORPORAL
IMPOTENCIA

CONTENIDOS TRAUMÁTICOS

MECANISMOS DE ADAPTACIÓN

DAÑOS FÍSICOS

DAÑOS PSICOSOCIALES

Heridas de todo tipo
Quemaduras
Fracturas
Síndrome del niño
sacudido (Bonnier)

Trastornos de la
identidad
Ansiedad crónica
Desconfianza y
miedo a los demás
Trastornos de
aprendizaje y
retraso en el
crecimiento
Desesperanza,
depresión
Autodestrucción y
autocastigo

Comportamientos de
obediencia extrema
Comportamientos
violentos y provocadores
Identificación con el
agresor

Adolescente violento
Padres maltratadores
Violencia conyugal

Sobrevivientes

En la descripción de esta carrera abordaremos por una parte el contenido del maltrato y por otra sus consecuencias, distinguiendo dos niveles: su carácter traumático y los mecanismos de adaptación a la situación, o, dicho de otro modo, los procesos de aprendizaje de la violencia.

El contenido del maltrato físico

Los niños golpeados reciben golpes que duelen, que duelen mucho, pero además los reciben en un *contexto de terror y de desprotección* donde las relaciones de poder son profundamente desiguales y asimétricas. Todo esto sucede en un ambiente familiar difícil de imaginar y de describir para aquellos que no han vivido experiencias similares. Lo más profundamente traumático es el ambiente de tensión y terror latente que existe en estas familias.

Sólo el tiempo pasado en la prisión y en centros de tortura en Chile me han permitido aproximarme a lo que podrían ser las experiencias de los niños víctimas de este maltrato.

En este ambiente, el niño vive casi de una forma permanente en un clima de extrema inseguridad e indefensión, donde repentinamente emergen momentos de terror intenso provocados por las reacciones imprevisibles del padre violento o por la proximidad del momento en que el niño sabe que va a recibir una paliza.

El testimonio de un hombre de 26 años ilustra esta experiencia:

> Mi padre me aterrorizaba. Cada vez que lo miraba me arriesgaba a ser golpeado. Nunca podía saber el momento en que recibiría un bofetón. Uno de los peores momentos era cuando recibíamos nuestra libreta con las notas escolares. En la escuela nos daban una libreta de notas cada mes. Para mí era horroroso. Yo llegaba a la cocina por la mañana, generalmente en sábado. Él ya había visto las notas la tarde antes. Yo ya estaba medio muerto de miedo; ni siquiera me daba los buenos días, aunque no me había visto en toda la semana, y lo primero que recibía era un bofetón. A este saludo seguía una lluvia de bofetadas y golpes, golpes que me dolían, que me dejaban huellas...

Otro testimonio ilustra, de forma dramática, el estado de tensión de la víctima:

> Me acuerdo de una vez en que defendí a mi hermanito en el patio de la escuela, y el profesor envió una nota a mis padres. Cuando mi padre la leyó, sin decirme una palabra, tomó un palo y me asestó un golpe en la cabeza. La única imagen que recuerdo de esta situación es la de mi chaleco celeste cubierto de sangre. Cuando vio que sangraba, fue a buscar algodón y me cubrió la cabeza con agua oxigenada. Él estaba detrás de mí, lo que me daba un miedo terrible, porque me preguntaba qué me iba a pasar. No sabía exactamente lo que tenía en la cabeza, había sangre por todas partes, me imaginaba que tenía un enorme hoyo en la cabeza. Me quedó una cicatriz que todavía me duele cuando llueve.

Esta historia dramática nos conduce al otro componente siempre presente en las situaciones de maltrato: *la impotencia*. El niño víctima de maltrato está sumergido en una vivencia de impotencia casi permanente, porque está completamente en manos de su padre agresor y a menudo sin la protección de otro. La indiferencia de otros adultos, vecinos y/o profesores que no hacen nada por cambiar la situación le encierra aún más en esa situación de impotencia.

> En la escuela estoy seguro de que los profesores sabían lo que mis padres me hacían y nunca hicieron nada. Los niños no van a la escuela así, con las cabezas rotas y con marcas de golpes en la cara, eso se veía a simple vista. Los profesores lo sabían; durante años fuimos a la misma escuela. Los vecinos también estaban al corriente. Nadie dijo nunca nada, no hicieron nada para que eso cambiara. ¡Cómo pudieron ser tan cobardes...!

Todo intento de resistir al carácter injusto de los golpes, de denunciarlos o de huir se ve bloqueado por sentimientos de culpabilidad, la dependencia hacia la familia y la indiferencia del medio. El niño se encuentra en una situación de peligro permanente. Cuanto más pequeño es, mayor es su angustia y su impotencia. En este ambiente, el niño víctima aprende a considerar su impotencia como normal, aprende a dejarse llevar, a no reaccionar frente a la agresión. Estas características corresponden a las que ya hemos descrito a propósito de los padres incapaces de proteger sus hijos. O bien, al contrario, el niño controlará su miedo, su angustia extrema y su impotencia, se identificará con el agresor y más tarde podrá convertirse en un padre agresor.

El dolor es otro de los componentes del maltrato físico. Un hecho que me ha sorprendido, es que las víctimas de este tipo de violencia a menudo no tienen un recuerdo claro de ese dolor. Es como si la experiencia de terror y de miedo ocupara todo el espacio de su memoria. Esta constatación es también frecuente en la experiencia de personas adultas que fueron víctimas de la tortura.

> A propósito de mi experiencia, creo haber sufrido mucho, pero una parte de nuestra energía estaba destinada a afrontar y resistir el dolor. Usamos todas las formas posibles como: pensar en otra cosa, desconectarnos del cuerpo, imaginarnos que estábamos en otro lugar, gritar para tratar que pararan los golpes y los choques eléctricos... A pesar de estas imágenes nítidas, nos cuesta recordar cómo era nuestro dolor.

En nuestro trabajo con niños y adolescentes hemos presenciado el mismo fenómeno. A menudo el niño agredido, a pesar de las lesiones que presenta, no se queja de dolor. A veces, durante la paliza, se dice en su interior, o luego responde: «No me duele».

En nuestra experiencia de tortura, sentimos los golpes y otras agresiones, como quemaduras y choques eléctricos, en un primer momento como un dolor físico, pero rápidamente un segundo fenómeno casi simultáneo reemplazaba nuestro dolor: la parte dolorosa se aislaba y separaba de la imagen corporal (Vieytes y Barudy, 1985). A este respecto, Schilder (1950, citado por Vieytes, 1982) afirma que «cuando todo el cuerpo está sometido al dolor, el sujeto quisiera deshacerse de todo el cuerpo. Así, se coloca fuera de su cuerpo y se observa».

Se puede suponer que, en su familia, el niño torturado vive una experiencia similar. La ausencia de recuerdo del dolor, en el sentido de la existencia de una representación de la sensación, no impide que estos dolores queden inscritos en lo que algunos autores llaman la «memoria corporal» (Jeddi, 1982). Estos dolores invisibles son probablemente parte de la sensación general que tiene el niño golpeado de «sentirse mal en su cuerpo».

Otro contenido de los golpes y los castigos es *la alteración de la vivencia y de la imagen corporal*, que se ilustra en la historia siguiente:

> Norman, un niño de ocho años, debía permanecer de pie durante largas horas, a veces en posiciones agotadoras y dolorosas, otras veces inmóvil. En repetidas ocasiones le habían obligado a dormir en el patio o le sometían a verdaderas sesiones de tortura en las que sus padres le golpeaban, le lanzaban agua con una manguera o le privaban de agua y comida. La fatiga, el hambre y la sed acababan con su fuerza física y le daban la sensación de que su cuerpo, su persona, estaban sometidos a la dominación todopoderosa de su madre y a veces de su padre, dependiendo completamente de ellos. Cualquier acción personal para lograr la satisfacción de sus deseos estaba en manos de sus padres. Su cuerpo ya no le pertenecía y debía obedecer y soportar al otro; su cuerpo pertenecía a sus padres torturadores.
>
> Norman no podía contar con su cuerpo para desear o para entrar en relación con los otros. Al contrario, «había perdido» una parte de su cuerpo, que se había quedado en manos de sus agresores. Su cuerpo como contenedor y límite entre el interior y el exterior, había llegado a ser peligroso para él y los otros. Por eso podía agredir fácilmente a otros niños menores. En el momento de su hospitalización en un centro psiquiátrico infantil, Norman no quería su cuerpo, no lo controlaba, no era

él. Por ejemplo, no soportaba mirarse en un espejo, ni tampoco cuidaba de él. Se necesitó bastante tiempo, energía y creatividad por parte del equipo que lo trataba para que el cuerpo de Norman volviera a ser el cuerpo de un niño.

Las consecuencias del maltrato físico

En la «carrera del niño agredido» distinguimos por un lado las consecuencias traumáticas de las experiencias y por otro los mecanismos de adaptación a la situación, que conducen a la interiorización de los modelos y palabras del padre violento en un proceso que puede corresponder al de «la identificación con el agresor».

El contenido de las experiencias descritas no deja dudas acerca del carácter *altamente traumático* del pánico, la impotencia, el terror, las frustraciones severas y prolongadas acompañadas de dolor, y del carácter imprevisible de la actitud y comportamiento del padre agresor. La consecuencia de los golpes y otros maltratos físicos producen en primer lugar daño físico. Pero al mismo tiempo implican mensajes profundamente destructores para la psique de las víctimas.

El carácter profundamente traumático de estas situaciones deriva del hecho de que el que hace daño es el otro, y que esa condición de otro le confirma en su condición humana. Uno de mis pacientes que había sido torturado me decía al respecto: «Lo peor en la tortura es que tu torturador es un ser humano como tú mismo». Podemos imaginar una experiencia similar o aún más dramática en el caso del niño maltratado por su propio padre o madre.

Sonia, una niña de catorce años golpeada durante años, expresaría su experiencia en una sesión de terapia de la siguiente manera:

> Lo que más me duele no son los golpes, no es solamente el hecho de ser golpeada, es el hecho de que sea mi madre quien lo hace. Yo quiero a mi madre. ¿Por qué la toma conmigo? ¿Por qué yo, qué le he hecho? ¿Por qué esto me pasa sólo a mí? Es injusto.

No nos parece necesario hacer una descripción exhaustiva de todas las lesiones físicas posibles que han sido enumeradas en la lista de indicadores del cuadro 8. Para ilustrar la gravedad que estas lesiones pueden presentar describiremos el *síndrome del niño sacudido*. A pesar de sus consecuencias graves, a corto y largo plazo, este tipo de maltrato físico aún no se conoce demasiado, tanto por las familias como por los profesionales de la salud.

La neuropediatra de nuestro equipo, Christine Bonnier, estudió los casos de niños sacudidos tratados por nuestro equipo durante 10 años (1995). En su investigación mostró que un 10 % de los niños hospitalizados por maltrato en nuestro programa presentaban los síntomas y signos del «síndrome del niño sacudido» (*Whiplash shaken infant syndrome*, WSIS o *Shaken baby syndrome*, SBS, Caffey, 1946, 1972). La edad de los niños fluctuaba entre un mes y quince meses, con una edad promedio de cinco meses y medio. Nuestra pediatra demostró sin ninguna ambigüedad la gravedad del gesto de sacudir a los niños, sobre todo para los menores de dos años.

Entre otras razones, el peligro para el lactante se debe a que el peso de su cabeza corresponde a un 10 % de su peso total y que la hipotonía de los músculos del cuello es tal que el niño no puede afirmar bien su cabeza antes de los dos o tres años.

Por lo tanto, cuando un adulto sacude a un bebé, la cabeza se mueve de tal manera que se provocan choques considerables de la masa encefálica contra la pared craneana. Este movimiento puede producir lesiones de la masa cerebral, así como desgarros de los vasos sanguíneos por rotación o elongación, cuyas consecuencias serán las hemorragias intracraneanas con hipertensión endocraneana. Esto se manifestará clínicamente por la alteración de la conciencia, lesiones del esqueleto (lesiones metafisiarias, fracturas de costillas, fractura del cráneo) y hemorragias retinianas.

Para C. Bonnier, esto se puede producir de una forma intencional, en situaciones donde padres, a menudo nerviosos, sobrepasados por el comportamiento del niño, le sacuden para castigarle y sobre todo para que deje de llorar, para, según ellos, «evitar golpearle». A menudo lo hacen tomando al niño por el tórax o por los brazos, lo que explica las fracturas costales y el desprendimiento epifisiario de los brazos. Los padres niegan la causa violenta del daño presentado por el niño. Se necesita mucha paciencia y un ambiente de seguridad para ayudarles a reconocer su responsabilidad.

En los casos en que la sacudida es «accidental», se trata de la consecuencia de actos torpes para «divertir» al niño, lanzándolo en alto, o del pánico para reanimar a un niño que parece ahogarse. El padre o la madre ignora en estos casos la gravedad que tienen estos movimientos para el niño y reconocen más fácilmente su responsabilidad.

LAS CONSECUENCIAS PSICOSOCIALES DEL MALTRATO

Los golpes no sólo dejan huellas en el cuerpo sino otras más invisibles que constituyen las secuelas psicológicas. La lista puede ser también larga, pero entre las manifestaciones más frecuentes que hemos detectado vale la pena detenerse en las siguientes:

1. *Los trastornos de la identidad*
El niño golpeado puede tener una muy mala imagen de sí mismo. A menudo está convencido de ser la causa del nerviosismo de sus padres. Se cree malo, inadecuado y peligroso. A veces, como mecanismo de defensa, desarrolla la creencia de ser fuerte, todopoderoso, capaz de vencer a sus padres y a otros adultos.

2. *Una autoestima pobre*
Al igual que los niños carenciados, estos niños tienen a menudo sentimientos de inferioridad y se creen profundamente incapaces, lo que se expresa por comportamientos tímidos y miedosos, o al contrario por comportamientos agitados y espectaculares, con los que tratan de llamar la atención de los que les rodean.

3. *La ansiedad, la angustia y la depresión*
Ésta puede expresarse por trastornos del comportamiento y sobre todo por miedo y ansiedad desencadenada por situaciones donde un adulto se muestra agresivo o autoritario. La angustia puede presentarse sola o acompañada con los componentes del Síndrome de estrés postraumático (*Post Traumatic Stress Disorder* o PTSD) descrito en el DSM IV. A veces este trastorno puede estar enmascarado por otros, especialmente por mecanismos adaptativos a la situación. Algunos de estos niños desconfían de los contactos físicos, particularmente de los adultos, y se alteran cuando un adulto se acerca a otro niño, particularmente si llora. También presentan problemas de concentración, trabajan mal en clase, retienen difícilmente el contenido de las materias y tienen gran dificultad para seguir las instrucciones de los profesores.

Al igual que los niños carenciados, los niños golpeados desarrollan lentamente sentimientos de depresión y de desesperación y comportamientos autodestructivos que incluyen la automutilación. No se sienten respetados y no sólo por sus padres, sino por el mundo adulto en general, al que perciben como desprotector e inseguro.

Cuando mi madre me golpeaba, yo siempre me preguntaba por qué nadie hacía nada. Incluso a veces hablaba con mis vecinos sobre mi situación y en vez de ayudarme, hacían comentarios... «Lo que pasa es que tu madre debe estar loca o quizás eres tú la que la provocas», pero nunca vinieron ni siquiera a llamar a la puerta del apartamento para decirle que parara de golpearme... Poco a poco me volví agresiva y me encerré en mí misma desconfiando de todo el mundo. No podía soportar su indiferencia...

Por otra parte, diversas publicaciones han señalado que los comportamientos autodestructivos o de automutilación son más frecuentes en niños golpeados que en niños mal cuidados, pero más frecuentes en estos últimos que en la población normal (Green, 1978).

LOS MECANISMOS DE ADAPTACIÓN A LA VIOLENCIA

Éstos corresponden al conjunto de estrategias que el niño golpeado se ve obligado a desarrollar para sobrevivir a la situación de violencia. Los niños más pequeños —recién nacidos y lactantes— tienen muy pocas posibilidades de hacer frente al riesgo vital que representan los golpes. Cuanto más pequeño es el niño, más riesgo existe de que pierda la vida. Por lo tanto, la detección precoz y la intervención urgente para protegerlo separándolo de los padres agresores, es la única alternativa para evitar lo peor.

En el caso de los niños mayores, en la medida en que la amenaza proviene de las fuentes que tendrían que procurarle un sentimiento de protección, al niño no le queda otra alternativa que refugiarse en una serie de mecanismos de defensa para «controlar» la situación. Los niños maltratados físicamente presentan comportamientos específicos, reflejo de su adaptación a la atmósfera malsana de la familia. Echan mano a un conjunto de reacciones de defensa para mantener, a nivel corporal y de su representación, un control sobre la situación amenazante.

El carácter esencial de la amenaza psicológica provocada por los actos de sus padres, es que éstos confrontan al niño a una situación de angustia extrema, ligada al hecho de ser destruido por el otro, que a su vez es su única fuente de cuidados y protección. En este callejón sin salida debe idealizar a sus padres, reprimiendo facetas importantes de su personalidad y asumiendo la responsabilidad de ser la causa de los golpes que recibe. El hecho de representarse a sí mismo como «malo» o como «monstruo» y actuar de acuerdo con ello, será menos angustiante que simbolizar la idea de tener padres capaces de destruirle.

La otra alternativa que le queda es hacerse «transparente», desaparecer, hacerse invisible. Poniendo su imaginación al servicio de su supervivencia, el niño elige entre dos alternativas:

— Ser un niño extremadamente obediente, pasivo y poco exigente, casi transparente, para pasar lo más desapercibido posible, evitando todo riesgo de confrontación susceptible de provocar un acceso de violencia por parte de uno de los padres.

Recuerdo a un niño de cuatro años, el menor de cuatro hermanos. Se comportaba de esa manera para pasar desapercibido frente al padre violento, igual que lo hacía con nosotros. Al comienzo de las sesiones, inmóvil en su pequeña silla, parecía decir: «Olvídenme por favor».

— Adoptar el personaje de niño malo, justificando así los golpes y castigos que recibe. En este caso, el niño presentará comportamientos extremadamente difíciles, provocadores y coléricos con sus padres. Ademas, se mostrará violento fuera de la familia y puede serlo también —y mucho— con los más pequeños y los animales indefensos.

Pueden utilizarse diferentes modelos para explicar este comportamiento paradójico. El modelo que utilizamos y que será expuesto más extensamente en el capítulo dedicado a los niños que son víctimas de abusos sexuales, consiste en comprender estos comportamientos como una adaptación a la *situación de doble vínculo* en la que se encuentra el niño golpeado en la relación con sus padres (Bateson, 1977; Sluski, 1981). En esta situación de doble vínculo, el niño es víctima de mensajes paradójicos como los siguientes:

— Si te pegamos, es por tu bien.
— Somos tus padres, tenemos la obligación de pegarte porque eres un niño malo.
— Te debemos proteger. Te golpeamos.
— Eres un ser humano. Te destruimos.

El personaje malo y monstruoso encarnado por el niño será a su vez una comunicación en respuesta a la de sus padres, igualmente paradójica: «Soy la víctima, por lo tanto soy culpable. Soy un niño y por lo tanto soy un monstruo todopoderoso». El niño, por su posición de dependencia vital con respecto a sus padres, se encuentra en la imposibilidad de metacomunicar su tragedia denunciando la paradoja en la que se encuentra. Todo intento de desvelar lo que le pasa puede acarrearle más violencia. La única alternativa que le queda es guardar silencio y adoptar la comunicación patológica y violenta de sus padres.

Los comportamientos violentos y destructores del niño golpeado deben ser traducidos por los observadores externos como un doble mensaje paradójico: «Ayúdenme, soy víctima de malos tratos, pero como no me sirve que agredan a mi familia porque es vital para mí, prefiero que piensen que el problema soy yo». Por lo tanto, el desafío para nosotros será encontrar la manera de ayudar al niño, ayudando también a sus padres.

La intervención terapéutica y las medidas de protección del niño golpeado deberán establecer un contexto de comunicación donde se le comunique al niño que la víctima es él, pero que por esto no perderá a su familia, y que se hará todo lo posible para que también sus padres reciban ayuda.

La teoría de «la identificación con el agresor» es otro modelo que nos permite explicar los comportamientos violentos de los niños golpeados. Este niño presenta una necesidad compulsiva de dominar, abusar y agredir a los otros para defenderse de sus sentimientos de miedo, angustia e impotencia provocados por la violencia de su agresor.

Los niños, sobre todos los varones, se identifican así con el agresor, que representa la fuerza y el poder. Esta identificación la refuerzan los estereotipos culturales que impulsan a los varones a ser fuertes, dominantes e insensibles.

La teoría del aprendizaje social nos enseña además que las personas que han conocido experiencias violentas en sus infancias tienen más posibilidades de ser padres maltratadores o cónyuges violentos. Estos comportamientos maltratadores pueden integrarse en los hijos por imitación directa de los adultos más significativos que conocen: sus padres.

El proceso de adaptación a la violencia, ya sea explicado por la teoría del doble vínculo, por la teoría de la identificación con el agresor o por la teoría del aprendizaje social, nos permite también comprender mejor los riesgos de la transmisión transgeneracional de modelos violentos de relación interpersonal.

6. ECOLOGÍA MODERNA DEL ABUSO SEXUAL A LOS NIÑOS

Hemos escogido el término *abuso sexual*, ya sea para «conversar» con los miembros de familias que tratamos de ayudar, o para «conversar» con los profesionales y/o entre nosotros, miembros de un mismo equipo. El término «abuso sexual» designa el uso abusivo e injusto de la sexualidad. Refleja la idea, además, de que no existe relación sexual apropiada entre un niño y un adulto, atribuyendo la responsabilidad de este tipo de acto exclusivamente al adulto. Esta posición ética será el hilo conductor de todo nuestro enfoque. El acto sexual no está reducido sólo al aspecto genital, sino que recoge todos los actos o gestos por los cuales un adulto obtiene gratificación sexual. Adoptamos aquí las definiciones de la Organización Mundial de la Salud (OMS) y de C. H. Kempe, fundador de la Sociedad Internacional para la Prevención de los Niños Abusados y Maltratados.

Según la definición de la OMS (1986), la explotación sexual de un niño implica que éste es «víctima de un adulto, o de una persona evidentemente mayor que él, con fines de satisfacción sexual. El delito puede tomar diversas formas: llamadas telefónicas obscenas, ultraje al pudor, *voyeurismo*, violación, incesto, prostitución de menores». Kempe (1978) define el abuso sexual como: «La implicación de un niño o de un adolescente menor en actividades sexuales ejercidas por los adultos y que buscan principalmente la satisfacción de éstos, siendo los menores de edad inmaduros y dependientes y por tanto incapaces de comprender el sentido radical de estas actividades ni por tanto de dar su consentimiento real. Estas actividades son inapropiadas a su edad y a su nivel de desarrollo psicosexual y son impuestas bajo presión —por la violencia o la seducción— y transgreden tabúes sociales en lo que concierne a los roles familiares».

Es importante considerar la coerción y la asimetría de poder entre el adulto y el niño como factores estructurales fundamentales en la génesis del abuso sexual. Esta asimetría, basada en la diferencia de edad, la vulnerabilidad y la dependencia del niño, impide a este último participar en un verdadero intercambio y decidir libremente. Además los niños tienen, en relación con el adulto, experiencias, grados de madurez y finalidades muy diferentes.

A propósito de la frecuencia de los abusos sexuales, Finkelhor, después de haber revisado las diecinueve mejores investigaciones realizadas en Estados Unidos, Canadá e Inglaterra, señala que el 20 % de las mujeres adultas (con una variación entre el 6 y el 62 %) y el 10 % de hombres (con un margen del 3 al 31 %), dicen haber sido víctimas de abuso sexual en su infancia (Finkelhor, 1986).

Otros autores consideran que uno de cada cuatro niños y una de cada tres niñas, han tenido algún tipo de experiencia sexualmente abusiva con adultos. Todos los autores están de acuerdo en decir que las niñas son con mayor frecuencia las víctimas (Browne y Finkelhor, 1986). Algunos estudios recientes muestran que la frecuencia de niños varones que padecen abusos es mayor a la mostrada en los primeros estudios (Rise y Ross., 1987). Esta probable alta incidencia de abuso sexual en varones coincide con el hallazgo clínico de historias de abuso sexual en la mayoría de los abusadores hombres tratados en nuestro programa.

Por otra parte, la descripción de ciertos factores socioeconómicos y socioculturales que, según nuestra opinión, facilitan la emergencia de los abusos intra y extrafamiliares nos protege de una visión reduccionista de este fenómeno. Esto evita además el peligro de atribuir toda la responsabilidad de este fenómeno a causas individuales o a un cierto tipo de funcionamiento familiar. Con esto queremos denunciar las contradicciones existentes en nuestras sociedades, que juegan un rol importante como facilitadoras de la emergencia de este tipo de tragedias, tanto a nivel social (prostitución de los niños y agresiones sexuales de niñas y niños) como a nivel familiar (incesto).

La ecología social sexualmente abusiva

En el modelo global de la ecología social de la violencia, ya señalamos que los *modelos económicos actuales*, basados en una economía de mercado, corren el riesgo de crear cada vez más obstáculos al bienestar de las familias y de los hijos. En nuestra sociedad, las familias son forzadas a mostrar signos de éxito social y de bienestar a través de la posesión de los bienes de consumo, al mismo tiempo que el sistema económico produce cada vez más desigualdades sociales (Barudy, 1992). Como consecuencia, los niños corren el riesgo de ser considerados y sentidos como cargas financieras que impiden el acceso a los bienes de consumo. Por otra parte, los problemas económicos actuales acarrean una sobrecarga de factores estresantes para las familias, por la precariedad del empleo, los problemas económicos, la falta de alojamientos decentes, etc. Esto no está acompañado de una verdadera mejora de los servicios sociales y/o programas específicos para ayudar a las familias frente a estas situaciones de estrés.

Además, los valores dominantes en la sociedad de consumo producen un contexto en donde los niños y las niñas corren el peligro de ser vivenciados como objetos de consumo para compensar carencias afectivas y relacionales resultantes de la atomización social y de la anomia provocados por el capitalismo y la modernidad. Así, las imágenes de los niños son comúnmente utilizadas en las políticas de marketing, a través de clichés publicitarios donde estas imágenes son asociadas con experiencias de libertinaje, sensualidad y goce.

Lo peor sucede cuando organismos y asociaciones de ayuda a la infancia se dejan infiltrar por las políticas del sistema de mercado, aceptando sus patrocinadores para paliar sus déficit presupuestarios, a cambio de publicidades directas o indirectas de productos que a menudo no tienen nada que ver con las necesidades reales de los niños y de sus familias.

A nivel de las familias, cada vez hay más niños prestados o alquilados por sus padres para sesiones de fotografías, desfiles de moda y/o diversos concursos.

Esta situación nos conduce a lanzar un grito de alarma frente al riesgo de la instauración de un proceso de *cosificación comercial del cuerpo del niño*, con la posibilidad, a través de la imagen publicitaria, de caer en una *pedofilización social,* sobre todo en los países ricos de nuestro planeta.

Estos hechos deben ser considerados en un modelo explicativo integral de los abusos sexuales sobre los niños, determinando la responsabilidad de cada nivel en este fenómeno. Como Renders (1990) afirma: «El acto mismo de exhibir niños, de ofrecerlos con complacencia a la mirada del adulto seleccionador, seguido del adulto cliente y finalmente del adulto consumidor, es provocar cierto tipo de relación adulto-niño cuya consecuencia es del todo incontrolable, particularmente en los adultos y niños frágiles. El niño del que se ha abusado sexualmente detrás de los muros de silencio de su casa, por un miembro de su familia o por un adulto ajeno a ésta, puede ser también un niño que la sociedad ha transformado en un niño-muñeca, hija seductora, pequeño príncipe o princesa, niño dócil, siempre listo para complacer a los adultos, que se conforma con sus expectativas y con la realización de sus deseos».

Además, el contexto de injusticia planetaria puede ayudarnos a comprender que la miseria obliga a los niños del Tercer Mundo a tratar de sobrevivir en las calles prostituyéndose, o a que ciertos padres cedan al ofrecimiento de los explotadores locales, alquilando o vendiendo a sus hijos, que serán ofrecidos y sacrificados en los barrios bajos de Manila, Sao Paulo, Bangkok, etc., a los clientes abusadores sexuales internacionales que proceden de los países ricos.

Un periodista belga, J. P. Keinreul (1990), en un artículo dedicado a la prostitución de los niños en el mundo, afirmaba que si pretendemos señalar a los verdaderos culpables de esta violencia insoportable, sería lógico comenzar acusando al Fondo Monetario Internacional.

En la actualidad, se puede hablar de la existencia de una complementariedad trágica entre la vivencia de los hombres de los países ricos, inmersos en una sociedad que les obliga a «ser» a través de la competencia, la dominación y el individualismo, y la miseria de los habitantes de los países pobres, en donde la pobreza y el hambre impulsará a ciertos adultos a prostituir a sus hijos y/o permanecer indiferentes ante este fenómeno, considerándolo como una alternativa desesperada de supervivencia. Entre otros ejemplos, asistimos a una «forma internacional» de explotación sexual de los niños, ilustrada por la proliferación de *sex-tours* organizados por agencias de viaje de los países ricos. Así, cada año decenas de miles de turistas europeos, norteamericanos, australianos, árabes o japoneses, «solucionan» su anomia existencial y su soledad afectiva abusando sexualmente de los niños de los países pobres.

CREENCIAS SOCIALES Y ABUSO SEXUAL

El cambio de la estructura familiar de la familia extensa a la familia nuclear y la separación entre el espacio privado y el público provocado por la modernidad, tiene una doble implicación en el origen de la violencia y el abuso sexual intrafamiliar.

La delegación exclusiva en los padres de ocuparse de regir el desarrollo y la práctica de la sexualidad en la familia obstaculiza la introducción de cambios en familias en las cuales existen creencias y comportamientos sexuales abusivos. Otra consecuencia es el riesgo de la «no injerencia» de los actores del espacio público: profesores, profesionales de la salud, opinión pública, medios de comunicación, etc., en los fenómenos que conciernen a la sexualidad familiar. En efecto, hasta ahora y a pesar de los cambios a ese respecto, son muchos los profesionales que todavía no han asimilado el deber de intervenir en los asuntos ligados a la sexualidad, cuando éstos se ejercen en forma abusiva.

Ciertos profesionales y/o equipos defienden todavía la idea de que la mejor manera de ayudar a un niño víctima de violencia o de abuso sexual intrafamiliar es hacerlo en el «espacio privado» de la relación profesional y/o del sistema institucional al que pertenecen, descartando toda posibilidad de colaborar con el sistema judicial. Otros niegan la existencia y la amplitud de los abusos sexuales, reduciéndolo a casos aislados producidos por «delincuentes» ajenos a la familia. En este último caso, la reacción puede ser diferente porque la agresión tuvo lugar en el espacio público, y por tanto la denuncian más fácilmente los adultos de la familia y la opinión pública, lo que contrasta con el silencio que rodea a menudo a las situaciones de incesto. Desgraciadamente, esta actitud está sobre todo destinada a reclamar justicia, y a menudo venganza, en vez de ofrecer una ayuda terapéutica a la víctima, que es silenciada por la presión provocada por la vergüenza de los adultos de la familia. Esto se expresa en frases como: «Más vale olvidar todo eso», «cuanto menos hablemos de ello, mejor será», «con el tiempo todo se arreglará».

En otras situaciones, los abusos sexuales son calificados como hechos aislados o marginales con respecto a los comportamientos habituales y/o a los problemas prioritarios de la sociedad. Esta minimización de la importancia social del problema hace más difícil la toma de conciencia de su realidad y su amplitud y, por tanto, dificulta también la búsqueda de soluciones efectivas para proteger y/o ayudar a los niños víctimas.

Si bien es cierto que existen adultos fragilizados en su personalidad que al vivir en un contexto socioeconómico multiproblemático abusan de los niños, hay que constatar igualmente que, en la *sociedad adultista* que construimos, siempre han existido creencias religiosas, ideológicas y aun «teorías científicas» para justificar y/o mistificar el abuso de poder de los adultos sobre los niños y los adolescentes. El concepto de sociedad adultista me fue sugerido por un muchacho de nueve años, maltratado en el seno de su familia, que quería crear una sociedad dirigida por niños y niñas, en la cual los adultos ya no tendrían el derecho de hacer sufrir a los niños.

Si buscamos una comprensión integral de los fenómenos del abuso sexual y del incesto, debemos reconocer que ningún tema ha estado tan sometido a los tabúes y mitos como el de la sexualidad en la producción cultural de la humanidad (Foucault, 1977). En lo que concierne a la sexualidad infantil, ciertas teorías psicológicas no han ayudado a formular una visión positiva y liberadora de ella.

El lazo entre las manifestaciones de sufrimiento del niño y la posibilidad de un traumatismo sexual real, fue durante mucho tiempo negado por psiquiatras y psicólogos. La influencia de la corriente psicoanalítica hizo que muchos de ellos relegaran fácilmente al estatus de fantasía las revelaciones de abuso sexual de pacientes adultos y/o de niños. Son numerosos todavía los profesionales de la infancia que continúan teniendo una representación de la sexualidad del niño como la que proviene de un «niño perverso polimorfo» y hacen más hincapié en los casos de denuncia de abuso en la imaginación sexualizada del niño que en las posibilidades reales de que éste haya sido agredido.

Ciertos profesionales, a partir de una lectura retrógrada de los conceptos psicoanalíticos, siguen defendiendo la teoría edípica atribuyendo a los niños la existencia de pulsiones sexuales dirigidas al padre del sexo opuesto y de pulsiones agresivas hacia el padre del mismo sexo. Freud (1913) fue uno de los primeros en reconocer la existencia y frecuencia de los abusos sexuales, pero, forzado por la presión social de su época, terminó por defender la idea de que en la mayoría de los casos se trataba de fantasías infantiles. Postuló, entonces, su creencia en la existencia en los niños, desde la edad preescolar, de deseos sexuales orientados hacia el padre del sexo opuesto (Thomas, 1986).

Se puede hablar aquí de la «construcción» de una teoría psicológica de la infancia partiendo de una interpretación singular de un relato mítico hecha por alguien que alcanzó una posición de poder (Foucault, 1977). Esta lectura de la leyenda de Edipo ha calado en la imaginación social, pasando a ser un modelo explicativo de ciertos comportamientos de los niños, al confirmar por *redundancia* la existencia de la teoría. La consecuencia menos grave de esto es la desconfianza que ciertos padres tienen con sus hijas y ciertas madres con sus hijos, imaginándose sus estrategias de seducción hacia ellos.

En los casos de padres más disfuncionales, esta teoría les puede servir de justificación a sentimientos violentos de carácter proyectivo, atribuyendo intenciones parricidas o incestuosas a sus hijos. Además, esta lectura «edípica» caricaturesca puede servir de justificación a la desconfianza y a la pasividad de ciertos magistrados, médicos, psicólogos, policías, etc., que difícilmente creen en la palabra del niño que revela un abuso sexual.

Afortunadamente otros autores adoptaron posiciones diferentes, así Ferenczi (1982) fue uno de los primeros psicoanalistas que oponiéndose a Freud insistió sobre el carácter real y profundamente traumático de las experiencias sexuales entre adultos y niños. Felix López (1984, 1990, 1991) profesor de psicología en la Universidad de Salamanca, propone una interpretación alternativa del complejo de Edipo, considerándolo más como un deseo del niño de participar en la intimidad de los padres que como un deseo explícitamente sexual. Para este autor, esta necesidad de intimidad con los padres no es para el niño necesaria ni principalmente sexual.

La influencia de la televisión y los programas de educación sexual pueden ser también utilizados para descalificar el testimonio de niños abusados. Por ejemplo en un caso de un niño de seis años que había sufrido abusos de su tío, los peritos de la defensa descalificaron las revelaciones del niño atribuyéndolas a un fenómeno de sugestión provocado por la visión de éste de un reportaje televisado sobre las consecuencias de los abusos sexuales. Lo que los peritos de este caso ignoraron es que precisamente lo que ayuda a ciertos niños a revelar el abuso es el hecho de comprender lo que les está pasando a partir de la confrontación con testimonios o situaciones que nombren el abuso sexual en tanto tal.

Todas las creencias descritas nutren los discursos de los abusadores y sobre todo los de los pedófilos, que se autojustifican, atribuyendo la responsabilidad de sus actos a la víctima.

Otro riesgo ligado a los factores culturales es el de la representación de «un niño puro e inocente» que debe ser protegido del tema sexual al mismo tiempo que se le vigila sin explicaciones para protegerle de sus instintos sexuales, transformando la sexualidad en tema tabú. Este modelo cultural quita a los niños la posibilidad de conocer y aceptar su sexualidad como una característica humana. Esta falta de información les impide también protegerse de los riesgos de agresiones sexuales de adultos abusivos.

En ciertos países desarrollados, tales como Estados Unidos, se ha despertado un gran interés por lo que algunos autores llaman «el síndrome de la falsa memoria», que se basa en los modelos tomados de la psicología cognitiva y de las investigaciones sobre la estructuración de la memoria (Van Gijseghem, H., *La personalité de l'abuseur sexuel*, Quebec, Meridien, 1988). Este hecho minimiza la dimensión y la realidad de la existencia de los abusos sexuales, volviéndose a reactivar así la vieja teoría de la fabulación y de la fantasía para acusar a las víctimas y mantener la impunidad de los adultos en el espacio privado de la familia.

Otro fenómeno al respecto, es lo que se conoce como «falsas alegaciones» de abuso sexual, en situaciones ligadas a casos de divorcio, custodia de los niños, derechos de visita, etc. Algunos adultos manipulan a sus hijos haciéndolos actuar en esta acusación última, que es de lejos la más eficaz para arreglar cuentas con el cónyuge en conflicto. Sin embargo, ciertos autores acusan a los niños implicados en estas manipulaciones de ser los responsables; así, Emans (1988) afirma que «cientos de miles de individuos son, cada año, acusados falsamente de abuso sexual por los niños». Los resultados de las investigaciones sobre la autenticidad de esas alegaciones de abuso sexual, en los casos de divorcio litigioso, varían según lo que el autor del artículo desea probar. Esas cifras oscilan entre un porcentaje del 71 % (Wakefield y Underwager, 1988, citados por Van Gijseghem, 1992) a un 30 %, citado por otros investigadores, de falsas alegaciones. Lo importante es que en todas estas situaciones litigiosas, los niños reciben abusos, ya sea sexualmente o a nivel psicológico o relacional. En todos los casos hay una situación de maltrato grave a un niño que necesita protección.

-     Sin negar la existencia del fenómeno, el gran despliegue de investigaciones destinadas a encontrar métodos para descubrir, a través del análisis del contenido de relatos de los niños, las «falsas alegaciones», es una nueva demostración de la desconfianza de nuestro mundo adultista hacia las capacidades del niño de decir la verdad. Sería más provechoso para los niños que estos investigadores elaborasen modelos e instrumentos que permitieran descubrir los juegos relacionales perversos de los padres en los casos de divorcio o de separación, informando a los niños de este peligro. Igualmente importante podría ser elaborar los instrumentos que permitieran detectar si el padre o la madre dicen la verdad. Someter al niño a múltiples entrevistas para dilucidar una «falsa alegación» es agravar su situación, ya suficientemente difícil por la separación de sus padres.

LA REPRESENTACIÓN SOCIAL DE LOS ABUSADORES

El mito respecto a que los abusos sexuales de niños son causados exclusivamente por individuos enfermos, perturbados, sádicos, en fin, anormales, representados como criminales desconocidos de la familia y de los niños, está todavía demasiado esparcido en nuestra sociedad. Estos mitos son a menudo reforzados por el carácter sensacionalista de los medios de comunicación. Sin embargo, la experiencia clínica y diversas investigaciones muestran que los autores de abusos sexuales son, en más de un 80 % de los casos, adultos conocidos por el niño y muchas veces miembros de su familia. Esta realidad explica quizás la dificultad de obtener de los padres la autorización para que sus hijos participen en programas de prevención. Si bien es fácil aceptar que se le explique a un niño que debe desconfiar de personas extrañas, lo es menos cuando lo que se le explica es que debe estar atento y ser crítico hacia el mundo adulto en general y los miembros de su familia en particular.

Otro mito generalizado en la cultura dominante es que el incesto es propio de las familias social y económicamente desfavorecidas. Sin embargo la práctica clínica muestra que esto no se corresponde con la realidad. Lo que sí es real es una mayor detección en estas capas sociales que se explica por el control exacerbado ejercido sobre los más pobres. Esas creencias, *a priori* desvalorizantes, pueden conducir a errores de diagnósticos con una traumatización iatrogénica de las familias. Éste fue el caso de una menor a la que atendimos:

> Se trata de una niña de ocho años, cuya familia procede de un barrio pobre de Bruselas. A causa de una amigdalitis sus padres llamaron a un médico que la atendió en su domicilio. El padrastro insistió en estar presente durante el examen de la niña, con lo que el médico no estuvo de acuerdo. Éste creyó que el padrastro quería imponerse porque necesitaba controlar lo que decía la niña. El médico decide, entonces, enviar a la niña al hospital dando como excusa a los padres la necesidad de realizar algunos exámenes. Los padres lo acatan y el padrastro conduce a la niña al hospital. Mientras tanto, el médico llama por teléfono a la guardia de pediatría previniendo la situación y la posibilidad de una relación incestuosa entre el padrastro y la niña. El pediatra que recibe a la menor tiene ya un prejuicio contra el padrastro y trata de impedir que éste asista al examen. El padrastro, que había criado a esta niña como suya se siente ofendido, e insiste en quedarse a su lado. El pediatra se ve obligado a examinarla delante de él, pero influido por las sospechas de abuso sexual del médico que la envió, propone un examen ginecológico

de la niña. El padrastro no comprende la necesidad de tal examen, puesto que su hija tiene una amigdalitis, y se opone. Como consecuencia de esta actitud, el pediatra se convence cada vez más de que está delante de un abusador.

El pediatra hospitaliza a la niña, pide un examen ginecológico y prohíbe toda visita al padrastro, quien se opone agresivamente a la medida, lo que confirma los prejuicios del cuerpo médico. Finalmente se alerta a un juez de menores que decide el internamiento de la niña en un centro de acogida y la derivación de la familia para tratamiento en nuestro programa.

Es probable que el manejo de esta situación hubiera sido totalmente diferente si la niña y su familia hubieran pertenecido a una clase socialmente favorecida. Por otra parte nuestra práctica clínica nos ha mostrado que los niños de estas familias más pudientes no se libran de sufrir abusos sexuales, pero el secreto está mejor guardado y el adulto que abusa está más protegido por la representación social «idealizada» que se tiene de los miembros de su clase social.

El rol de la ideología patriarcal

Numerosos profesionales, sobre todo mujeres, que participan en programas de apoyo terapéutico a víctimas de violación, insisten sobre el rol fundamental que juega la ideología patriarcal en la génesis del abuso sexual. En esta ideología los hombres están investidos de un poder casi absoluto sobre la mujer y los niños en la sociedad y sobre todo en la familia. Implícitamente, hasta sus cuerpos les pertenecen (Collectif Viol-Secours, 1991). La concepción patriarcal de la familia juega un rol fundamental en el aprendizaje de la obediencia y la sumisión a la autoridad del hombre. Desde muy temprana edad, los niños están habituados a considerar la sumisión de los niños y de la mujer al hombre como normal. El poder de los hombres es algo incuestionable porque en la cultura dominante es a ellos a quienes se atribuye la fuerza, la autoridad, la protección y la competencia. Las concepciones patriarcales se traducen en el hecho clínico de que la mayoría de los abusadores de niños son hombres, casi todos convencidos profundamente de sus derechos sobre los miembros de su familia. La víctima, la mayoría de las veces una niña, socializada en esta misma ideología, difícilmente puede rebelarse y/o denunciar los gestos del abusador.

La cultura pornográfica

Este análisis no sería completo sin denunciar la existencia del comercio de la pornografía, que inunda cada vez más nuestro sistema social, y que es un fenómeno ligado a los principios económicos dominantes en donde «todo se compra» y «todo se vende». La difusión de imágenes y mensajes pornográficos ha alcanzado una amplitud inimaginable en estos últimos años, y sobre todo hoy los vídeos son accesibles a todo el mundo. El comercio de la pornografía con imágenes de niños y adolescentes ha tomado proporciones difícilmente controlables por las autoridades; este comercio alimenta no sólo las redes pedofílicas, sino que además sirve igualmente de modelo a adolescentes que buscan, a través de las relaciones sexualmente abusivas con los niños, escapes a su situación de marginación y de anomia social.

Algunos casos de adolescentes atendidos en nuestro programa por agresiones que habían cometido sobre niños pequeños de sus familias nos permitieron determinar que el abuso se había producido por la influencia de este tipo de material pornográfico. Otros colegas que trabajan en los suburbios franceses ya nos habían comunicado casos de grupos de adolescentes que, después de visionar vídeos pornográficos en los sótanos de sus edificios consumiendo alcohol y drogas, raptaban a niñas y niños abusando de ellos a través de la puesta en práctica de las escenas observadas.

La descripción de este conjunto de factores socioeconómicos y socioculturales tiene como propósito denunciar ciertas situaciones abusivas que, presentes a nivel de la sociedad, predisponen a los abusos sexuales. Según nuestra visión sistémica, los abusos sexuales intrafamiliares, e incluso la actuación de ciertos abusadores extrafamiliares, pueden ser considerados como un «condensado» de los elementos abusivos y las tendencias pedofílicas existentes en el conjunto de la sociedad.

Los mecanismos familiares de evitación del incesto

Para una familia, la regulación de la pulsión sexual y la estructuración de las interacciones sexualizadas son tareas fundamentales para asegurar su preservación. A este respecto, uno de nuestros objetivos teóricos ha sido elaborar un modelo explicativo de los mecanismos de evitación del contacto sexual entre adultos y niños, principalmente dentro de la familia.

Así, la observación naturalista de las reacciones de una persona al saber que un padre ha abusado de su hija o que un adulto ha abusado sexualmente de niños, nos permitió distinguir que éstas podían ser, en algunos casos más «viscerales o emotivas» y en otros casos más «racionales». En el primer caso, esto se traduce por una reacción de asco y de profundo rechazo emocional por el acto y la idea del acto. En el segundo caso, la reacción es más «cognitiva y racional», y se traduce en frases como «eso está prohibido», «eso no se hace» o «es una transgresión a un tabú fundamental».

A otro nivel, las respuestas de hombres abusadores en el momento de ser descubiertos y confrontados al porqué de sus actos, nos permitió distinguir cuatro tipos de reacciones.

Un primer grupo reaccionó como si estuvieran privados de todo sentimiento de «asco» y/o de arrepentimiento frente a sus actos. Abusaron de los niños sin ningún remordimiento y sin freno emocional. Su cuerpo no les ayudó a frenar ni la idea, ni el acto sexual con niños. Estos hombres, emocionalmente insensibles a su transgresión, abusaron de los niños sin vergüenza.

Un segundo grupo está compuesto por individuos que aparentemente sintieron asco y remordimientos por lo que hacían, pero algo más fuerte los llevó a pasar al acto:

> Durante todo el tiempo que le hice eso a mi hija, decía el señor L., tenía vergüenza, me daba repulsión. Cada vez me prometía que dejaría de hacerlo, pero era algo más fuerte que yo... En cierta manera estoy contento de que mi hija haya hablado; a pesar de mi arresto, me siento aliviado.

Estos hombres abusan de sus hijos para «solucionar» conflictos psíquicos y/o compensar frustraciones relacionales con otros adultos, por ejemplo problemas de pareja. Pero, como veremos a continuación, frecuentemente estos hombres conocieron en su infancia experiencias «de secularización traumática» por parte de un adulto que pudo haberles dejado el recuerdo de una experiencia gratificante y tranquilizadora.

El tercer grupo está compuesto por sujetos que fueron socializados en contextos donde la prohibición de relaciones sexuales con los niños y con los hijos no estuvo formulada explícitamente. Peor aún, algunos de ellos crecieron en una cultura familiar que permitía y hasta fomentaba este tipo de relaciones. A pesar del eventual malestar que podían sentir en el momento de la transgresión, sus representaciones les permitían hacer lo que hicieron. Esto se refleja en el comentario siguiente:

> ¿Qué quiere que le diga? —explica un abuelo que había abusado de sus dos hijas y que ahora había abusado de sus nietas de diez y de ocho años—. En mi familia siempre fue así. Nadie me ha dado un buen ejemplo; mi padre y el padre de mi padre hicieron lo mismo.

Un último grupo corresponde a aquellos abusadores que no sólo no sienten empatía con el sufrimiento de sus víctimas, sino que además tienen un sistema de creencias que les permite justificar sus actos como comportamientos naturales, e incluso, positivos para sus hijos. Esto se expresa por reacciones de algunos de estos sujetos que, convencidos y con gran seguridad, nos acusan de inmiscuirnos en sus asuntos privados, de «ensuciarles una bella historia de amor con su hija» y sobre todo de molestarles cuando existen tantos hombres que golpean realmente a sus hijos, dado que ellos no han sido nunca «violentos con sus hijas».

En la historia de la humanidad, ningún fenómeno ha suscitado más teorías que la sexualidad. Michel Foucault ha presentado de manera muy documentada la evolución histórica de cómo el tema de la sexualidad ha sido abordado en la humanidad (1977).

Desde la perspectiva de nuestra investigación, las teorías que hemos adoptado son aquellas que integran la sexualidad como parte de las capacidades sociales y altruistas del ser humano. Altruistas en el sentido biológico, es decir, la capacidad de asegurar y proteger la vida de aquellos a quienes se está vinculado emocionalmente por el amor.

En esta perspectiva, la prohibición del incesto y de las relaciones sexuales de adultos con niños constituye una regla fundamental para proteger a los más pequeños del abuso del poder sexual de los adultos, asegurando la supervivencia del grupo y de la especie.

El hecho de saber si esta regla es de origen natural o cultural ha alimentado la polémica entre numerosos autores. Lévi-Strauss (1967) indica que en este caso el límite entre lo natural y lo social es muy difícil de establecer y que esta prohibición como regla sería de origen social, pero puede suponerse la existencia de un componente «presocial» que sería natural. Este autor defiende la idea de que la prohibición del incesto es la regla fundamental que marca el paso de la naturaleza a la cultura.

En nuestra práctica clínica de inspiración sistémica, nos hemos interesado por encontrar los puntos de articulación entre los factores biológicos de la prohibición del incesto y los factores sociales y culturales.

Así, distinguiremos entre los individuos que abusan porque no poseen «una emoción» que les frena la excitación sexual provocada por el cuerpo de un niño, de aquellos abusadores que lo hacen porque no asimilaron la ley social que lo prohíbe o el tabú cultural del incesto.

Esta distinción, inspirada entre otros por los escritos de Boris Cyrulnik, neuropsiquiatra francés fundador del movimiento francés de etología animal y humana (Cyrulnik, 1989, 1991, 1993, 1994), nos permitió abrir nuestro campo de reflexión clínica enriqueciéndolo con estos conocimientos etológicos. La resonancia entre nuestras observaciones y estas nuevas ideas nos ha permitido organizar nuestros estudios en un modelo causal de los abusos sexuales producidos en las familias.

Un primer grupo de causas son las ligadas a trastornos del proceso biológico de «impregnación», que provocan a su vez trastornos fundamentales en la experiencia biológica de la familiaridad.

El segundo grupo corresponde a trastornos de la integración de la ley —el tabú del incesto— como consecuencia de una alteración del proceso de socialización.

Los mecanismos biológicos de evitación del incesto

La explicación etológica de la prohibición del incesto fue enunciada particularmente por Bischof, teniendo en cuenta las observaciones de los animales en la naturaleza (Bischof, 1973), y fue retomada por Boris Cyrulnik (1993) que la aplicó a la condición humana.

Sea entre los mamíferos que forman grupos anónimos donde el encuentro entre macho y hembra se da al azar, o entre los animales que viven en pequeños grupos donde los miembros se reconocen individualmente, los etólogos han remarcado que la exogamia se produce frecuentemente. La observación etológica nos enseña que los animales, unidos por un proceso de impregnación, inhiben en el transcurso de su desarrollo los comportamientos sexualizados hacia sus congéneres más próximos, orientándolos a aquellos más distantes. Eso significa que en ciertas especies animales que viven en su medio natural existe un conjunto de fuerzas biológicas, emotivas, comportamentales y «socioetológicas» que inhiben los comportamientos sexuales entre padres e hijos, orientándolos hacia sujetos externos al sistema. Por lo tanto, en los animales, especialmente en los mamíferos sociales, los contactos sexuales entre «adultos» y «niños» unidos por lazos familiares —que en el mundo humano calificamos de abuso sexual incestuoso— no se producen.

Esto es posible gracias a la existencia de varios mecanismos. Uno de los más extendidos es el cambio de los objetos de apego en el momento en que las crías alcanzan la madurez sexual. Los extraños de la misma especie, de los cuales el animal tenía miedo y se alejaba cuando era pequeño, se convierten en objetos de exploración y atracción sexual, lo que conlleva la constitución de nuevos grupos, haciendo menos probables los encuentros incestuosos.

En relación con la existencia de estos mecanismos biológicos, Konrad Lorenz (1936) relata su observación del hecho de que un ganso que vivía en el jardín de su casa rechazaba acoplarse con su madre. Este mismo autor publica en 1990 un artículo sobre la domesticación, en el cual señala «la aversión de hermanos y hermanas para acoplarse sexualmente».

En este mismo sentido, la observación a distancia a través de prismáticos de gran potencia durante decenas de años de 500 monos rhésus instalados en la pequeña isla de Cayo Santiago, cerca de Puerto Rico, a partir de 1938, aporta información interesante. En 1970, la publicación de estas observaciones mostró que solamente el 1 % de todos los actos sexuales entre animales fueron entre la madre y el hijo. Esto confirma la hipótesis de la existencia de frenos comportamentales al acto sexual entre animales vinculados por el apego (H. E. Fischer, obra citada en Cyrulnik, 1994). En su investigación, Jane Goodall (1961), que vivió entre un grupo de chimpancés, observó que «los hijos evitan a sus madres y manifiestan signos corporales de angustia cuando ella está en celo», lo que le lleva también a concluir que estos animales, observados en su medio natural, evitan los actos sexuales cuando están vinculados por interacciones «familiares».

Otras observaciones etológicas apuntan en la misma dirección. Así, un pequeño macaco presenta comportamientos de retirada cuando su madre está en celo, una pequeña hembra criada por un macho lo evita y lo amenaza cuando está en celo. Los hermanos y hermanas tienen más tendencia a pelearse que a aparearse, aunque hayan tenido juegos sexuales en edades prepuberales. Los pequeños monos machos separados de su madre biológica y criados por una tía, evitan el acto sexual con la hembra que los ha criado y pueden aparearse con su madre, a quien no identifican como tal. Sin «impregnación» no hay familiaridad, y sin ésta no hay freno sexual.

Otro mecanismo observado en mamíferos machos es que en el momento de su madurez sexual se aíslan y no soportan la proximidad de sus pares. En el momento de la reproducción, si existen apareamientos incestuosos, son consecuencia de accidentes.

El rapto de la pareja sexual en un grupo diferente al de la familia, que ha sido observado en los babuinos sagrados, por ejemplo, es otro de los mecanismos constatados. Por último, en algunas especies existen comportamientos sociales a través de los cuales los adultos que pertenecen al grupo familiar expulsan del grupo a los individuos más jóvenes, generalmente a aquellos de su mismo sexo. De esta manera, los obligan a dejar la familia, disminuyendo la posibilidad de contactos incestuosos en su seno.

Todas estas informaciones nos llevan a aceptar la idea de que los animales que viven en sus ecologías naturales cuentan con uno o varios mecanismos biosociales que impiden el acto sexual entre animales vinculados por el apego.

Esto nos hace postular que también en la familia humana existe un freno etológico a las relaciones sexuales entre adultos y niños, así como entre hermanos, aun antes de que la ley de prohibición sea verbalizada. El tabú del incesto se apoya en una estructura afectiva con emociones que se expresan en comportamientos de inhibición de la sexualidad entre los miembros familiares. Postulamos también que, en una familia relativamente sana, los hijos desarrollan tempranamente mecanismos de evitación del sentimiento incestuoso, contrariamente a las teorías que atribuyen a los niños pulsiones incestuosas espontáneas hacia sus padres.

Las reacciones y respuestas de niños entre tres y doce años a las preguntas: ¿desde cuándo sabes o comprendiste que no se puede hacer el amor, casarse o tener bebés con tu mamá o tu papá, así como tampoco con tu hermano o hermana? y ¿cómo lo supiste?, que introduzco sistemáticamente en algún momento del proceso de una terapia familiar, me han permitido afianzarme en esta creencia.

La mayoría de los niños me han respondido con un aire asombrado o condescendiente. «Lo hemos sabido desde siempre», aun cuando en algunos casos los padres afirman no haber abordado nunca explícitamente el tema. Estas respuestas son una manifestación del buen funcionamiento de los mecanismos biológicos que crean los frenos emocionales ante el incesto. Por otra parte, el diálogo que se establece con los miembros de la familia en torno al contenido de las respuestas a nuestras preguntas, nos permite reforzar la importancia del tabú del incesto y algunas veces enunciarlo por primera vez. Estas intervenciones nos parecen fundamentalmente preventivas.

Pero este procedimiento nos ha permitido de vez en cuando recoger otro tipo de respuestas; por ejemplo, la de un niño de cinco años, en terapia por un problema de enuresis, que comenzó a llorar sin poder responder a mi pregunta. A la sesión siguiente, la madre nos dijo que su hijo le manifestó que sentía un profundo enojo hacia los terapeutas y que, en una conversación, éste le contó su intención de querer casarse con ella. La historia vital de este niño nos proporcionó información interesante para dar un sentido a su discurso. Este niño vivió solo con su madre desde que tenía dieciocho meses y a ella la abandonó su marido. Como consecuencia de este abandono, la madre había compensado sus sentimientos de fracaso como mujer invistiendo a su único hijo de una doble función: ser su hijo, pero además llenar el vacío emocional que su marido le había dejado. El hijo había descifrado los mensajes unidos a este contexto, creyendo que su rol era reemplazar a su padre.

Asistimos aquí a un trastorno secundario del apego, como consecuencia de una «intoxicación maternante» que, contaminando los lazos de familiaridad, condujo a una confusión de roles. La madre creó sin querer un «ambiente incestuoso» que impidió que los mecanismos biológicos de «repulsión sexual hacia el cuerpo de su madre» se instalaran en el niño. Por otro lado, el sufrimiento provocado por el abandono de su marido impedía a esta mujer poner en juego los mecanismos comunicacionales para excluir la sexualidad de la relación entre madre e hijo.

En otro caso, un grupo de niños compuesto por tres hermanas y un hermano respondieron a la pregunta con cierto malestar, mostrando vergüenza y una cierta culpabilidad: «No lo sabíamos».

Esta familia había consultado por problemas de comportamiento de una de las hijas. Rápidamente constatamos que se trataba de un sistema familiar que tenía poco contacto con el exterior y en el que había muy poco diálogo entre adultos y niños. Esta ausencia de diálogo estaba acompañada por una falta de manifestaciones de cariño y una tensión conyugal evidente. El trabajo familiar nos permitió descubrir los juegos sexuales entre los hijos, a quienes nadie de la familia les había explicado la existencia del impedimento de relaciones sexuales entre hermanos y hermanas. El malestar que cada uno experimentaba fue para nosotros la demostración de que los mecanismos biológicos que provocan el «asco» en las relaciones sexuales entre hermanos, ligados a la familiaridad, estaban presentes, pero lo que había faltado en esta familia era el enunciado verbal de la prohibición por parte de los padres.

El trabajo familiar en torno a la pregunta permitió a los niños asimilar la prohibición y evitar ir más lejos en la dinámica incestuosa. Además, pudimos ayudar a los padres a descubrir el valor de la ternura y del diálogo en la relación con sus hijos. Estas experiencias estaban excluidas dada la historia familiar dolorosa y difícil de ambos padres. La madre había sido víctima del abuso sexual de un hermano mayor y había «decidido» borrar de su mundo comunicacional toda experiencia que pudiera tener relación con el sexo. El padre había crecido en una familia fanáticamente religiosa, sin ningún acceso a una educación sexual sana que lo hubiera podido liberar de la creencia de que «todo lo relacionado con el sexo era maléfico». Durante la terapia familiar, los problemas de comportamiento de la hija desaparecieron.

La inhibición o el rechazo de contactos sexuales entre adolescentes que crecieron juntos cuidados por una misma figura materna, es otra manera de ilustrar los efectos del apego y de la familiaridad como freno a la atracción sexual. Bruno Bettelheim (1971), al publicar el resultado de sus observaciones de niños judíos educados juntos en los *kibbutz*, señaló que éstos sólo se casaron entre ellos en una proporción del 3 %. Hacia la edad de doce años, estos mismos niños exigían una separación de duchas y dormitorios. Esto sucedió a pesar de pertenecer a familias diferentes. Este autor explica este fenómeno por el hecho de que estos niños fueron criados juntos por una misma madre sustituta, lo que creó un ambiente de familiaridad que disminuyó la atracción sexual entre ellos.

El resultado de estas observaciones no debe hacerse extensivo a otras situaciones, ya que la práctica institucional nos muestra que la vida en instituciones de acogida no frena necesariamente la atracción sexual entre los niños. Al contrario, en muchos casos la situación institucional, que implica una ruptura brutal con la ecología natural del niño, favorece la emergencia de comportamientos de agresión sexual de niños mayores sobre los más pequeños.

Una información etológica interesante al respecto es la constatada entre animales domésticos o encerrados en zoológicos, en donde la posibilidad de prácticas sexuales entre miembros unidos por vínculos de familiaridad es mayor que en el medio natural. Este tipo de contextos favorece el debilitamiento de los mecanismos naturales.

Como enunciábamos anteriormente, el segundo mecanismo que protege a los niños del abuso es la integración en la familia de la ley o tabú fundamental que prohíbe el incesto y los abusos sexuales a través de la palabra. La palabra es uno de los instrumentos que singulariza la condición humana. Según Maturana (1990), la palabra hizo su aparición en la historia evolutiva de los seres vivos como resultado de procesos relacionales donde la emoción fundamental fue la sensualidad del amor. El lenguaje hablado y escrito paso así a ser un «vínculo relacional» que permite, a cada miembro de un grupo humano, representarse como parte del grupo sintiéndose cuidado y al mismo tiempo cuidador de los miembros de éste.

Las normas y leyes que regulan los intercambios en los sistemas humanos y particularmente en la familia, son el resultado de esta singularidad del lenguaje humano. Una de las finalidades fundamentales de este lenguaje es la producción y el enunciado de las leyes destinadas a proteger los derechos y las necesidades de los miembros de una familia. Por lo tanto, el enunciado del tabú del incesto en una familia es la prolongación a nivel semántico de la necesidad etológica de preservación de la vida y de la especie. En esta misma perspectiva se explica la prohibición de matar.

El enunciado del tabú del incesto es la prolongación de la experiencia etológica ya descrita que debió emerger en las familias primitivas como una de las leyes fundamentales, destinada a proteger a los pequeños del riesgo de abuso sexual por parte de los adultos, y, por otra parte, facilitar dinámicas exogámicas. Su finalidad es contribuir a la diferenciación e individuación de los niños en sus familias de origen, así como al cruce de linajes diferentes, que gracias al mestizaje mejoran las capacidades adaptativas. En esta perspectiva, la prohibición de «agredir sexualmente» a los niños es una traducción en la lengua humana de «la capacidad animal» de cuidar y proteger a las crías.

La clínica de los abusos sexuales: los trastornos del apego y la «intoxicación ideológica»

Todo aquello que impida o altere los procesos del apego familiar y la familiaridad puede favorecer un abuso sexual incestuoso. Esta alteración puede tener sus raíces en cualquier nivel de la fenomenología familiar, desde el nivel orgánico hasta el cultural, tanto en el cuerpo de la madre o en el del padre, como en el mito familiar.

Los trastornos del apego que favorecen la emergencia del abuso sexual intrafamiliar se deben tanto a interferencias relacionales precoces como a la existencia de vínculos simbióticos del adulto con el niño. En la primera situación, la historia relacional afectiva adulto-niño puede haber sido afectada por separaciones precoces, duraderas o repetitivas. En el segundo caso, una fusión afectiva entre los padres y sus hijos, en donde la distancia relacional está abolida, dificulta el proceso de diferenciación e individuación del niño con el riesgo de que sufra abusos. El freno biológico de la atracción sexual entre padres e hijos y entre los hermanos no funciona porque la vida familiar transcurre como si «mi cuerpo es tu cuerpo» o «tu cuerpo es mi cuerpo».

Estos trastornos relacionales existen, por ejemplo, en casos de psicosis de la madre, separaciones tempranas de los niños a causa del alcoholismo o la toxicomanía de uno de los padres con visitas esporádicas a la familia, etc., o a causa de un secreto familiar, como en el ejemplo siguiente:

> En la familia H., la señora L. tuvo su primera hija a los diecinueve años, de un hombre con el que nunca vivió. La niña fue ingresada a los seis meses en una institución donde vivió hasta la edad de ocho años. Cuando tenía 6 años, su madre conoció al señor P., con el que formó una pareja; de esta unión nacieron dos varones. Esta madre creyó haber constituido con el señor P. la familia con la que ella siempre soñó, dando una imagen de equilibrio y estabilidad, lo que le permitió lograr que los servicios de protección le devolvieran a su hija. Algunos años más tarde, la niña contó a una amiguita de su escuela que ella y su papá —el señor P.— se besaban en la boca y que hacían el amor.
>
> Hasta el momento de nuestra intervención, el señor P. había sido un padre «ejemplar» para esta niña, hasta el punto de que era él quien se ocupaba de los cuidados corporales de la pequeña. Su madre en cambio tenía una relación distante y poco afectuosa con su hija. La niña no sabía que este hombre que se comportaba como si fuera su padre no lo era realmente. El trastorno del apego madre-hija, así como la relación fusional padre-hija, facilitada entre otros factores por el secreto, fueron factores determinantes para que fracasara el freno emocional del incesto en esta familia.

Por otra parte, el abuso sexual puede ser también la consecuencia de un trastorno en la integración del tabú del incesto y de las normas sociales que prohíben el contacto sexual entre adultos y niños.

Toda familia sana integra a través de mensajes analógicos y digitales la ley universal de prohibición del incesto. El desafío para cada familia es determinar los límites de esta prohibición. La palabra «incesto» señala de una manera vaga los contactos sexuales entre parientes. Una niñita puede sentarse en las rodillas de su padre sin ningún problema, pero en un determinado momento, por ejemplo alrededor de los diez u once años, puede sentirse avergonzada si su padre la invita a hacer lo mismo. A esta edad, este gesto cambia de sentido porque ella le puede haber dado una connotación sexual. A otro nivel, los cambios de costumbres ligados a la modernidad han producido cambios en la actitud frente a la desnudez. En consecuencia, ahora muchos padres y madres se desnudan frente a sus hijos y se bañan juntos. Esto no quiere decir que las familias modernas sean más incestuosas, solamente quiere decir que las actitudes en relación con el cuerpo y la sexualidad han cambiado.

Siguiendo estos cambios, la familia ha evolucionado tanto en su representación cultural como en su estructura. Una ilustración de esto es la monoparentalidad. Pero a pesar de estos cambios debe asegurar una calidad de vida para todos los miembros, garantizando la protección de los más débiles, sobre todo la existencia y el respeto de las normas y la ley.

La existencia de una «cosificación sexual» de los niños es lo que distingue a una familia abusiva de una familia sana. Esta «cosificación» puede ser el resultado de modelos de socialización que impiden la formulación y/o la integración de la ley porque el agresor no tiene conciencia de transgredirla, ya sea porque no la «conoce», o porque está inmerso en creencias y/o mitos familiares que lo ubican fuera del tabú universal y que lo autorizan a hacer lo que hace. Éste es el caso del padre del ejemplo siguiente:

> Un padre que se bañaba con su hijita de tres años y que fue sorprendido por su esposa masturbándose delante de ella, decía en el transcurso de la primera entrevista: «No me gusta que me llame abusador, porque yo no he tocado a mi hija». A lo que respondí: «Para mí usted es un abusador porque su pene en erección ha hablado por usted. Su gesto es asqueroso, pero sin duda algo está fallando en usted, algo que le ha impedido sentir el mismo asco que yo siento ahora cuando me imagino sus gestos».
>
> Un largo trabajo terapéutico permitió a este hombre, hijo único que creció solo con su madre, unidos por una gran proximidad fusional, descubrir que nadie en su vida le había planteado la prohibición del incesto. El silencio en torno a lo sexual era la regla en la relación con su madre. Aun cuando el tabú del incesto pudo ser enunciado en su entorno social (escuela, amigos, etc.), el peso del silencio familiar había impregnado las emociones de este individuo, impidiéndole asimilar esta regla. En el transcurso de su terapia, este hombre pudo recordar, además, momentos de excitación sexual, a diferentes edades, vinculados con contactos físicos con su madre. Durmió con ella desde siempre y

ella lo lavaba y lo bañaba hasta los diecisiete años, muchas veces a pesar de una erección evidente. Él no tenía en ese momento palabras ni para nombrar lo que le ocurría, ni para frenar su excitación sexual.

Otro ejemplo ilustra una falla similar en el enunciado de la ley:

Una niña de seis años contó a una amiguita suya que su papá «le hacía el amor». Ésta lo contó a sus padres, quienes previnieron al colegio. El psicólogo del colegio entrevistó a la niña, quien afirmó que: «Mi papá me besa en la boca, me acaricia todo el cuerpo, me muestra su gran "pipí", toca mi "cosita", y me mete su lengua entre mis piernas...».

Esta familia formada por la madre, embarazada de cinco meses, la niña, hija única, muy consentida por la familia y el padre, fueron derivados a nuestro programa. El padre reconoce lo que su hija contó, pero para él lo que había entre su hija y él no tenía nada de sexual. «A mi hija la quiero más que a nada en el mundo, y soy capaz de hacer lo que ella me pida; a ella le gusta jugar conmigo y que la acaricie...» Este hombre decía la verdad, él quería profundamente a su hija, pero algo le impedía frenar su excitación sexual desencadenada por el contacto corporal con ella. Como prueba del amor que sentía por su hija, aceptó todas nuestras exigencias para comenzar el tratamiento. Abandonó el domicilio familiar y comenzó a asistir regularmente a las sesiones de terapia que le propusimos. Al inicio este hombre no tenía una representación muy desarrollada de su responsabilidad por los contactos sexuales con su hija, ni el sentimiento ni la conciencia de haber transgredido la ley. En su historia de socialización encontramos los elementos que nos ayudaron a darle sentido a la contradicción entre sus sentimientos de amor por su hija y el hecho de que para nosotros, observadores externos, él había abusado sexualmente de ella.

La madre de este hombre era prostituta y él nunca había conocido a su padre. Siempre supuso que debía ser uno de los clientes de su madre. Sus recuerdos de infancia estaban divididos, entre imágenes de momentos pasados con su madre y sus «colegas», donde él era mimado, con otros momentos en la escuela con otros niños. Los gestos de las mujeres de su entorno no siempre eran gestos de ternura «maternal»; frecuentemente había palabras y gestos con contenidos sexuales. «Ellas me acariciaban con frecuencia por todas partes, me estimulaban el sexo, para ayudarme a convertirme en un verdadero hombre.» Nunca sintió rechazo por este tipo de demostraciones de afecto sino al contrario, y a medida que fue creciendo buscaba este contacto. A la edad de once años su vida cambió bruscamente al casarse su madre con uno de sus clientes. Éste, un hombre de profesión liberal, le exigió alejar a su hijo. El muchacho fue internado en un centro y poco a poco abandonó sus estudios, se fugó y comenzó una carrera de delincuente juvenil que duró hasta la edad de diecinueve años. A esa edad encontró a su esposa, una adolescente un año mayor que él, que pertenecía a otra banda de jóvenes y que también había tenido una historia difícil: su padre atracaba bancos y la madre era su cómplice. Algún tiempo después del inicio de la relación ella quedó embarazada, lo que provocó un cambio radical en la vida de este hombre y esta mujer. «Cuando supe que iba a ser padre, algo en mí cambió; dejé todo, los robos, las peleas, y me decidí a formar una familia, a ofrecer una vida de familia a mi hija, la familia que yo nunca tuve.»

Desgraciadamente, en el momento de formar su familia este hombre ignoraba que las circunstancias de su vida no le habían permitido asimilar que, en una verdadera familia, el sexo y la sexualidad están reservados a la relación de la pareja. Para él, la ternura y los cuidados que había recibido en su infancia estaban mezclados con una experiencia de estimulación y placer sexual. Así, tanto sus experiencias como su socialización marginal le habían impedido asimilar la prohibición de los contactos sexuales entre padres e hijos en una familia.

A medida que este hombre «escribía» el relato de su vida en su psicoterapia, poco a poco fue estableciendo los vínculos entre sus gestos abusivos y las carencias fundamentales de su socialización. El trabajo terapéutico le permitió descubrir otro modelo de relación con su hija, aceptando la prohibición del incesto y sobre todo entendiendo el sentido de estas prohibiciones como fundamento del amor paternal.

Actualmente esta niña es una bella adolescente de catorce años que ha podido, gracias a su terapia individual, encontrar una explicación a las transgresiones de su padre, al comprender igualmente el sentido del tabú del incesto. El trabajo terapéutico de su padre y el suyo le permitieron acceder a un verdadero padre. En esta familia, a diferencia de otras que son refractarias a la terapia, había los recursos y la plasticidad estructural que explican los cambios que se produjeron. La madre tuvo un rol fundamental en este proceso; desde el momento de la denuncia, tomó una posición activa para ayudar a su hija sin abandonar a su marido. Sus sentimientos y ambivalencias, así como sus propios sufrimientos, fueron elaborados en su terapia individual.

A partir del momento en que la transgresión fue reconocida y sancionada en «la verbalización» de nuestros diálogos, los miembros de las dos familias citadas, y sobre todo los padres abusadores, incorporaron nuevas emociones y nuevas ideas en relación con sus gestos incestuosos. Se estableció un nuevo contacto afectivo con sus hijas, descontaminándolas así de las experiencias corporales transgresoras de sus infancias, siempre influidas por las nuevas representaciones verbalizadas en nuestros encuentros. Estas representaciones, introducidas gracias al tabú del incesto, permitieron que en el proceso histórico de estas familias naciera una nueva función, la del padre.

Nombrar el impedimento del incesto no es suficiente. Antes deben existir las condiciones biológicas que favorezcan los apegos sanos en la familia.

En este capítulo hemos insistido en que una experiencia de familiaridad positiva tiene como consecuencia un sentimiento de repulsión hacia todos los comportamientos sexuales entre los miembros de la familia, salvo dentro del subsistema conyugal. Por lo tanto, una de las maneras de evitar la atracción sexual hacia los niños es facilitar los procesos de apego sano. Si bien un apego sano no es por sí solo suficiente para asegurar la prohibición del incesto, éste se ha de nombrar e integrar en los rituales y conversaciones familiares.

Cuando esto no ocurre, o cuando el apego sano ha sido reemplazado por creencias culturales, sociales y/o familiares, existe el riesgo de contactos sexuales incestuosos. Los abusos sexuales pueden producirse, por lo tanto, como consecuencia de trastornos del apego, como resultado de una deficiencia en la integración del tabú del incesto, o por ambas cosas. Cualquiera que sea la causa, los abusos sexuales pueden ser detectados por un observador a través de los indicadores directos e indirectos detallados en el siguiente cuadro:

Cuadro 10. Protocolo de validación de abuso sexual.

INDICADORES DE ABUSO SEXUAL (Le Boeuf, 1982)

Indicadores físicos en el niño	Indicadores comportamentales en el niño	Conducta del cuidador
— Dificultades para andar y sentarse. — Ropa interior rasgada, manchada. — Se queja de dolor o picor én la zona vaginal o anal. — Contusiones o sangrado en los genitales externos. — Tiene una enfermedad venérea. — Tiene el *cérvix* o la vulva hinchados. — Tiene semen en la boca, genitales o en la ropa. — Embarazo (especialmente al inicio de la adolescencia).	— Parece reservado, rechazante o tiene conductas infantiles; incluso puede parecer retrasado. — Tiene escasas relaciones con sus compañeros. — No quiere cambiarse de ropa para hacer gimnasia o pone dificultades para participar en actividades físicas. — Comete acciones delictivas o se fuga. — Manifiesta conductas o conocimientos sexuales extraños, sofisticados o inusuales. — Dice que ha sido atacado por el padre o el cuidador.	— Extremadamente protector o celoso del niño. — Alienta al niño a implicarse en actos sexuales en presencia del cuidador. — Sufrió abuso sexual en su infancia. — Experimenta dificultades en su matrimonio. — Abuso de drogas o alcohol. — Está frecuentemente ausente del hogar.

REQUISITOS PARA SEÑALAR LA PRESENCIA DE ABUSO SEXUAL

Para señalar la presencia de abuso sexual, se requiere que al menos en una ocasión se haya producido alguna de las situaciones señaladas:

CATEGORÍAS DE ABUSO SEXUAL

A: Incesto
Contacto físico sexual o relación sexual con un pariente de consanguinidad lineal (padre/madre, abuelo/abuela) o por hermano/a, tío/a, sobrino/a. Se incluye también el contacto físico sexual con figuras adultas parentales (padres adoptivos, parejas estables).
B: Violación
Contacto físico sexual o relación sexual con una persona adulta exceptuando los casos señalados en el apartado anterior como incesto.
C: Vejación sexual
Conducta sexual con un menor cuando tal contacto comporta estimulación o gratificación de las necesidades o deseos sexuales de otra persona. Esto incluye:
— El tocamiento/manos intencionado, de los genitales o partes íntimas, incluyendo los pechos, área genital, parte interna de los muslos o nalgas, o las ropas que cubren estas partes, por parte del perpetrador hacia el niño.
— Alentar, forzar o permitir al niño que toque de manera inapropiada las mismas partes del perpetrador.
D: Abuso sexual sin contacto físico. Incluye las siguientes conductas:
— Solicitud indecente a un niño o seducción verbal explícita.
— Exponer los órganos sexuales a un niño con el propósito de obtener excitación/gratificación sexual, agresión, degradación o propósitos similares.
— Realizar el acto sexual intencionadamente en la presencia de un menor con el objeto de buscar la excitación o la gratificación sexual, agresión, degradación u otros propósitos semejantes.
— Automasturbación en presencia de un niño.
E: Otros
F: Mixto
Z: No conocido.

7. LOS ABUSOS SEXUALES EXTRA E INTRAFAMILIARES

Haremos una distinción entre el abuso sexual extra e intrafamiliar, dado que estos dos fenómenos determinan dinámicas clínicas muy diferentes que van a necesitar de programas de intervención distintos. Para hablar de «abuso sexual intrafamiliar», es decir un abuso cometido contra un niño por un miembro adulto de la familia, utilizaremos indistintamente el término *abuso sexual incestuoso*, para dar a entender que tanto el abusador como el niño víctima están vinculados por lazos familiares, y el término *agresión incestuosa*, para insistir sobre el carácter forzado de la situación.

Cuando el agresor no pertenece al medio familiar del niño hablaremos de *abusos sexuales extrafamiliares*. El adulto agresor puede ser un sujeto totalmente desconocido para el niño, así como para su familia, o alguien conocido que pertenece al entorno del niño (véase el cuadro 11).

LOS ABUSOS SEXUALES COMETIDOS POR DESCONOCIDOS

Hemos elegido cuatro situaciones tratadas en nuestro programa para ilustrar los componentes más importantes de esta experiencia y para mostrar el contenido de las vivencias de cada participante: la víctima, el abusador y la familia entendida como sistema. En todos los casos de agresión extrafamiliar en los cuales hemos intervenido, el agresor ha sido un hombre. En los casos analizados en este texto, dos de los abusadores fueron arrestados por la policía, y el tercero, que abusó simultáneamente de dos niños con una violencia inusitada, nunca fue atrapado. El primer abusador corresponde al caso de un exhibicionista que agredió a una niña de siete años a la salida del colegio.

CUADRO 11. Diferentes tipos de abusos sexuales en niños, según la relación entre abusador-víctima.

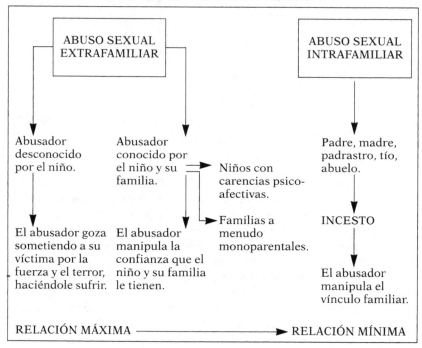

El segundo se trata de un pedófilo, artista callejero, que había logrado conquistar la confianza de un niño de ocho años a espaldas de sus padres. Después de varios encuentros, este adulto invitó al niño a su apartamento para enseñarle «trucos de magia» que terminaron siendo fotografías pornográficas. En la segunda visita el abusador comenzó a manosear sexualmente al niño, que lleno de miedo y pavor se escapó contándole todo lo ocurrido a su madre.

El tercer abusador correspondía, según la descripción hecha por los niños, mas bien a un «sádico perverso», probablemente alguien con una estructura de personalidad psicopática. Los niños fueron agredidos sexualmente, con violencia y sadismo, por un hombre que se excitaba sexualmente con la sensación de controlar y someter a sus víctimas por la fuerza (Croth, 1979).

Los niños agredidos jugaban juntos en un parque y se habían alejado de sus padres, con quienes habían venido a una manifestación deportiva; se trataba de Benoît, un niño de seis años y una niña, Lucie, de la misma edad, amigos desde muy pequeños. El niño estaba acompañado de sus padres y la niña únicamente de su madre. El agresor, ʗ ʜᵏcrito por los niños como un «hombre gigante», llevaba su rostro cubierto por un pasamontañas negro. Este sujeto les cogió con brutalidad tapándoles violentamente la boca y obligándoles a avanzar al interior del bosque. Al llegar a un lugar desértico, les amenazó violentamente y les obligó a practicarle una felación. Por suerte para los niños, el ruido de caminantes que se acercaban al lugar provocó la fuga del agresor salvándoles posiblemente la vida.

A lo largo de las sesiones terapéuticas, los niños hablaron de los insultos y las amenazas que recibieron del individuo. Analizando el contenido de su discurso, así como el carácter extremadamente violento de sus comportamientos, se puede afirmar que su objetivo era excitarse con el sufrimiento de los niños, y probablemente matarles. La felación fue una de las formas utilizadas para degradar y humillar a sus víctimas.

En los diferentes casos presentados, el grado de sufrimiento de las víctimas estaba en relación directa con el contexto y el contenido de la agresión.

En el caso de la niña de siete años agredida por el exhibicionista, el sufrimiento se manifestaba sobre todo por un sentimiento de miedo y desconfianza en relación con los hombres desconocidos, y sobre todo por un sentimiento de vergüenza y culpabilidad. La vergüenza estaba ligada a la creencia de que había sido ella la que había atraído al agresor, y su culpabilidad al hecho de que había desobedecido a su madre, porque se había alejado del camino habitual para regresar a su casa.

El sufrimiento del niño agredido por el pedófilo se expresaba por un sentimiento de ansiedad despertado por los recuerdos de la agresión, pero, sobre todo, por la culpabilidad de haber aceptado una invitación de una persona desconocida sin avisar a sus padres. Probablemente también se sentía culpable por su curiosidad y por la excitación que le despertó la visión de las fotografías pornográficas.

En estos dos casos la evolución de los niños fue muy favorable, por la respuesta adecuada que presentaron a la situación, por el contenido de la agresión y sobre todo por la respuesta positiva de sus familias, que apoyaron incondicionalmente a sus hijos, a quienes reconocieron inmediatamente como víctimas, ofreciéndoles apoyo y buscándoles ayuda terapéutica.

En estas situaciones y en el tercer caso que vamos a abordar, los niños pudieron designar y nombrar al agresor como tal. La primera niña designaba a su agresor como «el exhibicionista degenerado», el niño agredido por el artista callejero se refería a su abusador como el «maniático sexual», y los niños agredidos con violencia hablaban del agresor refiriéndose a él con las denominaciones de «monstruo, degenerado sexual» y «maniático sexual». Todas estas denominaciones indican que, a pesar del miedo y la angustia, las víctimas que sobreviven a este tipo de abusos no se confunden en cuanto a la responsabilidad de su abusador, y que a pesar de la culpabilidad secundaria que pueden presentar, se reconocen como víctimas. Esto es más raro en los casos de niñas y niños abusados, ya sea por un adulto de su familia o por un sujeto conocido de su entorno familiar.

La causa del sufrimiento de los niños víctimas de un violador, no sólo es la agresión en sí misma, sino también la reacción inadecuada de los miembros de la familia. En el caso de Lucie y Benoît, presentaron dos días después de la agresión una serie de manifestaciones compatibles con el síndrome de estrés postraumático (PTSD, DSM IV), es decir, una revivificación mórbida de la experiencia traumática que se manifestaba en pesadillas, miedo a quedarse solos, temor a cualquier desconocido y dificultad en dejar de pensar en lo ocurrido. Lucie presentaba además trastornos de la atención y de la memoria, así como reacciones fóbicas frente a cualquier situación que le evocaba el contenido de lo vivido (imágenes de violencia en la televisión, peleas y conflictos, etc.). Los dos niños estaban ansiosos, presentaban trastornos del sueño y excitación psicomotriz.

Paralelamente a la intervención terapéutica, los padres respectivos acompañaron a los dos niños a hacer la denuncia a la policía. Este trámite tuvo un impacto tranquilizador para los niños en la medida en que los policías responsables de la investigación elaboraron con ellos un retrato-robot del agresor, les acompañaron al lugar de la agresión, donde los niños pudieron explicar las circunstancias del drama y les explicaron en qué consistía su trabajo y los medios de los que disponían para atrapar a los delincuentes y proteger a la población.

Este procedimiento tuvo evidentemente un impacto terapéutico porque los niños se sintieron reconocidos y apoyados como víctimas. Además, el poder colaborar en la investigación disminuyó sus sentimientos de inseguridad e impotencia, sintiéndose de nuevo protegidos y recuperando parcialmente su confianza en el mundo adulto.

En otras situaciones, donde la colaboración de la policía con las familias no fue posible y la experiencia de los niños agredidos banalizada, éstos guardaron durante más tiempo un sentimiento de profunda inseguridad, impotencia y desprotección, así como una desconfianza hacia el mundo adulto en general. Esta actitud de los funcionarios policiales no hace más que reforzar el poder y la impunidad de los agresores. La experiencia más terrible para un niño agredido brutalmente por un adulto es la de su impotencia. Este sentimiento está presente en la vivencia de todas las víctimas de violencia, pero en los niños, por su vulnerabilidad y dependencia de los adultos, puede tomar proporciones intensas y duraderas, prolongándose en la vida adulta como una vivencia crónica de desamparo.

La calidad de la ayuda que se aporta a las víctimas, así como la plasticidad de la estructura familiar para hacer frente al drama de sus hijos, son elementos fundamentales para la evolución y el pronóstico de este tipo de experiencias.

Lucie y Benoît fueron atendidos en un programa de terapia familiar. La primera sesión se realizó con las dos familias juntas. De la familia de Lucie, estaban presentes los dos padres y el hermano mayor, de ocho años; de la familia de Benoît, sus dos padres y su hermano mayor, también de ocho años de edad. Nuestras primeras intervenciones estuvieron dirigidas a connotar positivamente la participación de los niños y la colaboración de los padres en la investigación policial, al mismo tiempo que les desculpabilizábamos, convenciéndoles de que el único culpable era el agresor y que todos los miembros de la familia eran víctimas en grados diferentes. El rol y las funciones protectoras de los padres fueron reforzados por varias de nuestras intervenciones.

En esta primera sesión constatamos rápidamente diferencias en las respuestas de ambas familias a los hechos de violencia. En la familia de Benoît, los padres mostraban una gran solidaridad entre ellos para afrontar el drama que les aquejaba; en cambio, en el caso de la familia de Lucie aparecieron rápidamente las acusaciones del padre hacia la madre, que era quien cuidaba a la niña en el momento de la agresión. Esto motivó nuestra elección de continuar el trabajo por separado, ofreciendo sesiones a las familias respectivas, así como sesiones individuales a los niños.

La diferencia en la reacción de los adultos de las dos familias influyó de manera determinante en la evolución del proceso de recuperación de los niños.

La evolución de Benoît fue más favorable. Después de algunas sesiones, rápidamente se sintió mejor, recuperando la confianza en la capacidad protectora de sus padres. Su angustia disminuyó y sobre todo el contenido de sus pesadillas comenzó a cambiar. Así, las escenas donde era nuevamente atacado, agredido y violado, comenzaron a disminuir para ser reemplazadas por otras donde Benoît lograba escaparse, salvado por otros adultos y/o su agresor era detenido por la policía.

Los padres de este niño y los miembros de su familia extensa, reforzaron su cohesión y capacidad de autoayuda en respuesta a la agresión. A pesar de que los padres y el hermano mayor estaban presentes en el parque donde se cometió la agresión, ellos asumieron su responsabilidad, pero no se sintieron culpables. La familia ofreció desde el principio un ambiente favorable para la víctima, reconociéndolo de inmediato como víctima, pero sin dramatizar, ofreciéndole una ayuda adecuada para devolverle la seguridad y la confianza. El hermano mayor, por ejemplo, se convirtió temporalmente en el «guardaespaldas» de su hermano pequeño, los adultos les enseñaron a utilizar el teléfono en caso de peligro, y el dormitorio conyugal se dejó abierto momentáneamente a Benoît en caso de que se despertara con pesadillas. Los miembros de la familia extensa también prestaron diferentes tipos de ayuda: escucha activa, intercambio de experiencias y de información, etc.

La agresión sexual de un miembro infantil de la familia creó evidentemente una situación de crisis que hizo sufrir a todos sus miembros, pero al tratarse de una familia que era suficientemente sana antes de la agresión, rápidamente fueron capaces de movilizar sus recursos naturales. Estos recursos se potenciaron de una manera constructiva, con la ayuda terapéutica aportada desde el exterior, y también con el apoyo de los policías encargados de la investigación. Como resultado de este proceso la familia reencontró rápidamente un nuevo equilibrio y las consecuencias de la agresión se superaron muy pronto, especialmente la víctima.

No fue así en el caso de la familia de Lucie, donde desde las primeras entrevistas familiares se creó un clima de tensión y rápidamente aparecieron las divergencias en la pareja. En esta familia, el padre no estaba presente en el momento de la agresión y reprochaba a su pareja no haber protegido convenientemente a Lucie. Una parte de la energía y los recursos necesarios para ayudar a la víctima se malgastaban en un conflicto conyugal que, sin duda, existía antes de la agresión. Esta situación perturbó todo el proceso de la terapia. A pesar de nuestras intervenciones, el modo simétrico de comunicación entre los esposos impedía toda posibilidad de colaboración entre los padres, indispensable para ayudar a su hija a superar su sufrimiento.

Los padres de Lucie se habían casado muy jóvenes, estando ella embarazada de su hijo mayor. La pareja nunca obtuvo la aprobación de los suegros respectivos pues el marido no se correspondía socialmente con el ideal de marido que los padres deseaban para su hija, y por otro lado la madre del marido había aceptado muy mal que su hijo único fuera «seducido» por una mujer seis años mayor que él. En estas circunstancias, ambos habían quedado «atrapados» en sus respectivas familias de origen, donde cada uno siguió siendo en parte «la niña» y «el niño» de sus padres respectivos, sin lograr el nivel de diferenciación necesario para constituir realmente una pareja. En este caso la parentalidad era sobre todo un mecanismo destinado a mantener la homeostasis familiar más que el resultado de una pareja definida por su identidad sexual.

La interferencia constante de los abuelos respectivos, amplió la tensión existente. La agresión de la nieta reactivó las acusaciones dirigidas contra el yerno o la nuera. Los abuelos paternos culpaban a la madre por descuidada y los maternos al padre por no ocuparse suficientemente de sus hijos.

La consecuencia de todo esto fue el aumento del sufrimiento experimentado por cada uno de los miembros de esta familia, así como la cronicidad de los síntomas de Lucie.

Las entrevistas familiares y la actitud positiva de la policía ayudaron a la hija a superar parcialmente sus síntomas, pero a medida que la tensión conyugal se incrementaba, los síntomas reaparecían. Así, Lucie tomó la costumbre de instalarse en la cama de sus padres por las noches, con el pretexto de que tenía miedo, al mismo tiempo que desarrollaba otros síntomas regresivos, como no querer ir a la escuela, llorar fácilmente frente a cualquier frustración, etc. Por otro lado, el hermano mayor comenzó también a presentar problemas de comportamiento, volviéndose más irritable, ansioso e impulsivo.

Lo descrito nos condujo a adecuar el programa terapéutico; los niños fueron tratados en entrevistas individuales y los padres en entrevistas de parejas. Las entrevistas familiares no se suspendieron sino que fueron intercaladas en el tratamiento con el fin de armonizar los dos procesos y sobre todo para tranquilizar a los niños, que temían que los conflictos de sus padres les llevaran al divorcio. La terapia familiar fue más larga y compleja en este caso que en el de la familia de Benoît. Después de un año y medio de tratamiento decidimos suspenderlo, al constatar que la familia había logrado una superación creativa de la crisis, elaborando el sufrimiento provocado por la agresión e introduciendo cambios en su funcionamiento.

Tres años más tarde, los padres de Lucie volvieron a consultar a raíz de los problemas escolares que presentaba su hijo mayor, que ya tenía once años. Recurrimos en esa ocasión a un nuevo trabajo relacional con esta familia que les permitió consolidar los cambios experimentados en la primera parte de la terapia y pudimos constatar que la experiencia de la agresión de la pequeña sólo era un mal recuerdo para todos, que se fue quedando cada vez más en el pasado en la medida en que la familia encontró una manera más sana de actuar.

LOS ABUSOS SEXUALES EXTRAFAMILIARES: EL ABUSADOR CONOCIDO DE LA FAMILIA

En este caso se trata de niñas y niños agredidos sexualmente por un adulto que pertenece a su círculo social, y que por lo tanto es conocido por la familia. En muchos casos estos delincuentes sexuales ocupan un lugar privilegiado que les da un acceso directo a los niños, por ejemplo, son profesores, monitores de clubes juveniles, sacerdotes, animadores de tiempo libre, catequistas, etc. Por su rol de carácter social y su poder son depositarios de la confianza de los padres.

En otras situaciones se trata de sujetos que se infiltran en las familias ganándose la confianza de los adultos para lograr fácilmente el acceso a sus futuras víctimas.

Los abusadores implicados en estos casos son mayoritariamente sujetos del sexo masculino, con comportamientos sexuales pedófilos que manifiestan una estructura de personalidad perversa. Estos hombres presentan un interés sexual principal y casi exclusivamente hacia los niños, desde edades muy tempranas. Este interés sexual por los niños es de carácter obsesivo, lo que explica que algunos autores les llamen «abusadores sexuales obsesivos» o «delincuentes sexuales obsesivos» (Groth, 1978). Estos sujetos evitan las relaciones sexuales con los adultos y, cuando las consiguen, se sienten insatisfechos o se excitan con fantasías pedófilas.

Para conquistar a los niños utilizan el cariño, la persuasión, la mentira o la presión psicológica. A diferencia de los abusadores sexuales, que utilizan la violencia física, éstos se aprovechan de su posición de autoridad y de la confianza que «se ganan» de los padres, para crear poco a poco un clima de «familiaridad» con ellos y sobre todo con la víctima. De una manera solapada y engañosa, estos sujetos invitan a los niños a participar en actividades sexuales.

Este tipo de abusadores se identifican de una manera perversa con los niños, adaptando fácilmente sus comportamientos a los de su víctima y ofreciéndoles relaciones gratificantes y sin frustración. Por otra parte, estos sujetos eligen a sus víctimas entre los niños que presentan carencias sociopsicoafectivas, producto de un medio poco estructurado, ya sea en razón de una fragilidad familiar y/o social. Sus víctimas provienen de familias monoparentales con dificultades, de padres divorciados conflictivamente, de familias inmigrantes con problemas de integración, o de familias con niños adoptados. Los abusadores pedófilos atribuyen sus actos a una finalidad altruista, y además usurpan una parte de la función parental, adoptando un rol de pseudoparentalidad hacia sus víctimas.

En todos los casos, el pedófilo envuelve a su víctima en una relación falsa que es presentada como afectiva y protectora. Al manipular al mismo tiempo la confianza familiar, el niño es doblemente cosificado, primero por su abusador y luego por sus propios padres, que sacrifican su rol protector a la relación con este individuo, que muy a menudo ejerce un verdadera fascinación tanto en sus víctimas como en los miembros de la familia, a quienes involucra convirtiéndose en un personaje agradable, simpático, servicial y atento con todos.

Este proceso puede ser comparado metafóricamente con el de la *vampirización*, lo que nos permite representar la influencia de este sujeto sobre la víctima y su familia, además de hacer alusión al proceso de «vampirización» del abusador, ya que estos individuos, cuando eran niños, fueron a menudo víctimas de un pedófilo.

La víctima de un pedófilo tiene una gran dificultad para detectar precozmente el peligro en el que se encuentra debido al carácter confuso y manipulador de la relación ofrecida por el abusador. El niño vive los gestos y discursos de su abusador como amistosos, afectivos y gratificantes. Además, la agresión sexual como tal se hace de una manera «dulce» y solapada, provocando en muchos casos en el niño sensaciones corporales agradables e incluso de goce sexual. En este contexto puede pasar un tiempo antes de que la víctima se dé cuenta de que está sufriendo abusos.

El hecho de que el pedófilo abusador presente a su víctima sus comportamientos como formas naturales de relación adulto-niño y que se haga aceptar como «miembro honorario» de su familia, aumenta la confusión de ésta y le impide denunciar lo que ocurre con rapidez, y cuando lo hace se encuentra sumergida en la culpa y la vergüenza. Desgraciadamente, en algunos casos el pedófilo brinda ayuda financiera u otros favores a los padres de las víctimas, lo que explica que éstos se encuentren en una relación de dependencia hacia éste y que reaccionen por la vergüenza y la culpabilidad de una forma poco adecuada cuando sus hijos les revelan la verdad.

Este conjunto de constataciones explica que tanto la intervención social en estas familias como su terapia tienen como finalidad «desvampirizar» no sólo a la víctima directa sino a todo el conjunto familiar. Se trata no solamente de sanar a la víctima de las consecuencias de la agresión, sino también de «descontaminar» a su familia de la influencia del pedófilo abusador, restituyendo a sus padres las funciones usurpadas por éste.

La siguiente es una ilustración de un caso de pedofilia múltiple tratado en nuestro programa:

> El señor T. es un hombre de alrededor de cuarenta años. Era uno de los profesores más populares de un pequeña escuela de los alrededores de Bruselas; allí había organizado un club familiar de amigos de la naturaleza. Durante varios meses, el señor T. había organizado paseos familiares. Al inicio, padres y niños participaban. Poco a poco, los paseos diarios se transformaron en paseos familiares de fin de semana, hasta que este profesor propuso fines de semana sólo con algunos niños. Durante esos fines de semana, este hombre abusó de las niñas que formaban el grupo, una a una por separado. Su método consistía en invitar a su elegida a dormir con él, o a introducirse durante la noche en la cama de una de ellas. Al principio las manoseaba y progresivamente las forzó a otras actividades sexuales, como obligarles a masturbarle o masturbarlas y/o practicar la felación.
>
> Al mismo tiempo que abusaba de ellas, este sujeto impuso la ley del silencio y el secreto a sus víctimas a través de argumentos falsos como que sus padres estarían de acuerdo con estas prácticas porque se trataba de una «educación sexual» o «que era importante no contárselo a nadie dado que podría haber malentendidos, porque la mayoría de la gente era muy conservadora con respecto al sexo». Por otra parte, este abusador «compraba» el silencio de sus víctimas con diferentes regalos y/o dándoles un lugar y una posición privilegiada como alumnos de su clase.
>
> Las niñas agredidas tenían entre siete y diez años. La niña que reveló los hechos pertenecía a la última familia que el señor T. había logrado captar. Se trataba de una madre divorciada que desde hacía poco tiempo vivía sola con su hija. Esta niña había sido invitada sólo un vez. El fin de semana que fue agredida, el sujeto abusó de ella en su cama en estado de embriaguez. La niña, impresionada y muy asustada, relató

primero a sus amigas del grupo lo ocurrido, y éstas le confesaron que les había pasado lo mismo. Al regresar del fin de semana, la niña reveló su experiencia a su madre quien, impresionada y trastornada por lo que oyó, trasmitió el hecho al padre de la niña, que profundamente disgustado tomó su revólver y fue al domicilio del abusador con la intención de increparle.

En el momento de la interpelación, el señor T. le respondió «que ni él ni su ex esposa tenían el derecho de hacerle reproches después de todo lo que había hecho por ellos; que si su hija tenía problemas, era culpa de ellos, que ellos no habían sido capaces de brindarle una verdadera familia a su hija y que de todas maneras era normal, para una niña de doce años, que la desflorasen y la educaran sexualmente». Cuando el padre de la niña escuchó esto, fuera de sí, sacó su revólver y disparó a las piernas del señor T. hiriéndolo. Como consecuencia de este incidente, el abusador fue hospitalizado y el padre arrestado y enviado a prisión.

La reacción de los otros padres es muy ilustrativa del fenómeno de «hechizamiento» ejercido sobre las familias por este tipo de delincuentes sexuales. Los padres de los otros niños tomaron partido por el señor T., acusando a la niña que lo había denunciado de mentirosa y fabuladora. La confianza ciega en este hombre era tal que incluso formaron «un comité de defensa» del señor T. Le visitaron regularmente en el hospital e hicieron una colecta para contratar un abogado que asegurara su defensa. La situación cambió radicalmente cuando los otros niños implicados, al ser interrogados por policías experimentados en este tipo de delitos, contaron toda la verdad.

Como resultado de la investigación policial, el señor T. fue inculpado y arrestado; el padre de la niña fue puesto en libertad.

Al producirse la crisis provocada por la divulgación de los hechos, la dirección del colegio se dirigió a nuestro equipo solicitando una intervención terapéutica para ayudar a las víctimas y a sus familias. La descripción detallada del modelo de intervención que utilizamos en este caso nos permite mostrar los elementos más importantes de este tipo de terapia.

Pautas para la intervención psicosocial en casos de abuso sexual extrafamiliar

La necesidad de constituir un verdadero equipo de intervención con los recursos de la red es fundamental porque en estas situaciones hay múltiples implicados (víctimas, miembros de la familia, miembros de la comunidad escolar, etc.), además por la gravedad y la complejidad de los casos.

En la situación descrita fue necesario un equipo compuesto por dos terapeutas y un abogado que actuó como consultor por las implicaciones judiciales de la situación.

Las diferentes etapas de la intervención

1. *Análisis de la demanda.* Comprender en qué contexto social se produce y cuál es el verdadero contenido de una demanda es un requisito importante para realizar cualquier intervención social y/o terapéutica (Tilmans, 1987). En los casos donde se pide a un profesional o a un equipo intervenir porque se ha cometido una transgresión que implica varios sistemas, este procedimiento es imprescindible.

En el caso del señor T., el contenido de la demanda del director de la escuela a nuestro equipo no era muy claro. No estábamos seguros de si su inquietud estaba motivada más por la necesidad de acallar el escándalo provocado por la divulgación o por un interés real de ayudar a los niños y a las familias. Además, al principio era difícil saber si su petición de ayuda era el resultado de una iniciativa personal o si era portavoz del cuerpo docente de la escuela y/o de los padres.

Por esta razón, fue fundamental una reunión en la cual pudimos comprender mejor sus peticiones y al mismo tiempo elaborar con él el programa de intervención. En esa reunión descubrimos que para el director era urgente hacer algo para tranquilizar a los padres de los niños que acudían a la escuela. Necesitaba convencerles de que el caso del señor T. era un suceso aislado y que ni la dirección ni el colegio tenían ninguna responsabilidad en los sucesos. Buscaba a toda costa obtener el apoyo de los padres para poder mantener la marcha normal de la escuela y su reputación.

Como afirmábamos anteriormente, ofrecer un espacio de discusión al demandante de ayuda para explicar y clarificar el contexto y el contenido de sus demandas, es fundamental para buscar un entendimiento sobre cómo y para qué hay que intervenir. Este proceso permite además adaptar las motivaciones y los intereses del demandante a las competencias, mandatos y finalidades del sistema profesional al que se pide ayuda.

El diálogo con el director nos permitió llegar a un acuerdo sobre dos pistas de trabajo. La primera, ofrecer ayuda terapéutica a los niños víctimas de la agresión y a sus familias. La segunda, proponer la aplicación de un programa de prevención de abusos sexuales, primero al equipo docente, luego a los padres y finalmente a los alumnos de la escuela. Esta propuesta respondía a la petición inicial del director y permitía utilizar constructivamente la crisis para aplicar este programa.

El director recibió como misión transmitir a las familias nuestra oferta y comenzar a negociar la idea del trabajo de prevención con el equipo docente y con la Asociación de Padres de Familia de la escuela. Algunos días más tarde, éste nos transmitió el acuerdo de las familias para recibir ayuda, lo que nos indujo a mandar una carta a los padres para fijar el comienzo del trabajo terapéutico.

2. *El trabajo de grupo con familias.* Nuestro trabajo terapéutico con familias de refugiados políticos nos ha enseñado que es posible y necesario ofrecer a un grupo de familias que han vivido experiencias traumáticas similares la posibilidad de encontrarse, para ayudarse mutuamente, compartir experiencias, intercambiar los recursos disponibles, así como las soluciones encontradas a los problemas comunes, creando una red social para superar problemas y sufrimientos.

Esto explica nuestra elección de las sesiones familiares colectivas, en el tratamiento de víctimas de abuso sexual extrafamiliar. A menudo estos encuentros comienzan con una reunión preliminar con todos los padres, con una doble finalidad. La primera, restituirles completamente su rol de padres, y la segunda, brindarles un espacio para que analicen con nosotros los riesgos y ventajas del método, así como para que resuelvan sus conflictos y diferencias alejados de la presencia de sus hijos.

Estas reuniones sirven también como rito de pasaje, en el cual se describe la historia del proceso que nos llevó a organizar la intervención. Por esto, una primera parte de la reunión con los padres se hace en presencia del demandante, en este caso el director de la escuela. Por último, estas reuniones permiten la elaboración de un plan de trabajo participativo con los padres.

En el ejemplo citado, todos los padres pudieron expresar sus sentimientos de culpa por haber depositado una confianza ciega en el señor T. y por haber ofrecido prácticamente a sus hijas como objeto sexual. En estas reuniones casi todos expresaron una rabia profunda porque habían sido traicionados en su confianza por ese hombre, así como una inquietud en relación con el futuro psicológico de sus hijas. Los padres de la niña que denunció los hechos expresaron su frustración y su cólera frente a los padres que defendieron al abusador en el momento de la divulgación. La madre de la niña los trató de cobardes e irresponsables. Éste fue uno de los momentos más difíciles del proceso; el grupo de padres estuvo a punto de desintegrarse.

Nuestras intervenciones se centraron en manifestar nuestra empatía por los sentimientos que se habían expresado, ofreciendo a su vez nuevos marcos de referencia para entender lo sucedido, lo que permitió mantener la cohesión del grupo. Compartimos, por ejemplo, nuestras experiencias en el acompañamiento de otros padres que habían vivido un traumatismo similar y que también se habían sentido culpables cuando se dieron cuenta del enorme engaño del cual habían sido víctimas. Gracias a la metáfora del «vampiro», logramos ayudar a los padres a aceptar que su situación era la consecuencia de haber sido manipulados por un individuo que, tras una máscara de gentileza y generosidad, camuflaba sus actos perversos.

En estas primeras entrevistas con los padres, los terapeutas exploramos y recibimos, desde una postura positiva, las respuestas constructivas que los padres desarrollaron para ayudar a sus hijos, para restituirles también la totalidad de sus competencias, usurpadas parcialmente por el abusador.

Estos primeros encuentros con los padres fueron seguidos por una sesión colectiva en la que también participaron todos los niños implicados. En relación con los otros miembros de la fratría, solemos dejar a los padres la elección de si participan o no en el programa; lo más común es que los padres opten por la no participación. En este caso, nosotros insistimos en la necesidad de romper el silencio en relación con lo acontecido, a fin de que todos los niños de las familias sean informados de lo sucedido como una medida de prevención.

En las sesiones con presencia de los niños comenzamos por explorar sus vivencias en relación con la idea de la terapia, para prevenir toda interpretación errónea sobre la finalidad de nuestra intervención.

En la intervención descrita, las niñas, por ejemplo, expresaron sus miedos a que nosotros las reprendiéramos. Además, les daba vergüenza tener que repetir el contenido de su experiencia; no tenían ganas de hablar, porque se sentían culpables de lo que había pasado.

Una de las niñas expresó además su inquietud por la posibilidad de encontrarse un día cara a cara con su abusador. Este hombre vivía en su mismo barrio y solía pasear a su perro delante de su casa. La intervención de su padre la tranquilizó; le dijo que él la protegería y le informó de que se había organizado con los otros padres para defender sus derechos y exigir que la persona que había abusado de ella fuera juzgado y encarcelado, y si un día lo liberaran, ellos exigirían de la justicia que le obligaran a cambiarse de domicilio.

Facilitar estos diálogos permite que poco a poco las víctimas recuperen la confianza en sus padres y refuercen nuestras intervenciones de recuperación de roles y competencias parentales usurpadas por el abusador.

A propósito de los sentimientos de culpabilidad expresados por las víctimas y los padres, una de nuestras intervenciones consistió en «prescribir la vergüenza y la culpa» con el fin de ayudar a padres e hijos a controlarlas primero y a superarlas más tarde. Así, solemos afirmar: «Estamos seguros de que en los próximos días, ustedes, los padres, todavía van a sentirse culpables de no haber protegido a sus hijas, y vosotras, las niñas, de haber aceptado lo que estaba sucediendo sin decir una palabra a vuestros padres. Por experiencia sabemos que es muy difícil tomar distancia y alejar a un abusador de nuestra vida, pero tenemos confianza en sus empeños y por esto continuaremos apoyándoles en su lucha».

Otro aspecto importante que hay que trabajar en las sesiones es la inquietud que tienen las víctimas de que sus amigos se enteren de lo acontecido.

Por ejemplo, una de las niñas víctimas del señor T. expresó que le daba mucha vergüenza asistir a la escuela porque todos los niños de su clase hablaban de esta historia y le molestaban con sus preguntas y comentarios.

En relación con este tipo de experiencias es importante reforzar en el niño la idea de que ha sido víctima de un abuso de poder de un adulto y que debe tratar de relacionarse con sus amigos y camaradas de clase a partir de esta idea. Al mismo tiempo, hay que explicar que las preguntas que otros niños suelen hacer al respecto, expresan sin duda su sorpresa de saber que un hombre, que exteriormente parecía bueno y gentil, era en realidad un enfermo capaz de hacer daño a los niños. Es importante explicar que las razones de estas preguntas pueden ser el miedo y la necesidad de conocer la verdad para tranquilizarse.

3. *Las reuniones con los niños.* Un tercer momento importante en la intervención corresponde a las sesiones donde sólo están presentes los niños. Esto facilita las dinámicas y permite la exteriorización de las experiencias traumáticas (White, 1994). Con el traba-

jo de externalización se persigue ampliar el campo de comprensión del niño, para alejarle de las lecturas restrictivas que mantiene la versión impuesta por el abusador, eliminando así la idea de que el niño es la caúsa de los abusos y de los problemas que el abusador tiene con la justicia.

En las sesiones con las niñas víctimas del señor T. se realizaron numerosas intervenciones en relación con la exteriorización. Así, por ejemplo, una de las niñas respondió a su amiga que había expresado en el grupo su remordimiento por haber denunciado al señor T.: «Pero no eres tú la que ha traicionado al señor T., es él el que ha hecho cosas que no debía hacer, él tendría que haber reflexionado sobre las consecuencias de sus actos...». Otra niña reaccionó diciendo: «Él nos engañó; al comienzo yo creía en lo que nos decía, era mi profesor y además un amigo de mis padres. Después entendí que lo que me hacía no estaba bien, pero él me dijo que no dijera nada a nadie y yo tenía miedo... En clase tenía la sensación de estar vigilada...». Por último otra niña agregó: «Yo también tenía miedo y creía que estaba sola... Una vez me dijo que para él yo era la única, era su preferida, que yo tenía actitudes que le habían vuelto loco de amor por mí... Ahora pienso que era horrible estar de su lado, y que teníamos que haberlo dicho todo a nuestros padres mucho antes...».

En general, compartimos con los niños víctimas que la mayoría de los pedófilos son incapaces de reconocer sus responsabilidades por lo que hacen y por el daño que provocan. Que no sólo son «abusadores sexuales», sino también mentirosos y cobardes.

En relación con el secreto, también hicimos comprender a las niñas que fue un error guardar silencio y que si lo hicieron fue sin duda por falta de experiencia, pero que lo acontecido debe servirles de lección. Nunca hay que guardar un secreto impuesto por un adulto, pues este tipo de secretos siempre sirven al adulto para continuar abusando en la impunidad, ocasionando aún más daño a los niños.

Ayudar a los niños víctimas a encontrar un sentido a la agresión constituye igualmente un pilar importante en nuestro enfoque terapéutico. Esto no implica evidentemente justificar el comportamiento del agresor, sino darle un sentido que libere a la víctima de su influencia.

En este caso era muy difícil, para las niñas agredidas por su profesor, comprender que un hombre que aparentemente era gentil y simpático y que les había enseñado tantas cosas interesantes, podía al mismo tiempo ser «un monstruo». Para ellas era como si existieran dos señores T., el profesor que enseñaba a los niños y el otro que les hacía daño. Para ayudarles a situarse en este dilema, trabajamos nuevamente con ellas la metáfora del «vampiro»: personaje que de día podía presentarse como un hombre amable y fascinante, y de noche transformarse para atacar y agredir a sus víctimas.

4. *La evaluación de la intervención.* La evaluación de las familias que han participado en este tipo de programa ha sido muy positiva. Muchas familias nos hicieron saber que esta metodología les ayudó a cambiar la manera de ver y vivir este tipo de drama y que el grupo les había ayudado a no sentirse solos.

En el caso de las familias agredidas por el señor T., todos los participantes se sintieron ayudados y algunos padres decidieron participar como voluntarios en la puesta en práctica de programas de prevención destinados a los niños de la escuela. En este punto nos tuvimos que enfrentar de nuevo con la gran dificultad de convencer a los adultos sobre la utilidad de informar a los niños del riesgo de abuso sexual y enseñarles a protegerse. Tuvimos que aceptar que la participación de los alumnos no fuese obligatoria y que los padres pudieran negarse a que sus hijos participaran. A pesar de eso, un 80 % de alumnos participaron en el programa y la evaluación final fue positiva.

En intervenciones preventivas en otros colegios, llevadas a cabo en los últimos años, hemos encontrado menos resistencias y una mayor colaboración de los adultos.

Dos situaciones, variantes de un mismo tema

La primera situación se refiere a un hombre de unos cuarenta años que logró infiltrarse en una familia vecina abusando de tres niños. La familia era de origen obrero y no tenían recursos financieros; habían aceptado «la ayuda» de este hombre, que poco a poco logró convertirse en indispensable en las actividades cotidianas de los niños. El abusador vivía con una mujer que tenía una hija pequeña. Este hombre, al que llamaremos Bruno, era el entrenador del club de fútbol del barrio y tenía muy buenas relaciones con los vecinos.

La madre de los niños nos pidió una consulta. El señor Bruno había sido detenido por la policía por atentar contra el pudor de los niños del equipo de fútbol. Uno de estos niños había alertado a sus padres, quienes dieron parte a la policía. La madre comprobó además que tanto sus dos hijos menores, de diez y doce años, como su pequeña hija de seis, habían sufrido abusos de este hombre. Todo había ocurrido progresivamente en el domicilio del señor Bruno cuando los niños fueron invitados a pasar la noche en su casa.

La metodología utilizada para ayudar a esta familia fue similar a la anteriormente descrita, pero aquí las sesiones fueron unifamiliares. Lo importante es trabajar con la familia como sistema cuando el abusador es extrafamiliar. Toda la familia se debe considerar agredida, es decir, desestabilizada por las acciones del abusador. La elección posterior de trabajar por subsistemas durante el proceso obedece al objetivo de reestructurar la familia, para restablecer su organización jerarquizada. En el caso del incesto, como veremos más adelante, es totalmente contraindicado, al menos en el inicio del tratamiento, reunir a toda la familia.

La terapia con esta familia nos permitió una vez más conocer la vivencia de los padres después de desvelarse la situación. En este caso en particular, el sufrimiento de la madre fue, ante todo, el que movilizó nuestros recursos terapéuticos para ayudarle a sobreponerse a su angustia y a su depresión, fruto de su culpabilidad, para convertirse en una fuente de ayuda para sus hijos.

La otra situación que presentamos a continuación relata también una agresión pedófila múltiple dentro de un marco institucional.

El agresor fue un profesor de religión de un colegio de enseñanza primaria situado en el barrio alto de la ciudad. Este sujeto solía dar sus clases en la escuela desde su pupitre instalado al fondo de la sala, de tal manera que los alumnos le daban la espalda. Durante las clases, llamaba a los niños a su escritorio donde él les interrogaba y al mismo tiempo les manoseaba sexualmente. Al menos niños de tres cursos distintos habían sido agredidos durante varios años. Los niños agredidos cuando cursaban el tercer año de primaria, se encontraban aún en el colegio cursando el sexto año.

Trabajamos esta situación de manera semejante a la descrita para el caso del señor T., pero aquí ampliamos la red de participantes movilizando los recursos profesionales y familiares presentes en el colegio. Alrededor de sesenta niños habían sido agredidos, por lo que el desafío era importante. El programa fue organizado conjuntamente con la dirección del colegio, el cuerpo docente, los profesionales del PMS (Centro PsicoMédico-Social Escolar) y el IMS (Inspección Médica Escolar), la Asociación de Padres de Familia y nuestro servicio («SOS Enfants-Famille»).

Alrededor de veinte personas participaron en la reunión preparatoria de la intervención, en donde se eligió como herramienta de trabajo el programa de prevención «Mi cuerpo es mi cuerpo» que consiste en dos vídeos, uno dirigido a los padres para ayudarles a aceptar la necesidad de la prevención, y otro para los niños, en el que se les enseña a detectar precozmente las situaciones de riesgo, a informar y pedir ayuda a un adulto si esto se presenta, y a tomar medidas de autoprotección.

La presentación del vídeo se realizó en cada clase con la participación de un profesor, un profesional de nuestro equipo y un profesional de los servicios escolares como coanimadores.

Antes, los profesores habían informado y sensibilizado a los niños con objeto de prepararles para esta actividad. Después de la presentación del vídeo, los niños, reunidos en pequeños grupos, podían compartir experiencias, expresar sus inquietudes y encontrar respuesta a sus preguntas.

Durante las reuniones se detectaron aquellos niños que presentaban signos de gran sufrimiento y que necesitaban una ayuda terapéutica individualizada. Esta ayuda les fue ofrecida por los profesionales de los distintos servicios que participaron en el programa.

Un proceso de evaluación con todos los adultos que participaron en el programa permitió recoger las enseñanzas acumuladas en su aplicación, mejorando su utilización en otras situaciones (Dubois y Haenecour, 1995).

A través del análisis de estos diferentes casos, hemos querido mostrar que la «pedofilización» de los niños es otra manifestación del abuso del poder de los adultos, y que, desgraciadamente, hasta hace muy poco ha sido negada o banalizada. Felizmente, en la actualidad se han puesto en marcha diferentes iniciativas para proteger a los niños de estas agresiones pero aún son muchas las víctimas, hoy adultas, que llevan en su cuerpo el silencio, la vergüenza y la culpabilidad que su abusador dejó en ellas.

EL ABUSO SEXUAL INTRAFAMILIAR

En este caso el abusador es uno de los miembros de la familia del niño, que lo manipula utilizando su poder y su rol, pervirtiendo de esta manera las relaciones familiares.

Desde nuestro lugar de observadores-participantes, llamamos a estas familias *familias sexualmente abusivas o incestuosas*. La observación de las interacciones comportamentales y el análisis de las historias familiares, nos permiten constatar que en estos casos las finalidades de la familia fueron pervertidas poniendo a los niños al servicio de los adultos. Esto se expresa por comportamientos y propósitos abusivos de carácter sexual de uno o varios miembros adultos de la familia sobre uno o varios de los niños. Asistimos aquí a un fenómeno de «cosificación» sexual del niño que es utilizado por los adultos, ya sea para cubrir sus carencias o para «elaborar» los traumatismos sufridos en su propia familia (por ejemplo, experiencias de abandono, maltrato, etc.), o para solucionar o disminuir las consecuencias de conflictos relacionales con otros adultos de la familia nuclear y/o extensa (por ejemplo, conflictos de pareja, conflictos con la suegra, etc.).

En esta dinámica, los niños serán no solamente «explotados sexualmente», sino que no se beneficiarán de aportes socioculturales y materiales suficientes que garanticen su desarrollo y su bienestar (Barudy, 1989).

La transgresión se produce en el interior de la matriz biológica y social de base que debería permitir al niño convertirse en una persona sana a nivel biopsicosocial. Los niños no sólo sufren abusos de alguien de quien dependen vitalmente, sino, y esto es más grave aún, es más difícil que en los otros tipos de maltrato que puedan recibir entiendan éstos como una violencia o un abuso de poder por parte del adulto. Por esto se encuentran en la imposibilidad de denunciar o desvelar los hechos fuera de la familia. El contenido altamente patológico de lo descrito es probablemente una de las explicaciones de la transmisión de los abusos sexuales a nivel transgeneracional.

La estructura de la familia sexualmente abusiva

Estas familias se caracterizan por fronteras y roles familiares poco claros y mal definido; las historias familiares son incoherentes, las jerarquías, los sentimientos y los comportamientos son ambiguos, los estados afectivos y sentimentales están mal definidos, los modos de comportamientos son poco claros, los límites entre la afectividad y la sexualidad no son consistentes. Por ejemplo, si en estas familias una niña acepta una demostración física de cariño de su padre, esto puede interpretarse fácilmente como una invitación a un contacto sexual. Por el contrario, en una familia sana, la representación imaginaria de contactos sexuales entre los miembros de la familia que no pertenecen al subsistema conyugal provoca un sentimiento de rechazo e incluso de asco. En el mundo confuso de una familia incestuosa, estos rechazos quizá no existan porque los patrones relacionales no han delimitado fronteras gestuales y verbales claras alrededor de los subsistemas. Por lo tanto, la estructura familiar no es segura para el niño y todo gesto puede dar lugar a malentendidos imprevisibles.

En una familia, un padre tuvo contactos sexuales completos con sus dos hijas de doce y catorce años durante varios años. Comenzó manoseándolas y masturbándose delante de ellas, y las obligó posteriormente a practicarle múltiples felaciones. Su esposa, una mujer depresiva y dependiente, estaba al tanto de los hechos e incluso aceptaba que su marido durmiera con ella o con una de las hijas. Este hombre fue condenado por los tribunales a varios años de prisión, culpable de abusos sexuales, y la esposa fue condenada por complicidad.

Las dos hijas víctimas fueron acogidas en una institución. Después de algunos años de cárcel, este sujeto fue puesto en libertad condicional y obligado a seguir una terapia. En este contexto comenzamos a trabajar con esta familia. Nuestras primeras entrevistas con este padre nos permitieron constatar la confusión que tenía de su rol como padre. No hacía ninguna diferencia entre niña y mujer, esposa e hijas. Para él la ternura, el contacto físico, la excitación, la sexualidad, eran la misma cosa. La familia que él fundó con su esposa no poseía ningún referente comportamental ni emocional capaz de garantizar la separación de generaciones.

Este padre estaba convencido de que fue su hija mayor quien poco a poco le incitó a tener contactos sexuales con ella; decía: «Desde siempre, a ella le gustaba pegarse a uno, desde que tenía seis años venía a sentarse en mis rodillas balanceándose... Es difícil de creer, pero rápidamente me di cuenta de que eso la excitaba... Un día, ella metió mi mano entre sus piernas y creí que me pedía que la acariciara, y eso hice... Luego continué, creyendo que era normal hacer esto con las hijas... Como mi otra hija estaba celosa, comencé a hacerle lo mismo. Además, nunca se lo oculté a mi esposa; ella nunca me dijo nada». La madre, a pesar de su condena, no comprendió por qué había sido declarada culpable, si ella no había hecho nada; estaba convencida de que había hecho siempre lo necesario para sus hijas... «Ellas han estado siempre bien alimentadas, limpias, bien vestidas», afirmaba. Para ella, educar y proteger a sus hijas estaba fuera de su representación de lo que era una madre.

ONTOGÉNESIS DEL ABUSO SEXUAL: EL INCESTO COMO PROCESO

Abordaremos la historia relacional o la ontogénesis del abuso sexual insistiendo en el hecho de que *el incesto* emerge de dinámicas familiares que forman parte de una cultura familiar singular. Los abusos incestuosos pueden considerarse como modalidades homeostáticas, es decir, estrategias del sistema familiar construidas a lo largo de las generaciones para mantener un sentido de cohesión y de pertenencia.

El incesto, así como el abuso sexual cometido por pedófilos, raramente es un solo hecho aislado o un «accidente» en la vida de una familia. Al contrario, se trata de un proceso relacional complejo que se desarrolla en el tiempo y donde se pueden apreciar dos períodos diferentes:

1. Los actos incestuosos se desarrollan en el interior de la intimidad familiar, protegidos por el secreto y la ley del silencio.
2. El incesto aparece a la luz pública a través de la divulgación de los abusos por parte de la víctima, lo que implica una crisis para el conjunto de la familia, así como para su entorno, sistemas profesionales incluidos (véase el cuadro 12).

1. *Los actos incestuosos protegidos por la ley del silencio*

Durante este período, podemos decir que el sistema familiar se encuentra en «equilibrio» y que el incesto es parte de las modalidades homeostáticas que los miembros de la familia utilizan para mantener su cohesión y sus sentimientos de pertenencia.

Nuestro trabajo clínico nos ha permitido distinguir tres componentes de este período:

1.1. La fase de seducción.
1.2. La fase de interacción sexual abusiva.
1.3. La fase del secreto.

1.1. La fase de seducción

En este primer período, el padre abusador manipula la dependencia y la confianza de su hija, incitándola a participar en los actos abusivos que él presenta como un juego o como comportamien-

CUADRO 12. Ontogenia del abuso sexual.

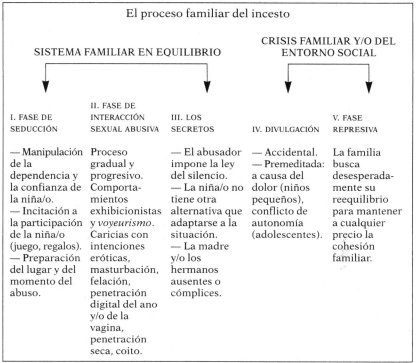

| | II. FASE DE | | | V. FASE |
I. FASE DE SEDUCCIÓN	INTERACCIÓN SEXUAL ABUSIVA	III. LOS SECRETOS	IV. DIVULGACIÓN	REPRESIVA
—Manipulación de la dependencia y la confianza de la niña/o. —Incitación a la participación de la niña/o (juego, regalos). —Preparación del lugar y del momento del abuso.	Proceso gradual y progresivo. Comportamientos exhibicionistas y *voyeurismo.* Caricias con intenciones eróticas, masturbación, felación, penetración digital del ano y/o de la vagina, penetración seca, coito.	—El abusador impone la ley del silencio. —La niña/o no tiene otra alternativa que adaptarse a la situación. —La madre y/o los hermanos ausentes o cómplices.	—Accidental. —Premeditada: a causa del dolor (niños pequeños), conflicto de autonomía (adolescentes).	La familia busca desesperadamente su reequilibrio para mantener a cualquier precio la cohesión familiar.

Dentro del cuadro, bajo los títulos:

El proceso familiar del incesto

SISTEMA FAMILIAR EN EQUILIBRIO

CRISIS FAMILIAR Y/O DEL ENTORNO SOCIAL

tos normales y sanos entre padres e hijas. El abusador prepara el terreno tomando precauciones para no ser descubierto, y elige el momento y el lugar en que comenzará a abusar de su hija.

La mayoría de los padres tratados en nuestro programa habían elegido una zona de sus casas para abusar de sus hijas sin correr el peligro de ser descubiertos. Por ejemplo, uno de ellos había habilitado la bodega de la casa, agregando un colchón a los muebles ya existentes; otro lo hacía en el dormitorio de su hija, cuando el resto de la familia dormía; y un tercero incluso había habilitado un cuarto especial en la trastienda de su taller de reparación de bicicletas para abusar de su hija de nueve años.

Un momento singular elegido por varios abusadores corresponde al período en que su esposa ingresa en la maternidad para dar a luz a un nuevo hijo. Varias de las víctimas adolescentes que hemos tratado nos revelaron que los actos incestuosos comenzaron en ese momento. La partida de la esposa a la maternidad ofrece al marido una buena oportunidad para quedarse a solas con su hija, pero al mismo tiempo la relación incestuosa con su hija compensa el sentimiento de pérdida y abandono provocado por el nacimiento.

1.2. La fase de interacción sexual abusiva

La práctica clínica nos ha permitido comprender que los gestos sexuales incestuosos, lejos de ser aislados y únicos, corresponden a una diversidad de gestos que se suceden en el tiempo.

Así, un padre abusador no viola directamente a su víctima, como muchos profanos tienden a creer. El coito propiamente dicho se produce en un momento bastante avanzado de la interacción sexual abusiva. Frecuentemente el abusador comienza por gestos de exhibicionismo, paseándose semidesnudo delante de su víctima o, por ejemplo, dejando al descubierto sus órganos sexuales mientras ve la televisión sentado al lado de su hija. En otros casos, invita a su hija a entrar en el cuarto de baño mientras se ducha, etc. Luego a estos comportamientos se agregan otros gestos *voyeuristas* en donde él solicita a su hija que le muestre sus órganos genitales, para seguir con manoseos de las zonas genitales de su víctima y obligarla a manosear sus genitales, etc.

El proceso continuará con otros gestos como actos masturbatorios en presencia del niño o de la niña, o el abusador obligará a la víctima a masturbarle. En etapas más tardías el sujeto viola a su víctima, comenzando a menudo por la felación, siguiendo con la penetración digital del ano y la vagina, y por lo que se denomina la penetración seca, que consiste en frotar el pene en la zona anal y/o vaginal de la víctima hasta eyacular. La penetración genital o coito se da en una fase avanzada de este proceso y es con mayor frecuencia anal que vaginal.

Un padre abusador explicó con mucha vergüenza que había elegido sodomizar a su hija porque «esa región le parecía más elástica». Otro padre, cuya historia acaparó la atención en Francia, confesó a la policía que había penetrado analmente a su hija de tres años para que llegara virgen al matrimonio. Esta descripción de los detalles de la interacción abusiva, lejos de querer impresionar al lector, tiene por objeto ayudarle a representarse lo que para muchos resulta inimaginable.

El hecho de que para muchos médicos, pediatras u otros profesionales de la infancia estos gestos se sitúen en el registro de lo impensable, explica también su dificultad para poder detectar precozmente este tipo de situaciones dejando a los niños sin ninguna posibilidad de protección. El adulto que no ha conocido en su experiencia personal situaciones semejantes, que en su práctica profesional no ha debido afrontar este tipo de tragedias o que no ha recibido la formación necesaria, tiene una gran dificultad para enunciar la hipótesis diagnóstica de abusos sexuales.

1.3. La imposición del secreto y la ley del silencio

Este momento comienza casi a la vez que las interacciones sexuales. En la mayoría de los casos, el abusador sabe que está transgrediendo la ley; por lo tanto, se protege como todos los delincuentes para no ser descubierto. Al mismo tiempo, estos gestos abusivos le son «necesarios» como solución a otros problemas, por lo que hará todo lo que convenga para continuar sin ser sorprendido. Su alternativa es imponer la ley del silencio. Para esto todas las fórmulas son posibles, desde la amenaza, la mentira, la culpabilización, hasta el chantaje y la manipulación psicológica.

El abusador convence a su víctima del peligro que existe para ella, para él y para su familia si se divulga lo que pasa entre ellos. «Si cuentas lo nuestro nadie te creerá o la mayoría dirá que es culpa tuya», «tu mamá morirá de pena si se entera» o «yo iré a la cárcel y a ti te meterán en un reformatorio», son algunas de las fórmulas recogidas en nuestra práctica a través de las cuales los abusadores impusieron el silencio a sus víctimas.

El niño o la niña terminan por aceptar esta situación y se adaptan a ella para sobrevivir. Entran en la dinámica del chantaje, con lo que obtienen favores, regalos y privilegios del abusador. Esto cierra el círculo infernal, en la medida en que estas respuestas adaptativas permiten la desculpabilización del abusador y, al contrario, aumentan su culpabilidad y su vergüenza.

Nuestras experiencias nos han enseñado que cuando la víctima, sobre todo si se trata de una adolescente, logra mantener la distancia con su padre abusador, una parte de su personalidad será traumatizada, pero su dignidad se mantendrá intacta. Esto corresponde a los casos donde gracias a la comprensión de la situación y a su valor, los niños pudieron, en todo momento, sentirse víctimas violadas por sus padres u otro familiar, o cuando el abusador era, además, violento y sádico. En este caso, las víctimas pudieron, a través de la rabia que sentían contra su agresor, guardar la distancia necesaria para entregar su cuerpo, pero al mismo tiempo proteger y mantener intacta su subjetividad. En estos casos, las hijas pudieron divulgar la situación de incesto más rápidamente.

Los casos más dramáticos corresponden a las situaciones en que la víctima «es aspirada» por el abusador, perdiendo toda capacidad de experienciarse como una víctima de abuso. En estos casos es frecuente que la víctima experimente placer en la relación, lo que producirá consecuencias catastróficas en su vida adulta.

2. La divulgación: la crisis para la familia y los sistemas de intervención

Como decíamos anteriormente, este período corresponde a la desestabilización del sistema familiar como resultado de la divulgación de los hechos abusivos por parte de la víctima. Es el momento de la crisis del sistema familiar, así como del sistema social que le rodea, incluidos los profesionales.

En este segundo período podemos distinguir dos fases:

— La fase de la divulgación propiamente dicha.
— La fase de represión del discurso de la víctima.

La fase de la divulgación

A pesar de los esfuerzos del abusador por mantener a su víctima dentro de una celda de silencio, culpabilización y vergüenza, algunas víctimas, desgraciadamente no todas, terminan por divulgar los hechos incestuosos.

Uno de los intereses de nuestra reflexión clínica ha sido comprender las circunstancias y el proceso a través del cual la niña/o se atreve a romper la ley del silencio y a divulgar los hechos abusivos.

En este sentido nos parece importante distinguir la divulgación accidental de la divulgación premeditada. En la primera, los hechos abusivos son descubiertos accidentalmente por un tercero, por ejemplo, cuando alguien entra en la habitación en el momento en que el padre está abusando de su hija; en otros casos por la contaminación de una enfermedad de transmisión sexual, o en casos más dramáticos por el embarazo de la víctima. En todas estas situaciones será «un accidente» y no la víctima quien involuntariamente desencadene la crisis familiar divulgando el incesto.

En el caso de una divulgación premeditada, nuestro interés se ha volcado en detectar los factores que deciden o impulsan a la víctima a comunicar su condición rompiendo el secreto. El elemento que nos parece determinante es que la niña o niño se atreve a hablar cuando su situación se le hace insoportable, cuando se siente prisionero de un conflicto de pertenencia. Para madurar y estructurarse, el niño necesita determinar, en relación con los demás, los límites de su propio territorio personal; para esto, en determinados momentos de su desarrollo deberá establecer jerarquías diferentes entre su cuerpo individual y su pertenencia a su sistema familiar y/o social.

Esto nos permite explicar el hecho de que la mayoría de los niños más pequeños, es decir, entre los dos y los diez años, tratados en nuestro programa, divulgaron la situación abusiva a partir del dolor que los gestos de su familiar abusador les provocaba, sobre todo en el caso de la penetración. En este caso el niño «elige» su propio cuerpo denunciando a su abusador sin pensar en el riesgo de perder su consideración. El niño divulga el abuso para resolver un problema que en ese momento le parece prioritario: el dolor.

Para ilustrar esta situación citaremos el caso de M., una niña de cuatro años que contó a su madre que su papá le había enterrado un cuchillo entre sus piernas y que le dolía. La madre consultó a su médico de familia, quien constató signos de irritación en la zona vaginal. El padre reconoció haber frotado su pene contra la zona genital de su hija. El conjunto de la familia pudo ser ayudada por el programa, después de que se tomaran las medidas de protección hacia la niña, que consistieron en este caso en el alejamiento del padre del domicilio familiar.

En el caso de los adolescentes, la divulgación se produce con bastante frecuencia alrededor de un conflicto de autonomía que es el resultado de una crisis de pertenencia entre su familia y los miembros de su entorno. La adolescencia plantea a la hija nuevos desafíos y necesidades; el problema de fondo puede definirse como un conflicto entre su pertenencia familiar o su pertenencia al grupo de su edad, que simbólicamente representa su desapego a la familia. Esta tensión familia/entorno social, se expresa en un conflicto creciente con el abusador, que hace lo posible por retener a su hija en la familia y en su área de influencia.

En medio de este conflicto la hija puede sentirse por primera vez atraída por un muchacho de su edad, lo que amplía la tensión entre ella y su padre.

La adolescente puede, entonces, divulgar su secreto buscando una solución inmediata a su conflicto, con la esperanza de obtener más libertad. Por ejemplo, cuando denuncia que su padre abusa de ella, a menudo quiere también que los abusos terminen, pero lo prioritario para ella es resolver el conflicto de poder con su padre. Por esta razón, a veces las consecuencias que la divulgación acarrea para ella y su familia la cogen desprevenida. Esto es importante y se debe tener en cuenta, para acompañar a la víctima en el control de la situación de crisis.

A medida que nos fuimos adentrando más y más en las dinámicas familiares incestuosas fuimos distinguiendo otros tipos de circunstancias a partir de las cuales es posible la divulgación. Por ejemplo, la víctima divulga la situación cuando se da cuenta de que su padre abusa también de una de sus hermanas, o en el momento del nacimiento de un nuevo hermano en la familia, que enfrenta a la víctima con el miedo de quedar embarazada de su padre, o en el momento en que su madre, por otras razones, decide divorciarse.

La fase represiva

En todos los casos del abuso sexual intrafamiliar tratados en nuestro programa, hemos constatado en los miembros de la familia, así como en miembros del entorno que incluye a los profesionales, el desencadenamiento de un conjunto de comportamientos y discursos que tienden a neutralizar los efectos de la divulgación. Hemos comprendido los esfuerzos desesperados de la familia para recuperar su «equilibrio», tratando de eliminar a través de todos los medios a su alcance los efectos provocados por la denuncia de los hechos incestuosos.

La descalificación del discurso y de la persona de la víctima, las acusaciones que tienden a señalar a la víctima como culpable o la negación de la evidencia de los hechos, son sólo algunos de los medios empleados. En esta estrategia se implican activamente no sólo el abusador, también la esposa, los hermanos y hermanas y, desgraciadamente, policías, médicos, jueces, etc., demasiado comprometidos e identificados con los adultos de la familia y/o sin la formación necesaria para manejar la situación.

Estas presiones y amenazas explican el hecho de que numerosas víctimas de incesto se retracten posteriormente de lo divulgado.

8. LOS PERSONAJES ADULTOS DE LAS TRAGEDIAS POR ABUSO SEXUAL

En las situaciones de abusos sexuales nos encontramos con los mismos tipos de personajes de todas las situaciones de violencia de los adultos: los abusadores que a su vez fueron abusados cuando eran niños, los niños víctimas sometidos al poder de los adultos y los terceros, los testigos, los cómplices, los indiferentes.

A propósito de terceros, nos hemos interesado principalmente por el papel jugado por la madre en las situaciones de incesto, en la medida en que ésta nos permite aproximarnos a la experiencia de otros terceros, por ejemplo los otros miembros de la familia y/o los profesionales que afrontan estas situaciones: trabajadores sociales, profesores, psicólogos, médicos, etc.

La dificultad de esta posición durante los abusos sexuales y sobre todo en el momento de la divulgación, nos permite comprender mejor lo que algunos llaman «la complicidad de la madre», así como sus ambigüedades y sus temores. Pero también sus reacciones de coraje, compromiso y de apoyo a las víctimas, comportamientos presentes en numerosas personas como otros miembros de la familia, profesionales, ya sean miembros del sistema médico-psicosocial, miembros del sistema judicial y/o del sistema escolar, o simplemente ciudadanos.

LAS EXPERIENCIAS VITALES Y LA PERSONALIDAD DE LOS ABUSADORES

Los abusadores son esencialmente varones; en nuestra casuística representan el 94 % de los casos, en comparación con el 6 % de casos de mujeres. En este último grupo se encuentran mujeres en las que hemos podido detectar comportamientos abusivos directos sobre los niños y/o en complicidad con un abusador masculino.

Para nombrar el tipo de vínculo que un abusador, sobre todo masculino, establece con sus víctimas, usaremos el término de *pedofilización*. Hablar de pedofilización es denunciar una de las formas más insidiosas de atentar contra la integridad corporal, psicológica y moral de un niño. Este proceso es una de las categorías más abyectas del abuso del poder, comparable a ciertas formas de tortura, como la llamada «tortura limpia» (Lauret, 1975), que corresponde a una forma refinada de destrucción de un individuo a través de su manipulación psicológica en la que no tiene ni siquiera la posibilidad de reconocerse como víctima. En la pedofilización, las víctimas de esta «tortura limpia» son niños.

Estos verdugos pedófilos explotan sexualmente a los niños en un ambiente relacional, afectivo y discursivo falsificado, que impide a éstos reconocerse como víctimas de esa situación de violencia. El niño corre el riesgo de buscar, a lo largo de su vida y de manera compulsiva, este modelo relacional que le impusieron.

La apariencia exterior de estos hombres no es distinta a la de otros hombres; pertenecen a todas las clases sociales, ejercen toda clase de oficios y profesiones; pueden ser de todas las razas, religiones y nacionalidades.

En el transcurso de una visita a la ciudad de Repentigny, en Quebec, participamos en una actividad organizada por una asociación de autoayuda llamada «Padres unidos-Jóvenes unidos». En los salones de esta asociación, asistimos a una reunión donde más o menos cuarenta hombres adultos, entre veintitrés y sesenta años, discutían entre ellos con un vaso en la mano. Nuestra sorpresa fue grande cuando algunos minutos más tarde, siendo observadores de un grupo terapéutico para abusadores sexuales, pudimos constatar que los participantes de nuestro grupo eran las mismas personas que anteriormente conversaban en el salón como si fueran los sujetos más normales del mundo. En ese grupo de abusadores había profesores, policías, médicos, obreros, empleados, etc., canadienses e inmigrantes, pertenecientes a religiones, nacionalidades y culturas diversas. A pesar de su aspecto exterior de normalidad, esos hombres se sentían en su interior profundamente frágiles en tanto adultos y pertenecientes al género masculino.

Todos presentaban trastornos importantes a nivel de su identidad, de su autoestima y de sus posibilidades relacionales. Cuando estos sujetos se enfrentan o se ven superados por las exigencias de la vida, o cuando experimentan la imposibilidad de corresponder a lo que ellos creen que son los atributos de la masculinidad, se descompensan y buscan como «solución» a sus temores y angustia el abuso sexual de niños.

Los encuentros terapéuticos con abusadores similares a los que encontramos durante nuestra práctica en Quebec nos permitieron descubrir los elementos más importantes que constituyen las vivencias de estos hombres y que describiremos a continuación.

Todos ellos presentan trastornos en su proceso de *individuación;* es decir, no pudieron llegar a ser adultos maduros ni a nivel psicosocial ni a nivel relacional, porque los miembros de su sistema familiar de origen, con o sin la influencia del entorno social, ejercieron presiones sobre ellos bajo la forma de fuerzas centrípetas (seducción, culpabilización y/o secretos) que obstaculizaron sus procesos de «individuación integrada» (Stierlin, 1987). La consecuencia de esto es que no lograron ser sujetos autónomos y diferenciados capaces de participar en relaciones equilibradas y sanas con sus pares. Muy a menudo, estos abusadores son sujetos inmaduros que permanecen atados a sus infancias, que viven como una experiencia profundamente gratificante y feliz. A veces, cuando los niños fueron explotados como objetos «transicionales» de sus padres, quedaron prisioneros en una relación simbiótica y/o fusional con uno o varios adultos de la familia.

La otra característica de estos sujetos es que han sido *profundamente traumatizados* en sus vivencias subjetivas, autoestima e identidad por experiencias de carencias biopsicorrelacionales graves y prolongadas y/o por experiencias de malos tratos y/o abusos sexuales. Muy a menudo, guardan sentimientos disimulados de odio, miedo y/o de fascinación por la «fuerza y el poder» de sus agresores y/o presentan de manera compulsiva la tendencia a revivir sus experiencias a través del abuso de sus víctimas, tal vez con la ilusión de dominar un día al agresor introyectado. Tienen pues tendencia a «cosificar» a otros seres humanos, especialmente aquellos con los cuales se encuentran en una relación de superioridad.

El otro componente de sus experiencias es la *angustia de las separaciones.* Cada una de ellas es vivida como un momento cargado de tensión. La clínica muestra que las separaciones y la angustia que las acompaña son un factor importante que desencadena el hecho de pasar al acto. Experiencias como la hospitalización de la esposa, una estancia en la maternidad, una separación conyugal, el fallecimiento de la madre, etc., pueden jugar un papel importante a este respecto.

Esta vulnerabilidad respecto a la separación puede explicarse porque poseen una identidad frágil que les impide hacer el duelo de una manera sana, o por una representación de sí mismos que, sustentada en la ideología patriarcal, les angustia por creerse perdedores, y sobre todo por una deficiencia del proceso de separación de «su cuerpo familiar» de origen. La mayoría de los hombres incestuosos se quedaron profundamente ligados a sus familias de origen y presentan una enorme fragilidad en los momentos de separación. Muchos de ellos mostraron en la adolescencia una tendencia a quedarse «anclados» en sus casas. Esto se explica por la existencia de fuerzas emocionales centrípetas que les retenían dentro de la familia y también por sus dificultades para establecer contactos sociales con sus pares, seducir a una joven y/o investir un proyecto profesional para el futuro.

También contribuyen a esta dificultad los fenómenos de desritualización ligados a la modernidad, que dificultan el proceso de «periferización» a través del cual los jóvenes de una familia sana son estimulados a buscar una pareja y/o descubrir un proyecto para intentar la aventura social de construir una nueva familia por medio de una alianza. Lo que caracteriza a la época actual es la extinción de los rituales sociales tradicionales (fiestas del pueblo, grupos de amigos, etc.) que antaño facilitaban los encuentros en general, y sobre todo los de hombres con mujeres, así como los «rituales de iniciación», que facilitaban el paso del espacio familiar al espacio social.

Los abusadores sexuales atendidos en nuestro programa presentan una gran dificultad para separarse de sus familias. Sus contactos con la realidad social son frecuentemente regresivos e infantiles y no logran ser adultos diferenciados con una sexualidad sana. Esto implica una gran dificultad para controlar las frustraciones de la relación amorosa adulta, así como los obstáculos ligados a la vida familiar y social.

Por último, casi todos los abusadores que he encontrado en mi práctica tenían una *representación del género masculino profundamente trastornada*. La representación de su masculinidad estaba caracterizada por atributos de poder, fuerza y dominación. Estos hombres fueron adoctrinados en una cultura familiar en la cual los miembros adultos se adherían a los valores de la cultura patriarcal y falocrática: «Los hombres son superiores a las mujeres y a los niños y hay que probar, cueste lo que cueste, esta superioridad». De esta manera se sienten obligados a probar permanentemente su virilidad. Las relaciones abusivas con los niños les permiten, en momentos de crisis, tener la ilusión de seguir sintiéndose «verdaderos hombres». Para ellos, dominar es más importante que contar con el respeto del otro, y el poder es más importante que el diálogo y la colaboración.

Desconectados de sus mundos emocionales, se refugian en sus mecanismos de racionalización y utilizan el sexo y la sexualidad como instrumentos de dominación y prueba de su virilidad.

LOS DIFERENTES GRUPOS DE ABUSADORES Y SU PERSONALIDAD

En nuestro programa pudimos distinguir rápidamente dos grupos de abusadores. Un primer grupo estaba constituido por hombres que habían abusado de varios niños diferentes y presentaban una compulsión crónica y repetitiva hacia el acto de «pedofilizar». Para estos sujetos, la pedofilia formaba parte de su estructura subjetiva, comportamental e ideológica. Estos pedófilos estaban casi siempre implicados en situaciones de abuso sexual extrafamiliar. Un pedófilo de este tipo puede agredir como término medio a una veintena de niños (Gazan, 1990). Se trata a menudo de una verdadera carrera de pedófilo.

Un segundo grupo estaba constituido por hombres que se transformaron en pedófilos en un momento de crisis existencial que cuestionó sus representaciones viriles. Se trataba de crisis existenciales ligadas a profundos sentimientos de angustia, de anomia y de impotencia, como resultado de conflictos conyugales, separación o divorcio, fracasos profesionales y/o problemas ligados a la senectud con pérdida de la potencia sexual. Los abusos cometidos por este tipo de hombres constituyen las situaciones tratadas con mayor frecuencia por nuestro programa. En general, este abusador está implicado en situaciones de abuso intrafamiliar y la reincidencia es escasa.

Designaremos a los componentes de estos dos grupos con la denominación genérica de abusadores pedófilos, entendiendo como *abusador pedófilo obsesivo* a los del primer grupo y *abusador pedófilo regresivo* a los del segundo grupo (Sgroi, 1986).

Para los *pedófilos obsesivos*, los niños son los objetos favoritos y casi exclusivos de su interés sexual. Este tipo de relación perversa les da al mismo tiempo la ilusión de amar y de ser amados por alguien que no les cuestiona sus deseos, creyéndose al mismo tiempo reconocidos y agradecidos por el entorno del niño, pues ofrecen a éste «cuidados» que su familia está incapacitada para darle.

Profundamente convencidos de que sus gestos son positivos e incluso necesarios para asegurar el desarrollo afectivo y sexual de los niños, abusan de sus víctimas sin vergüenza ni remordimiento.

Esta fijación sexual sobre el cuerpo del niño, mistificada por un discurso «de amor por los niños», es, según nuestra experiencia, la consecuencia de un desarrollo psicosexual alterado de estos sujetos debido a una intoxicación afectiva erotizada de sus infancias, ejercida por uno o varios adultos de sus familias. Estos sujetos fueron víctimas de un proceso de «pedofilización familiar» por parte ya sea del padre u otro hombre de la familia (tío, abuelo, etc.), o por la madre u otra mujer de la familia, que por sus tendencias pedófilas erotizaron su relación con ellos.

Un abusador de este tipo, por ejemplo, descubrió en su psicoterapia que su atracción sexual por las niñas podía provenir de una experiencia acaecida entre los seis y los siete años. En esa época descubrió un escondite secreto en el que su padre guardaba un libro pornográfico con imágenes de niños, y en otra ocasión sorprendió a su padre masturbándose mientras miraba esas imágenes. A partir de ese momento, todas sus fantasías eróticas y sus prácticas masturbatorias se organizaron a partir de imágenes de niñas. Más tarde, siendo adulto, abusó sexualmente de sus sobrinas.

Estos hombres esconden también, detrás de su atracción sexual por los niños, un profundo deseo de ser niños como ellos. Muchas veces sus ocupaciones y sus entretenimientos preferidos muestran que continúan divirtiéndose con sus juguetes de la niñez y/o coleccionando los juguetes que prefieren. Eligen profesiones y trabajos que les aseguran un contacto permanente con niños.

Uno de los abusadores, que había agredido a varios niños, continuaba jugando con su tren eléctrico que había conservado desde su infancia, utilizando además esta actividad para atraer a sus víctimas.

En el caso del *abusador regresivo*, la pedofilia es la consecuencia de una crisis de identidad. Su delito es el resultado de un deterioro de su capacidad para establecer relaciones afectivas y sexuales satisfactorias con adultos. En este caso, la vida sexual de estos individuos, antes de cometer su primer abuso, estaba orientada hacia un adulto. Su interés sexual hacia los niños aparece como resultado de una experiencia de crisis que dejó al descubierto la fragilidad de su identidad, basada en la dominación, la fuerza y la virilidad.

Los abusos sexuales pueden ser comprendidos en este caso como un «ritual» perverso y abusivo que tiene por función «salvar» la pseudoidentidad del sujeto, en peligro por su incapacidad para hacer frente a las dificultades de la vida cotidiana. En el caso de conflictos con su pareja, por ejemplo, este abusador regresivo utilizará sexualmente a su hija como si ella debiese tomar el lugar de una mujer adulta gratificante y complaciente.

El discurso del señor M. ilustra el estado de ánimo de estos hombres durante el abuso:

> Durante todo ese período me sentía muy mal conmigo mismo, temía ser descubierto y me sentía como un padre innoble. Sucedió que mi hija habló a una de sus amigas de clase, y ésta se lo dijo al profesor. La escuela contactó con vuestro servicio, y pude ser ayudado, así como toda mi familia. Nunca negué lo que hice y en mi interior estaba contento de haber sido denunciado, para que esto no continuara.

Con respecto a su propia vida de niño que sufrió abusos, este hombre reveló más tarde en su terapia:

> Es difícil hablar de ello, pero ayer noche, después de la sesión, recordé que mi padrastro abusó de mí cuando yo tenía alrededor de siete años. Aquello debió durar más de un año; recuerdo vagamente que él venía a mi cama y acariciaba mi sexo, y a veces yo debía masturbarle. Lo más terrible fue cuando comenzó a sodomizarme. Nunca me atreví a hablar de esto; yo creo que sentía una vergüenza terrible, sobre todo pensando qué ocurriría si mis amigos lo hubiesen sabido; yo no habría podido soportar que me creyesen un «marica».

La personalidad del abusador sexual

Hemos elaborado una tipología clínica a partir de dos ejes: uno es el concepto y escala de diferenciación de Bowen (1984) y el otro la noción de «individuación integrada» propuesto por Helm Stierlin (1977).

El concepto de diferenciación de Bowen alude a la capacidad de construir un yo individual manejando de una forma adecuada la influencia emocional del «yo colectivo familiar». Los sujetos no diferenciados son todavía demasiado dependientes emocionalmente de sus padres y de las experiencias significativas de sus familias de origen.

Aplicando la escala de Bowen, los abusadores sexuales se sitúan en la parte inferior de la escala de diferenciación, es decir, son sujetos que siguen estando emocionalmente implicados en las dinámicas de sus familias de origen y por ende el yo indiferenciado familiar es más poderoso que el yo personal. Según el grado de dependencia al yo familiar, podemos distinguir tres grupos:

a) los abusadores no diferenciados,
b) los abusadores bajo débil de diferenciación, y
c) los abusadores con una diferenciación moderada.

Por otra parte, el concepto de «individuación integrada» propuesto por Helm Stierlin se refiere al proceso que permite a cada individuo adquirir un sentimiento de integridad personal a través del establecimiento de «fronteras psicológicas semipermeables». Estas fronteras proporcionan por un lado un sentimiento de estar separado de los demás, sintiéndose uno mismo, y por otro la vivencia de estar integrado y en relación con los demás.

Los trastornos de la individuación integrada se traducen por una parte en una experiencia de *subindividuación,* cuando las que predominaron en la dinámica relacional de la familia de origen fueron las fuerzas centrípetas o de «aspiración». Como consecuencia, los miembros de estas familias presentan a menudo una tendencia a la dependencia y a establecer relaciones fusionales con los otros.

Al contrario, la posición de *sobreindividuación* proviene del predominio de las fuerzas centrífugas. El sujeto es obligado por la dinámica familiar a una autonomía precoz y a una madurez forzada que lo puede arrastrar a una experiencia de aislamiento de los demás con una vivencia de superioridad todopoderosa y de grandiosidad. Esta posición le impide vincularse con los otros en la «emocionalidad del amor», presentando una tendencia al aislamiento y/o la utilización del otro.

Como veremos a continuación, los abusadores muestran trastornos tanto en el sentido de la subindividuación como en el de la sobreindividuación. La combinación de estos dos conceptos nos permitió construir la tipología que se muestra en el cuadro 13.

1. *Los abusadores subindividuados no diferenciados*

Estos sujetos presentan una ausencia de frontera psicológica entre el sí mismo y el otro; el otro es percibido como una prolongación de su «pseudoyó». Su yo personal se confunde con el yo colectivo indiferenciado de su familia de origen.

Un *pseudoyó psicótico* les conduce al abuso sexual, habitualmente de tipo intrafamiliar, y corresponde a una estrategia relacional destinada a dominar la angustia de desintegración y despersonalización provocada por el proceso de autonomización de sus hijos. De una manera metafórica, podemos afirmar que el incesto

CUADRO 13. La personalidad de los abusadores sexuales.

El yo individual
diferenciado

▲

sobreindividuación   Neurótico   subindividuación

Psicopático

Pedófilo
perverso   *Abandónico*

Paranoico   Psicótico

▼

El yo colectivo
indiferenciado familiar

Nota: ◄──► Modelo de individuación integrada (H. Sterlin 1979)

Modelo escala de diferenciación del self (M. Bowen, 1984)

permite al abusador mantener de manera simbólica su «yo colectivo indiferenciado». A menudo, estos abusadores han sido víctimas de relaciones fusionales e incestuosas con su madre, y/o abusados sexualmente por el padre.

El abuso sexual puede ser también la consecuencia de ideas delirantes del sujeto y/o formar parte de ritos con contenidos esotéricos y/o religiosos. Desde el punto de vista de la estructura de personalidad, estos sujetos corresponden a un registro psicótico y/o *borderline*. El eje del trabajo terapéutico para este tipo de abusador, pasa por el tratamiento psiquiátrico de su patología psicótica. Una vez que su enfermedad es controlada, el riesgo de reincidencia es relativamente escaso.

2. *Los abusadores subindividuados con bajo nivel de diferenciación*

Estos sujetos presentan ya sea un *abandonismo* pasivo o un *abandonismo* activo.

Los *abandónicos activos* presentan un grado mínimo de diferenciación, lo que les sitúa un poco más alto en la escala de diferenciación de Bowen, pero no lo suficiente para presentar una individuación integrada. A través de su pseudoyó expresan las consecuencias de sus experiencias en sus familias de origen, caracterizadas por la negligencia grave, las separaciones precoces y repetidas y el abandono.

Los abusos sexuales son la manifestación de «comportamientos predadores», estrategias de supervivencia para compensar las carencias del pasado. El abusador busca, a través del contacto sexualizado con el niño, un contacto afectivo. La sexualización de los niños es una de las maneras de procurarse «afecto» y ternura sin correr el riesgo de la frustración y de ser rechazado. Cuando el abuso sexual es intrafamiliar, el sujeto cree dar y recibir cuidados maternantes por parte de su víctima. Habitualmente no violentan a sus víctimas y se presentan como abusadores gentiles y necesitados, que se hacen adoptar por ellas. A veces son también responsables de abuso extrafamiliar, y en algunos casos han sido adoptados por la familia de la víctima.

El segundo grupo, el de los *abandónicos agresivos*, que no sólo fueron víctimas de carencias graves, sino que, además, sufrieron maltrato físico, pueden por esto presentar comportamientos violentos hacia los niños. En ciertos momentos su gentileza se desmorona y se transforman en «predadores-devoradores» reivindicativos y dispuestos a castigar a sus hijos acusándoles de no reconocer suficientemente sus esfuerzos por amarles y educarles. El tipo de abuso sexual cometido por estos individuos puede también ser intra y extrafamiliar, y a veces va acompañado de gestos violentos e incluso de sadismo.

La terapia de estos dos tipos de abusadores nos lleva a los límites del tratamiento ambulatorio. A menudo sus experiencias carenciales son tan importantes que un tratamiento psicoterapéutico por sí solo no es suficiente y se debe incluir un tratamiento institucional para la reeducación de los comportamientos predadores. En nuestro programa, tratamos estos casos protegiendo a la víctima y recurriendo a la justicia para introducir un marco terapéutico coactivo.

3. *Los abusadores subindividuados con una diferenciación moderada*

Estos sujetos muestran un grado moderado de diferenciación; por lo tanto los encontramos más o menos en la mitad de la escala de diferenciación de Bowen. Son suficientemente diferenciados para funcionar normalmente en ambientes relacionales equilibrados, pero no lo bastante como para afrontar momentos de crisis que los enfrentan al riesgo de perder sus fuentes de afecto y de consideración. En esos momentos de crisis regresan a una posición de subindividuación, abusando de sus hijos ya sea para dominar su angustia de abandono, o para compensarla en el caso de separación, divorcio o muerte de su madre, etc.

Este tipo de abusador presenta una tendencia regresiva y abusa de sus hijos en un momento de desinhibición ligado al consumo del alcohol. A veces se trata de sujetos depresivos en los que el abuso sexual puede corresponder a un paso al acto con connotaciones suicidas. Este tipo de individuo, que corresponde al abusador regresivo de nuestra primera tipología, acepta casi siempre la responsabilidad del abuso intrafamiliar. Casi nunca utiliza la violencia y pasa al acto como resultado de acontecimientos o de una situación que rompe su equilibrio existencial. Muchas veces han recibido abusos sexuales en su propia infancia.

Dichos individuos actúan con un registro de personalidad neurótica. En relación con el enfoque terapéutico, estos abusadores reciben tratamiento en el marco de los programas ambulatorios «SOS Enfants-Famille» siguiendo más o menos el modelo de intervención familiar sistémica que será descrito en líneas generales en el último capítulo de este libro. El acompañamiento terapéutico de estos abusadores se hace a veces sin denunciar los hechos al sistema judicial.

Esto se explica porque en Bélgica no es obligatorio denunciar inmediatamente el caso a la justicia si los organismos de protección y terapéuticos asumen la protección de la víctima, previenen los riesgos de recaída y ofrecen una terapia a los abusadores. En nuestro modelo, el señalar los hechos a la justicia es una elección clínica determinada entre otras cosas por el análisis de la gravedad del caso, la actitud del abusador, y el grado de plasticidad de la familia, así como de los recursos intra y extrafamiliares disponibles para el tratamiento de la víctima y su familia (Wustefeld y Vervier, 1992).

4. *Los abusadores sobreindividuados no diferenciados*

Estos sujetos adoptan una posición de aislamiento social caracterizada por una actitud casi «autística» acompañada de una desconfianza paranoica. Son adultos que en sus infancias han quedado atrapados en una relación privilegiada y exclusiva con la figura materna. Por eso crecieron con una ilusión de grandiosidad y de superioridad, pero como al mismo tiempo estuvieron confrontados con una figura paterna autoritaria y maltratadora, introyectaron además la figura paterna como objeto persecutorio.

El abuso sexual producido por este abusador es mayoritariamente intrafamiliar, homo y heterosexual, y su finalidad parece ser la de protegerse de la angustia persecutoria al proyectar el mal sobre los hijos y/o de reencontrar en la relación abusiva incestuosa el vínculo tranquilizador y gozoso de la relación con su madre. Desde el punto de vista de la estructura de la personalidad, estos sujetos funcionan preferentemente sobre un modo paranoico.

Hemos tratado a pocos abusadores como éstos en nuestro programa; frecuentemente los derivamos hacia un servicio de psiquiatría.

5. *El grupo de abusadores sobreindividuados con escasa diferenciación*

En este grupo, la sobreindividuación es la consecuencia de una relación fusional y gratificante con la madre, pero a diferencia del grupo precedente, ésta estableció con su hijo una relación emocional y a menudo sexualmente incestuosa. Aquí, el padre es un sujeto pasivo, dependiente de su mujer, por lo que el hijo toma el lugar «del hombre de la madre» y el marido es como un hijo para su esposa. De esta constelación familiar surge un sujeto sexualmente perverso con un pseudoyó infantil y dependiente de la figura materna, pero exageradamente sobreindividuado con una ilusión espectacular de su propio poderío. Además, la «intoxicación maternante» provoca una sexualización precoz y un aprendizaje de «técnicas de manipulación del otro» para mantener su integridad narcisista. Este tipo de abusador corresponde al obsesivo descrito anteriormente.

El abuso sexual es casi siempre extrafamiliar homo o heterosexual. A través de la seducción de un niño y/o de un adolescente y de su abuso sexual, el sujeto trata por una parte de realizar su proyecto de perfección narcisista y, por otra, de reencontrar el placer sexual de la relación con su madre. Un grupo de estos pedófilos que conocí en nuestro programa fueron mimados en exceso por sus madres. Pero otro grupo había sido «vampirizado» en su infancia y/o en su adolescencia por un pedófilo.

Ambos grupos habían comenzado su carrera de pedófilo en la adolescencia; y sus estructuras de personalidad corresponden a la de un perverso.

6. Los abusadores sobreindividuados con una diferenciación moderada

Estos abusadores se han diferenciado en el marco de un proceso familiar caracterizado por interacciones afectivas alternantes de seducción y rechazo. Este modelo relacional es predominante en la díada madre-hijo y la experiencia de rechazo está reforzada por la presencia de un padre mucho más presente que en otros casos, pero autoritario, cruel y violento.

El pseudoyó sobreindividuado reposa sobre una representación de sí mismo con atributos de fuerza, grandiosidad y poder absoluto. En la medida en que estos sujetos carecen de empatía hacia los demás, su funcionamiento habitual es de tipo transgresor y los abusos sexuales de los niños son una forma de pasar al acto entre otras muchas. Estos sujetos, libres de angustia y de culpabilidad, profundamente manipuladores y seductores, son responsables de abusos sexuales intra y extrafamiliares; a menudo utilizan la fuerza y la amenaza para abusar de sus víctimas.

En el caso de los abusos sexuales extrafamiliares, estos sujetos son a menudo responsables de violación con asesinato de sus víctimas. Para esos abusadores, el abuso de poder y la sumisión de sus víctimas por la fuerza es una manera de procurarse un goce narcisista, inmediato y sin riesgo.

A nivel de la estructura de personalidad, funcionan en un registro psicopático. Estos abusadores psicópatas, así como los pedófilos perversos, no son tratados en los programas «SOS Enfants-Famille». Estos equipos destinados a atender fundamentalmente a las víctimas infantiles y a sus familias, evitan la contaminación de los espacios terapéuticos destinados a los niños con la presencia de tales sujetos, que no pertenecen al cuerpo familiar de la víctima. La distancia entre el agresor y su víctima es en estos casos una necesidad fundamental para la reparación de esta última.

Los abusadores perversos y psicópatas son siempre denunciados a la justicia, ya sea por intermedio del jurista de nuestro equipo, o bien acompañando a la víctima y a su familia a hacer la denuncia. El modelo de intervención con respecto a estos abusadores es primeramente judicial y luego terapéutico.

EL PAPEL DE LA MADRE: CÓMPLICE O INOCENTE EN LOS CASOS DE INCESTO

En los casos de abusos sexuales intrafamiliares, frecuentemente se sospecha primero de la víctima, y se acusa luego a la madre suponiéndola cómplice de su esposo y/o reprochándole su pasividad. Las personas ajenas a este tipo de dramas tienen muchas dificultades para aceptar que la madre de una niña que ha sufrido un incesto no haya podido darse cuenta de lo que sucedía en su casa, que ella no hubiera visto ni escuchado nada que le hubiese permitido proteger a su hija.

En el curso de una conferencia sobre este tema, una de las participantes expresó:

> Que los hombres hagan eso, y no lo justifico, puede estar en la naturaleza de las cosas; pero que una madre no sea capaz de proteger a sus hijos, es inconcebible. Además, algunas mujeres ni siquiera echan al marido de casa.

Nuestra experiencia clínica nos ha conducido a relativizar esta visión reduccionista de la madre siempre cómplice. Es cierto que la mayoría de estas madres subordinan sus necesidades a las de su marido, a causa de la singularidad de sus historias familiares, y por los componentes ideológicos transmitidos-vehiculizados por el modelo patriarcal en que fueron socializadas.

Pero también hay que reconocer que muchas de ellas reaccionan correctamente una vez que se enteran de los abusos del marido, haciendo todo lo necesario para ayudar a la víctima.

La dinámica de la madre en las familias incestuosas se caracteriza por la elección prioritaria, y a veces rígida, que hacen de su pertenencia al subsistema conyugal. Son principalmente y sobre todo «la mujer» de su marido y, a veces, también «su madre». El papel de madre de sus hijos es secundario y dependiente de éste.

Un tercio de estas mujeres, según mi experiencia clínica, viven una relación conyugal sometida a la violencia de su cónyuge. Esta posición de víctimas es la continuación del proceso de victimización infantil que hemos llamado «la carrera moral del niño maltratado». Habiendo ya vivido experiencias de abuso sexual, maltrato físico y abuso psicológico, estas mujeres confirman, en su relación con su cónyuge maltratador, sus sentimientos de impotencia, sumisión, e incompetencia que son el producto de esa carrera. Paradójicamente, estas mujeres se sienten culpables por no dar a su cónyuge lo que necesita; por este motivo soportan y justifican también sus agresiones, disculpando a «su hombre».

A veces sus experiencias subjetivas están impregnadas también de la necesidad de ser una madre poderosa y perfecta, capaz de preverlo todo y proteger a la familia de todos los peligros y de la falta de amor. Ese tipo de madre corresponde a la que ha sido descrita para las mujeres golpeadas y las esposas de alcohólicos... «esas mujeres que aman demasiado».

Nuestros diálogos con estas mujeres nos han ayudado a dar un sentido a esta posición, que a menudo tiene que ver con su proyecto inconsciente de reparar las fallas de su propia madre, con la que mantienen una relación muy ambivalente. Las consideran por una parte víctimas de sus maridos, por lo tanto de sus padres, pero guardan toda su rabia y su rencor hacia ellas, que no supieron rebelarse contra la tiranía del hombre ni protegerlas.

Lo que a veces nos impresiona en tanto terapeutas, es constatar que para esas mujeres es más fácil dirigir su rabia a su madre que a su padre, autor directo de las agresiones. Esto se explica sin duda por la interiorizacion del miedo, de la impotencia y del desamparo asimilados en sus carreras de maltrato físico y/o en los procesos de «vampirización» de cuando se abusó sexualmente de ellas. En ambas experiencias fueron sometidas además a un proceso de culpabilización.

Todos estos elementos nos conducen a responder a ciertos artículos que, de una manera radical y reduccionista, describen a todas estas madres como frágiles, pasivas y profundamente irresponsables (Lustig y colab., 1966; Justice y Justice, 1979; Sgroi, 1986). Todas estas ideas, mitos y prejuicios pueden conducir a los profesionales a una desconfianza extrema hacia estas mujeres, reforzando el proceso de cosificación que siempre han conocido.

Un tercio de las esposas de abusadores encontradas en nuestra práctica se presentan como fuertes, dominantes y controladoras, pero su historia infantil nos revela antecedentes de abandono y negligencia. En los casos de abandono, esas niñas sobrevivieron gracias a estrategias comportamentales que les proporcionaban la ilusión de ser todopoderosas y competentes.

Criadas en instituciones o como niñas de la calle, envejecieron prematuramente con un aspecto exterior de fuertes y poderosas, pero con una profunda fragilidad afectiva en la que se mezcla la desconfianza, la dificultad para controlar las frustraciones, y una enorme susceptibilidad a toda comunicación que les parezca rechazo, crítica y/o abandono.

En sus experiencias de negligencia, esas mujeres no sólo conocieron carencias múltiples sino que además, en el colmo de la injusticia, fueron obligadas a «parentificarse», es decir, a cuidar de sus propios padres y con gran frecuencia de sus hermanos. Esta situación de doble injusticia permite comprender esa fachada de competencia y de control, así como su faz más escondida de susceptibilidad, de envidia incluso de sus propios hijos, y de su espíritu dominador y reivindicativo.

Un último grupo de madres se presentan como mujeres aparentemente frías y distantes, siempre listas para entrar en una escalada simétrica con su cónyuge. Esta actitud se observa también, con facilidad, en otras actividades, como constatan los terapeutas. Influidas por los juegos relacionales de sus familias de origen, difícilmente pueden definir las relaciones en términos de complementariedad (Selvini Palazzoli, 1978). La finalidad de este modelo relacional es sentirse autónomas, aunque fascinadas por la posibilidad de intimidad.

Su otro significativo, por ejemplo su cónyuge, se caracteriza por una lucha permanente para obtener el control de la relación, a fin de mantener una distancia que las proteja, ya sea de la intimidad o del abandono. A menudo estas mujeres encuentran en su pareja un jugador como ellas, que les permite perpetuar la continuidad de las dinámicas de su familia de origen. En estas situaciones, los niños corren el peligro de ser los peones en los combates, y de formarse en «el arte» y el goce del juego simétrico desde muy temprana edad.

Según la reacción de las madres en el momento de la denuncia por abusos hacia sus hijos, distinguimos tres:

La madre de tipo A, que corresponde a una esposa que se encontraba en el momento de la denuncia en el mundo de la *violencia impensable.* Esta madre no podía ni siquiera imaginar la posibilidad de que su cónyuge pudiera hacer algo parecido con sus hijos. Jamás supuso que se podría encontrar frente a la dificultad de representarse la existencia de «esa violencia limpia, invisible, difícilmente imaginable». Además, a menudo los abusadores —a excepción de los más violentos— se presentan a los ojos de todos como hombres perfectamente normales y respetables, buenos esposos y padres adecuados. Con frecuencia son capaces de manipular las relaciones de su entorno, borrando todas las pistas que pudiesen desenmascararles. Es muy raro que el niño ose divulgar a su madre lo que está pasando, por miedo a no ser creído.

La experiencia clínica muestra que muchos niños, víctimas de incesto habían tratado de comunicar a sus madres, directamente y/o a través de trastornos de comportamiento destinados a llamar la atención de ésta y de su entorno, lo que ocurría. Pero si para los profesionales de la infancia ya es difícil descodificar estas señales, podemos imaginar lo difícil que puede ser para una madre.

La sola idea de que su propia hija o hijo pueda ser víctima de abuso sexual por parte de un miembro de la familia es tan horrible para ella que se transforma en algo literalmente inconcebible. Para defenderse del horror de esa sospecha intolerable, la madre lo negará fácilmente y/o encontrará otra explicación a los comportamientos de su hija o hijo.

> La idea me parecía tan monstruosa —nos decía una madre—, que cada vez que mi hija trataba de hablarme de ello, yo la hacía callar enseguida llamándola mentirosa o diciéndole que quería enemistarme con su padre. Tuve que rendirme a la evidencia cuando mi propio marido lo confesó...

Cuando este tipo de madre obtiene la prueba irrefutable del incesto, para ella es un verdadero cataclismo. No sólo se desmorona la confianza que tenía en el hombre que cometió tal acto, sobre todo si es su marido, sino que además se siente culpable de lo que le ha sucedido a su hija. Esta reacción dolorosa se acompaña muy a menudo de una actitud de apoyo hacia la víctima, aun cuando por momentos puede ser ambigua. Esta madre será uno de los pilares de nuestra intervención social, destinada a asegurar la protección de la víctima para que pueda continuar viviendo en su hogar y para exigir y controlar el alejamiento efectivo del abusador del domicilio conyugal.

Las madres de tipo B corresponden a esposas que son cómplices indirectas en el abuso. La situación aquí es más compleja, tanto para el niño como para los profesionales; en estos casos, estas madres-esposas estaban al corriente de la situación de abuso pero conscientemente prefirieron callarse. Se trata de mujeres dependientes del abusador y/o que comparten el mismo sistema de creencias con respecto a que los adultos tienen todos los derechos sobre los niños. Por esto son incapaces de asegurarles protección.

Además, su dependencia hace que la unidad de la familia deba ser salvaguardada a cualquier precio. Para ellas, asumir una ruptura familiar, la denuncia y tal vez la condena y/o la detención del abusador, es algo insoportable; por eso prefieren sacrificar a la víctima. La situación de dependencia económica y afectiva hacia su marido la hace cómplice ante la dificultad de poder encarar una separación. Los problemas concretos como el del alojamiento, el sustento económico, el qué dirán, explican también el temor y el miedo de estas mujeres a denunciar a su cónyuge.

Estas mujeres pueden servir de recurso en el proceso terapéutico, pero sólo en una segunda etapa. Para esto es necesario crear una filiación social con ellas en el marco de la intervención social, para ayudarles a romper los lazos de dependencia con el hombre y a descubrir los valores de la autonomía y la emancipación femenina. Primero en tanto mujer, luego en cuanto a esposa, y por fin en cuanto a madre.

Durante este tiempo, la protección de la víctima y el control para evitar la reincidencia deben de ser delegados ya sea a miembros de la familia extensa, cuando ésta no está implicada en el abuso, o a una institución de acogida con experiencia en el acompañamiento de víctimas de este tipo. Un ejemplo de la vivencia de una madre de estas características se ilustra con el testimonio recogido en nuestro programa:

> Tenía tanto miedo de que mi esposo me dejase y de no ser importante para alguien, que no podía creer lo que me decía mi hija, aun cuando ya me lo había contado varias veces. Temía encontrarme sola, incapaz de mantener mi hogar, sin amor, sin nadie. Gracias a la terapia, me sentí más segura de mí misma y mi relación con mi hija empezó a cambiar. Hoy creo que tenemos una verdadera relación madre-hija, algo que yo nunca conocí.

Poco a poco esta mujer pudo enfrentarse a sus temores y dependencias, comprendiendo que una parte de las mismas estaban ligadas a la dificultad de afrontar el riesgo de la soledad y de carencias materiales y afectivas que la ponían en contacto con su historia de niña pequeña maltratada y descuidada por sus padres.

La madre de tipo C es una esposa *cómplice directa*. La reacción de este tercer grupo de esposas plantea un verdadero drama para las víctimas y hace muy difícil la posibilidad de una terapia familiar.

Son minoritarias pero en cualquier caso existen, participan activamente en el abuso junto a su cónyuge abusador y en los casos más extremos son las verdaderas instigadoras. Por ejemplo, la madre incita expresa o tácitamente a su hija a dejar que su padre o padrastro haga sexualmente lo que quiera con ella o en el caso más perverso participa activamente en la práctica de las situaciones abusivas.

Como profesionales en estos casos nos encontramos frente a un dilema muy difícil, sobre todo en cuanto a las medidas de protección que se deben ofrecer a la víctima. La intervención judicial es prioritaria tanto para proteger a las víctimas como para castigar a los culpables e introducir la noción de ley en el sistema familiar pervertido en su conjunto por los abusos. La penalización de los abusadores y de sus cómplices constituye la única intervención posible que abre la posibilidad de un acompañamiento terapéutico de los culpables, en el marco penitenciario. A propósito de estas situaciones extremas, hay mucho que hacer todavía, sobre todo encontrar los medios para establecer programas más coherentes y concertados entre los equipos terapéuticos, las autoridades judiciales y penitenciarias, y las autoridades administrativas responsables de la protección de los niños.

LAS DINÁMICAS CONYUGALES EN LAS FAMILIAS SEXUALMENTE ABUSIVAS

Diferentes autores en el campo de la psicología, de la psiquiatría, de la antropología e incluso de la etología humana se han interesado por resolver el enigma de los factores que determinan los encuentros conyugales (Whitaker, 1992; Caillé, 1988; Cyrulnik y colab., 1994).

El hecho de trabajar desde hace más de diez años con familias violentas y abusivas me ha llevado a postular la existencia de una complicidad invisible en la elección recíproca de los miembros de la pareja que constituirá este tipo de familias. Estas personas se unen inconscientemente no para ser y formar una familia, sino al contrario, para sabotearla, sacrificando una vez más una parte de su integridad y/o de uno o varios hijos.

La idea de formar una pareja no está siempre ligada al proyecto en cuanto tal. Una pareja puede servir a las familias de origen de los cónyuges respectivos como un campo de batalla para determinar a qué clan pertenecerá la nueva familia. Otra posibilidad puede ser que cada cónyuge quiera conquistar ese espacio para realizar su sueño de ser adoptado por «la buena madre» o «el buen padre» que nunca tuvo. Lo contrario también es posible, es decir, reencontrar en la relación con su cónyuge el mismo modelo fusional fascinante y a veces sexualizado traumáticamente que conoció con su padre o su madre y/o con algún otro miembro de su familia. Carl Whitaker (1992), llamó a este proceso «el contrato de adopción bilateral» que a menudo se acompaña de un «proyecto mutuo bilateral de pseudoterapia», evidentemente siempre implícito pero bien presente en los proyectos de cada uno.

Aplicando el modelo de Murray Bowen (1988) al estudio de estas parejas, podemos afirmar que son muy a menudo la consecuencia de un encuentro de dos sujetos con un nivel de diferenciación similar, pero con dos pseudoyó formalmente diferentes. Los componentes de este tipo de pareja corresponden, como en el caso de las parejas implicadas en la violencia física, a dos adultos poco diferenciados, que podemos situar en la mitad inferior de la escala de diferenciación propuesta por este autor.

Los miembros de una pareja constituida de esta manera no distinguen entre lo que son sus impresiones y los hechos reales. Lo que imaginan es la expresión más precisa de la realidad. A menudo, por ejemplo, la futura esposa había percibido antes del matrimonio signos de que su futuro marido podía reaccionar de manera abusiva.

Así nos lo dijo Flor, la esposa de un padre incestuoso que abusó sexualmente de sus dos hijas y más tarde de sus nietas: «Yo ya sabía antes de casarme, que él "sólo pensaba en eso", pero pensé que conmigo cambiaría».

En esta mujer existía una enorme «energía emocional fusional» con respecto a su cónyuge y una gran parte de sus recursos personales eran utilizados para mantener su pseudoyó en un estado fusional, reservándose pocas energías disponibles para actividades autónomas, entre otras para ser madre de sus hijas. Esta mujer no diferenciaba claramente su sentir y su pensamiento.

La meta primordial de su vida era «el amor, la felicidad, la comodidad y la seguridad». Estaba dispuesta a aceptar cualquier cosa; ni siquiera el incesto de sus dos hijas le hizo dudar de su proyecto de pareja. Las transgresiones deberían haber roto sus fantasías, pero se pusieron en marcha diferentes mecanismos de negación para mantener la representación de su pareja y de su familia «unida». Su marido tuvo que repetir el abuso con sus nietas para que esta mujer afrontase su verdadera naturaleza.

No todas las parejas que se constituyen a partir de dos pseudoyó se ven implicadas en una situación de abuso sexual. Una pareja de este tipo puede mantenerse en equilibrio si cada miembro logra controlar sus angustias individuales. La ansiedad y el sufrimiento pueden emerger como consecuencia de acontecimientos que rompen el equilibrio y que acarrean una crisis a la pareja. La crisis de pareja puede dejar al descubierto las perturbaciones psíquicas y emocionales del padre, que ofrece una salida a su pseudoyó a través de una reacción pedofílica para evitar el riesgo de descompensación. El abuso calma la angustia de este sujeto y permite a la pareja mantener su homeostasis. Esta reacción corresponde a la del abusador regresivo y en ese caso la reacción de la madre puede ser ambivalente, siguiendo un movimiento de péndulo: una vez al lado de su hija, y otra vez al lado del abusador.

Afortunadamente para los niños, no todos los hombres que viven una crisis de pareja se compensan abusando sexualmente de uno de sus hijos. Los que lo hacen corresponden a uno de los tipos descritos anteriormente, donde el antecedente de haber sufrido abusos en la infancia está casi siempre presente.

Para ilustrar esta situación describiremos resumidamente la historia del señor Bano:

El señor Bano era el hijo único de una pareja de cierta edad. Creció en un clima familiar bastante cerrado y su socialización profundamente religiosa le había impedido acceder a una información adecuada, abierta y sana con respecto a la sexualidad. Cuando cumplió los ocho años, su vecino, un adolescente cinco años mayor que él, lo implicó en juegos sexuales abusivos, en los que se masturbaban y practicaban la felación, en un clima de secreto impregnado de culpabilidad.

Esta amistad le era muy significativa, porque ese vecino era su único amigo en aquella época y porque le había enseñado «algo» que sus padres nunca habían mencionado. A los doce años fue enviado a un internado dirigido por religiosos. Uno de los religiosos, probablemente pedófilo, abusó sexualmente de él en un clima de seducción y de secreto parecido a la situación anterior. El señor Bano será, de esta manera, iniciado a una sexualidad desviada y perversa.

Durante su adolescencia tiene poco contacto con jóvenes de su edad. En la universidad encuentra a su futura esposa, con la que establece una relación que define como espiritual, basada en convicciones religiosas y en el intercambio intelectual. Se casan al terminar sus estudios con un proyecto de familia feliz, dispuestos a tener por lo menos cuatro hijos. Su esposa, la mayor de cinco niños, «programada» por su experiencia de niña parentificada a desempeñar el papel de madre más que de mujer, concreta rápidamente su ideal familiar con el nacimiento de su primera hija. Con ella se transformará en la madre de su hija, sin dejar de ser la madre de su marido.

El nacimiento del segundo hijo provoca la descompensación del equilibrio de pareja. La niña mayor tenía ya cinco años y, para el padre, la llegada del hijo desencadena una angustia de abandono. Es probable que los recuerdos de la excitación y el goce sexual sentidos durante los abusos de su infancia le ayudaran a controlar esta angustia, en la medida que en esa época las relaciones abusivas de su amigo y de su educador colmaron el vacío y la soledad de su vida familiar. Poco a poco comienza a excitarse con el cuerpo de su hija, apaciguando con ello su angustia, pasando progresivamente al abuso, primero con manoseos y luego con felaciones y penetraciones repetidas. El abuso sexual es revelado cuando su hija mayor, de dieciséis años, lo denuncia en el marco de los conflictos de autonomía relacional que tiene con él.

Las entrevistas terapéuticas nos muestran una pareja fusional formada por sujetos profundamente inmaduros e indiferenciados, que se aferran el uno al otro para neutralizar los efectos de la denuncia y para salvar de «la vergüenza» a su familia y sobre todo a los niños. Fue necesaria una psicoterapia individual sistémica a largo plazo para ayudar a este hombre y esta mujer a «ser más adultos» y diferenciarse de sus respectivas familias de origen. Una de mis colegas psicóloga ayudará a la víctima a diferenciarse de la pareja de sus padres. Los otros niños serán ayudados a elaborar las consecuencias del drama incestuoso de su familia.

Otra historia, la del señor Rogier, nos permitirá ilustrar los lazos entre la sexualización traumática de un padre, provocada por un clima incestuoso madre-hijo, y los abusos incestuosos en el marco de la dinámica de una pareja fusional que descompensa.

El señor Rogier tenía cincuenta y dos años cuando comenzamos una terapia con su familia solicitada por su esposa, inquieta por los cambios de comportamiento de su hija adoptiva, de origen sudamericano, de dieciséis años. Ya en la primera consulta nuestra sensibilidad hacia este tipo de drama me hizo pensar en la posibilidad de una relación sexual abusiva de este padre con su hija adoptiva. La relación a la vez hostil y cómplice entre esta niña y ese hombre, el comportamiento de la niña descrito por su madre como fugas, promiscuidad sexual y peleas repetidas entre la hija y su padre, fueron los elementos en que basé mi hipótesis.

Después de varias entrevistas en las cuales teníamos el sentimiento de no haber logrado un contacto real con la familia, invitamos al padre a venir solo. Empezamos la sesión expresando nuestras dificultades para ayudarles y sobre todo para entrar en contacto con ellos. Al mismo tiempo expresamos nuestro sentimiento de que había en la familia un secreto de mucho peso, que les hacía daño a todos y que quizás continuaban viniendo a la terapia para liberarse de ese secreto. También les dijimos que nuestra experiencia clínica nos había enseñado que si un ambiente como ése se instauraba en una familia, una de las posibilidades era la existencia de relaciones prohibidas en el seno familiar y que esta probabilidad nos había venido a la mente en ocasiones. Para terminar le dijimos al padre que nos había parecido posible que esto sucediera entre él y su hija adoptada.

Después de manifestar extrañeza y sorpresa por nuestra intervención, el padre termina por reconocer que desde hace un año se excita con su hija, y que como ya no puede resistir más, ha comenzado a acosarla y a manosearla sexualmente.

El señor Rogier ocupaba un puesto importante en la administración pública. Había conocido a su esposa en su pueblo. Se casó con ella porque era la primera y única mujer de su vida. El trabajo terapéutico le ayudó a aceptar que la primera mujer de su vida era su propia madre, que nunca había aceptado su matrimonio con esta esposa que no le parecía ser una mujer adecuada para su hijo.

Nuestras entrevistas con este hombre pusieron en evidencia su experiencia de sexualización traumática con su madre, que le había impedido diferenciarse de ella y de su familia de origen. Su matrimonio tenía como objetivo liberarse de su madre, sin apercibirse de que había desposado a una mujer que tenía todas las condiciones para tomar el relevo de aquélla.

En lo que concierne a la sexualización de la relación con su hija adoptiva, en la relación incestuosa con su madre encontramos elementos para darle sentido. Hijo único, vivió entre los siete y los once años solo con su madre, debido a que su padre era prisionero de guerra en Alemania. «Nunca tuve padre; aun cuando regresó a casa después de la guerra, era mi madre la que lo manejaba todo.» Durante la ausencia de su padre dormía con su madre y poco a poco recordará las experiencias excitantes ligadas a los contactos físicos con ella. Al principio le daba asco, «pero como tenía miedo de los bombardeos y de todo lo demás, descubrí que el contacto con el cuerpo de mi madre y sus caricias me calmaban; entonces me empezó a gustar».

La pareja funcionó relativamente sin problemas durante años, salvo cuando había conflictos ocasionados por la intrusión de la madre en la vida cotidiana. Tuvieron un niño y una niña. Para realizar los proyectos altruistas de su mujer, el señor Rogier aceptó la adopción de otro niño, que debía venir de un país del Tercer Mundo.

Por su parte, su esposa había sido hija de padre y madre alcohólicos y llevaba todavía sobre sus hombros el peso de la experiencia de haber sido hija parentificada además de una hija coalcohólica en el sentido descrito por Rousseau y Derely (1989). Acostumbrada por la vida a ser una «salvadora», estaba dispuesta a hacer lo mismo en su pareja. La llegada de la niña adoptada, que tenía entonces siete años, quebró el equilibrio precario de la pareja, debido a que las dificultades de com-

CUADRO 14. Las dinámicas conyugales en casos de incesto.

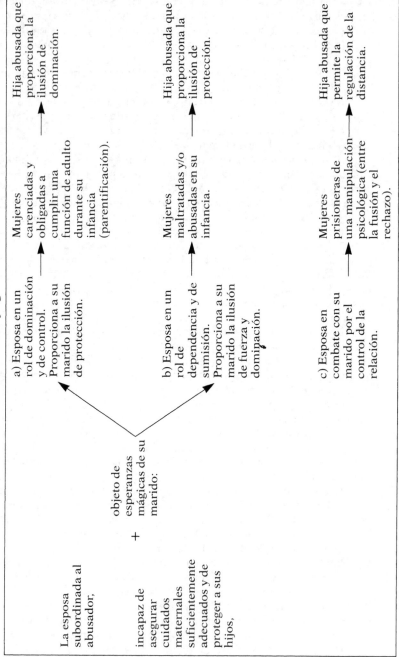

La esposa subordinada al abusador,

+

incapaz de asegurar cuidados maternales suficientemente adecuados y de proteger a sus hijos,

objeto de esperanzas mágicas de su marido:

a) Esposa en un rol de dominación y de control. Proporciona a su marido la ilusión de protección.

→ Mujeres carenciadas y obligadas a cumplir una función de adulto durante su infancia (parentificación).

→ Hija abusada que proporciona la ilusión de dominación.

b) Esposa en un rol de dependencia y de sumisión. Proporciona a su marido la ilusión de fuerza y dominación.

→ Mujeres maltratadas y/o abusadas en su infancia.

→ Hija abusada que proporciona la ilusión de protección.

c) Esposa en combate con su marido por el control de la relación.

→ Mujeres prisioneras de una manipulación psicológica (entre la fusión y el rechazo).

→ Hija abusada que permite la regulación de la distancia.

portamiento de la niña, como consecuencia de la adopción, acapararon la atención de la madre provocando un sentimiento de abandono en el marido. Algunos años después, el señor Rogier comenzó a beber y años más tarde abusó sexualmente de su hija.

LA TRIANGULACIÓN DE LAS VÍCTIMAS EN LAS DINÁMICAS CONYUGALES

El hecho de encontrar a menudo familias sexualmente abusivas, nos ha permitido interesarnos en la triangulación de la víctima y en cómo la víctima de abuso sexual entra en esta dinámica. Estamos en presencia del fenómeno de «pseudomutualidad» descrito por L. C. Wyne (1980), que consiste en la atribución de roles formales a los miembros de una familia destinados a mantener la alianza de la pareja y la unidad familiar en detrimento de la identidad de cada uno. Esta atribución de roles no es claramente consciente, pero es el resultado de procesos transgeneracionales que vehiculizan las creencias y los mitos familiares.

En ciertas parejas la esposa asume el papel de sumisión y de dependencia, y en otras parejas un papel de dominación y de control hacia el marido. En los dos casos podemos hablar de un modelo de relaciones basado en una complementariedad rígida. Cuando el que se había abandonado a la fusión, renunciando a la parte más importante de su yo, rehúsa continuar, los conflictos conyugales y la angustia aparecen. La relación incestuosa reequilibra la relación de la pareja (véase el cuadro 14).

En un tercer caso, se observa más bien un modelo relacional de tipo simétrico, con una escalada por lograr el control de la relación. Aquí los conflictos conyugales son casi permanentes y provienen del hecho de que ninguno de los cónyuges quiere entregarse al otro para la fusión. El conflicto de la pareja es, para cada cónyuge, una manera de no afrontar la separación de su familia de origen. Una gran parte de la indiferenciación es absorbida por las disputas. El incesto permitirá mantener un juego simétrico.

En los tres casos, la triangulación de la víctima y su abuso sexual tienen un papel homeostático en la dinámica conyugal, manteniendo así la cohesión del sistema. A partir de nuestras observaciones, hemos podido distinguir tres tipos de situaciones en las cuales la víctima es «aspirada» por la dinámica conyugal disfuncional, permitiendo así la supervivencia patológica de la pareja.

1. *Padre abusador dominante, esposa sumisa dominada, hija adultificada y protectora*

La capacidad de estas esposas para ejecutar un papel de dependencia y sumisión hacia su marido, se puede explicar por una parte por los modelos de socialización que conocieron en tanto que mujeres culturalmente subordinadas a los hombres, pero también por experiencias de aprendizaje ligadas a situaciones de violencia, malos tratos y/o abuso sexual, que conocieron como hijas en sus familias de origen.

Estas mujeres, aparentemente sumisas y dependientes, proporcionan al marido abusador la ilusión del poder. Pero el reverso de la moneda es que este tipo de interacciones refuerza los sentimientos de abandono, soledad afectiva y falta de protección que estos maridos acarrean desde sus infancias y que intentan compensar a través de relaciones de dominación. En este contexto, el padre puede volcarse hacia una de sus hijas, generalmente la mayor, en la búsqueda de una relación que le da la ilusión de sentirse importante para alguien y protegido por el amor incondicional de su hija.

Al explicar el porqué de sus relaciones incestuosas con su hija mayor, un padre tratado en nuestro programa decía: «Desde muy pequeña mi hija era la única que me comprendía y se ocupaba de mí. A medida que fue creciendo, siempre me mostró que yo era lo más importante para ella. A menudo me consolaba, me daba consejos en momentos difíciles, era como si me diera lo que mi esposa no podía darme».

2. *Padre abusador sumiso, esposa dominante, hija dominada*

Las mujeres que eligen o son elegidas por maridos potencialmente abusadores en virtud de su capacidad de dominación y/o control, corresponden, de acuerdo con nuestra experiencia, a mujeres que como hijas han vivido experiencias de abandono y/o negligencia intrafamiliar. Este contexto les obliga a crecer prematuramente, debiendo afrontar situaciones y deberes que no correspondían con su edad. En este proceso de envejecimiento prematuro estas niñas conocieron además en sus familias un proceso de parentificación (Boszormeny-Nagy, citado por Heireman, 1989).

Como consecuencia de este proceso de envejecimiento prematuro, estas niñas, convertidas en adultas, se mostrarán como mujeres fuertes en sus discursos y sus comportamientos, pero profundamente frágiles en el nivel psicoafectivo.

Estas mujeres aparentemente fuertes y dominantes proporcionan al varón abusador la ilusión de estar protegido, pero al mismo tiempo un sentimiento de impotencia y de insatisfacción en lo que se refiere al ejercicio del poder y del control de la relación conyugal.

En este contexto relacional el padre abusador, marcado por sus heridas históricas, seducirá a una o varias de sus hijas. Al abusar sexualmente de ellas se le ofrecerá la ilusión de poder y de control que existe en una relación.

3. *Padre abusador dominante, esposa dominante, hija abusada y utilizada como reguladora de la relación*

Se trata aquí de dos adultos prisioneros en una escalada simétrica por el control de la relación. Control imposible de lograr en la medida en que la verdadera finalidad de la escalada es mantener una regulación de la distancia que proteja a los dos cónyuges de experiencias amenazadoras de abandono y de intimidad.

Los esposos implicados en este tipo de interacciones son víctimas de una paradoja que sin duda encuentra su explicación en los procesos históricos familiares de ambos. El contenido de esta paradoja puede resumirse en frases como «te necesito, pero no me ames sin que yo te lo pida», «yo también te amo, pero soy yo el que decide cuándo y cómo».

Es muy probable que este tipo de dinámica cree en la pareja un verdadero combate respecto a quién ama a quién y en qué momento, combate sin fin en la medida en que ninguno de los dos está dispuesto a ceder. Combate peligroso y destructor que implica el fantasma de destruir y ser destruido por el otro.

En esta dinámica simétrica, la hija, víctima potencial de una relación incestuosa, se implica o es arrastrada a jugar el papel de enlace entre sus padres. De esta manera se ve obligada a aliarse una vez con el padre y otra vez con la madre.

En el marco de este triángulo infernal donde se acumula la hostilidad, la impotencia y la soledad, la hija o hijas comienzan a sentir que su padre —que se presenta como víctima de una esposa fría e incomprensiva— ya no se sigue comportando como antes. Su trato con respecto a ellas puede cambiar, siendo cada vez más afectivo hasta que poco a poco comienza a imponer a sus hijas actitudes y comportamientos que corresponden a transgresiones de contenido sexual.

Es importante señalar que hemos constatado este tipo de dinámicas simétricas con más frecuencia en familias pertenecientes a las clases favorecidas de la sociedad. En los sectores más populares tenemos la impresión de encontrar más habitualmente los patrones correspondientes a las dos primeras situaciones descritas, es decir, patrones más bien complementarios.

Sin embargo, a pesar de las diferencias, en los tres modelos de interacción descritos la esposa se abstiene de cumplir con una verdadera función maternal respecto a sus hijas. Demasiado impregnada por el personaje conyugal que tiene que encarnar, se relaciona con sus hijas de una manera ambigua y ambivalente; a veces las considera sus aliadas, otras sus rivales, llegando a vivirlas como verdaderas cargas, origen de sus preocupaciones y problemas.

9. CONSECUENCIAS DE LOS ABUSOS SEXUALES PARA LOS NIÑOS

Como ya hicimos al hablar de los niños víctimas de negligencia y violencia física, utilizaremos la idea de la carrera moral para describir el sufrimiento de los niños de los que se ha abusado sexualmente. Nos parece pertinente abordar la familia incestuosamente abusiva como un sistema o una institución totalitaria en el sentido empleado por Goffman (1975), controlando y vigilando la totalidad de las actividades de sus miembros. El grado de totalitarismo familiar es diferente en cada situación, pero esta noción nos parece clínicamente pertinente para describir la relación que el abusador impone a su víctima. El agresor ejerce un control sobre su víctima, ya sea a través de la sugestión, de mentiras, de chantaje afectivo, de intimidación y/o a través de la utilización de la violencia. En el abuso intrafamiliar, la víctima depende de manera vital de su abusador. Se encuentra pues en una situación de dependencia extrema y, si es muy joven, sobre todo sin distancia afectiva y social que le permita defenderse de su abusador.

A diferencia del abuso físico, donde las experiencias extremas eran el dolor, el miedo y la impotencia, las experiencias extremas en el caso del abuso sexual son el goce sexual, la manipulación de los lazos afectivos, un discurso culpabilizante, así como la obligación del silencio y del secreto. Las consecuencias de esta situación son la aparición de efectos traumáticos (angustia, miedo...) y también del proceso que hemos llamado «alienación sacrificial». La alienación sacrificial es el proceso de adaptación de la niña y del niño a la situación teniendo en cuenta su dependencia del abusador y el proceso de sumisión y de manipulación que éste le impone. Hemos llamado «proceso de vampirización» a este caso, y es comparable con el proceso de «lavado de cerebro» utilizado en los países totalitarios para lograr la sumisión incondicional de sujetos rebeldes, sin utilizar la violencia física (Lauret, 1975).

CUADRO 15. La carrera moral de los niños abusados sexualmente.

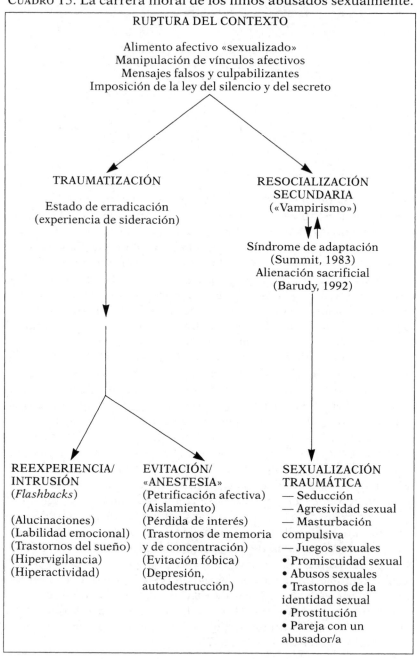

RUPTURA DEL CONTEXTO

Alimento afectivo «sexualizado»
Manipulación de vínculos afectivos
Mensajes falsos y culpabilizantes
Imposición de la ley del silencio y del secreto

TRAUMATIZACIÓN

Estado de erradicación
(experiencia de sideración)

RESOCIALIZACIÓN
SECUNDARIA
(«Vampirismo»)

Síndrome de adaptación
(Summit, 1983)
Alienación sacrificial
(Barudy, 1992)

REEXPERIENCIA/
INTRUSIÓN
(*Flashbacks*)

(Alucinaciones)
(Labilidad emocional)
(Trastornos del sueño)
(Hipervigilancia)
(Hiperactividad)

EVITACIÓN/
«ANESTESIA»
(Petrificación afectiva)
(Aislamiento)
(Pérdida de interés)
(Trastornos de memoria
y de concentración)
(Evitación fóbica)
(Depresión,
autodestrucción)

SEXUALIZACIÓN
TRAUMÁTICA
— Seducción
— Agresividad sexual
— Masturbación
compulsiva
— Juegos sexuales
• Promiscuidad sexual
• Abusos sexuales
• Trastornos de la
identidad sexual
• Prostitución
• Pareja con un
abusador/a

Los efectos de la traumatización se manifiestan rápidamente una vez comenzado el abuso, pero la víctima, a pesar del sufrimiento, mantiene una distancia con respecto a su abusador. Tiene todavía el sentimiento de ser víctima, aun cuando el contexto no le permita hablar de lo que le sucede. Las manifestaciones que genera la alienación sacrificial corresponden más bien a efectos a largo plazo. En este caso, el grado de manipulación afectiva y las prescripciones del abusador han logrado hacer desaparecer la distancia con su víctima. Ésta ya no tiene la posibilidad de reconocerse como tal y cambia poco a poco la imagen de sí misma, considerándose «la sinvergüenza» o la «mala» que ha inducido la situación. De esta manera se instala el proceso que denominamos «vampirización».

El carácter traumático de los comportamientos sexualmente abusivos se debe al hecho de que las actuaciones del adulto se sitúan fuera del cuadro de la experiencia habitual del niño. Estas acciones alteran sus percepciones y emociones con respecto a su entorno, creando una distorsión de la imagen que tiene de sí mismo, de su visión del mundo y de sus capacidades afectivas.

Dado que las agresiones forman parte de un proceso que transcurre en el tiempo, es importante distinguir los signos que corresponden a la fase inicial de la interacción abusiva, de aquellos que corresponden a una fase intermedia o de equilibrio donde la víctima acepta bajo presión la situación como la única posible, de los signos que corresponden a una tercera fase: el momento de la «desestabilización» de la interacción incestuosa, provocada ya sea por fluctuaciones introducidas por la víctima, por cambios en el cuadro familiar o por la rebelión activa contra el abusador. Todo esto suele conducir a una revelación de los hechos.

El comienzo de la interacción abusiva: la ruptura del cuadro vital de la víctima

La historia de Cindy nos permite ilustrar no sólo las dificultades para los que rodean a la niña o al niño para tratar de imaginar la posibilidad de la existencia de una situación abusiva, sino también las diferentes manifestaciones traumáticas de la experiencia en los primeros momentos del abuso.

Cindy tenía seis años cuando su padre empezó a acariciar sus genitales al mismo tiempo que se masturbaba. Tenía nueve años cuando intervinimos, a solicitud del médico que trataba al padre por depresión, ya que éste le había confesado sus actitudes hacia su hija. Tratando de ayudar a la niña a reconstruir las circunstancias de la agresión, ella nos dirá: «Al comienzo estuve un poco sorprendida por los juegos de papá, pero como era tan pequeña creí que era normal. Pero encontraba asqueroso que mi padre me pidiese que le tocara su pene, que se ponía duro como un bastón y más asqueroso aún cuando me lo ponía en la boca. Otra cosa que no me gustaba es que él insistía siempre en que no dijese nada a mamá». Las personas cercanas a la niña, sobre todo los profesores, habían constatado un cambio súbito en ella. En su último curso esta niña, que había sido muy alegre, comunicativa y gentil, se había transformado en poco tiempo en una niña introvertida, llorona y temerosa, que difícilmente seguía las indicaciones de su profesora; un cambio de escuela no arregló las cosas. A las manifestaciones ya señaladas, se agregaron crisis de pánico provocadas por la presencia de desconocidos, una tendencia compulsiva a la masturbación, una intolerancia regresiva a la frustración y trastornos de aprendizaje.

El relato de la madre nos permitió conocer otros aspectos de los cambios presentados por la niña. Hasta los cinco años, su hija fue «una niña sin problemas», quizás un poco adelantada para su edad, pero su madre lo atribuía al hecho de que era hija única y mimada en exceso por ellos. Su marido adoraba a su hija y desde que era pequeña él se ocupaba de cambiarla, bañarla y contarle un cuento antes de dormir. Poco a poco la niña empezó a cambiar, primeramente presentando perturbaciones en el sueño; se despertaba por la noche, gritando; todo la asustaba y fue enurética a partir de ese momento. La madre se inquietó y habló con su marido quien trató de calmarla diciéndole que todo pasaría. También habló con el pediatra, quien atribuyó las agitaciones de la niña a la muerte del abuelo materno, a quien quería mucho. La niña fue entonces atendida por una psicóloga presentando una cierta mejoría en sus dificultades. Simultáneamente el padre comenzó a encontrarse peor; consultó a un psiquiatra, a quien terminó por decir la verdad.

Cuando los comportamientos del padre de Cindy cambiaron de naturaleza y ella se enfrentó a un cambio inesperado en su cuadro de vida habitual, esto produjo en Cindy, como en todos los niños, un estado de confusión, de pérdida de puntos de referencia, con la experiencia subjetiva «de un estado de sideración». Estamos frente a lo que se llama «ruptura de contexto». Los comportamientos abusivos, con su contenido paradójico, producen el cambio de un contexto de cuidados e intercambios familiares hacia uno abusivo sexualizado. El contexto percibido como un metamensaje amenazador provoca confusión en los niños, generando un estado de «sideración». Existe una confusión metacontextual entre el padre y su hija (Bateson, 1977) donde la víctima esta confrontada a una situación comparable al «estado de erradicación» que se produce cada vez que un sujeto se enfrenta a una ruptura de sentido en su medio ambiente.

La víctima, sometida a este cambio y a la confusión de la paradoja abusiva, pierde su equilibrio habitual. Esta situación desencadena estrés, angustia y pérdida de energía psicológica en el niño; la que él necesita para continuar creciendo, es desviada para adaptarse a ese cambio de contexto.

Los cambios de comportamiento del padre perturban la relación del niño con su cuerpo y el descubrimiento de su sexualidad. Hasta ese momento el descubrimiento de la vulva o el pene eran fuente de exploración de sí mismo, el descubrimiento de placeres y estimulaciones hasta entonces desconocidos. Esos descubrimientos permitían al niño, de una manera natural y a su ritmo, aventurarse a la exploración del otro, igualmente sexualizado. Los comportamientos del abusador provocan un traumatismo a nivel de lo vivido corporalmente, expresado en frases tales como: «Eso es asqueroso», «no me gusta aquello», «cuando mi padre me ponía su pene en mi boca creía que me iba a ahogar».

La niña o el niño están afrontando de manera brutal la visión concreta de una sexualidad adulta, que es percibida como diferente e impresionante, sin poseer los elementos que le permiten comprender esta diferencia. La confusión esta reforzada por la ambigüedad de las actitudes del abusador, que trata en todo momento de normalizar las relaciones o, como en el caso de Cindy, su padre minimiza o banaliza las manifestaciones de sufrimiento de la víctima. El aislamiento y la ausencia de puntos de referencia refuerzan los sentimientos de angustia y de culpabilidad inducidos por el abusador. De esta manera, la víctima no puede servirse más que de ese adulto, de ese padre, como referencia de normalidad y de ley. El sentimiento de seguridad, de protección del niño, ya no está asegurado ni física ni simbólicamente. Las escenas agresivas son revividas de múltiples maneras a través de pesadillas o de terrores nocturnos y diurnos, incluso en ausencia del abusador.

A diferencia de otros traumatismos, aquí no se trata de un hecho único, sino más bien de un proceso recurrente y progresivo. Desencadenado el abuso, el niño vive con el temor de su repetición. Esta situación amplía la angustia, agotando las reacciones defensivas más estructuradas. Como el agresor es parte de «su cuerpo familiar», la víctima esta imposibilitada de nombrarlo, denunciarlo, o poder usar palabras para elaborar el estrés. Citemos a Nathalie Schweighoffer (1990):

> Acuérdate de tus doce años. Sólo está el miedo... y cuando éste te sumerge, te quedas estupefacta. Nadie te ha enseñado a combatirlo, a defenderte de él. Entonces te quedas allí, paralizada, dispuesta a sufrir, a suplicar, a llorar; es lo único que puedes hacer. Aparte de llamar a Dios, que te socorra, o a tu padre, ¿qué otra cosa se podría encontrar a los doce años? Dios se largó al mismo tiempo que papá. Queda el silencio del horror que pasa sobre tu cuerpo, con manos que ensucian...

Estas consideraciones nos llevaron a no adoptar el PTSD, definido por el DSM IV, para describir las manifestaciones traumáticas de los abusos sexuales intrafamiliares. Preferimos hablar de manifestaciones de un proceso traumático biopsicosocial, de carácter sexual. Los niños de los que se abusa sexualmente presentan una hipersensibilidad frente a diversos estímulos que les recuerdan los hechos abusivos. He aquí las palabras de una joven de dieciocho años que sufrió abusos de su padre entre los seis y los catorce:

> Algunos meses después de que mi padre comenzara a tocarme, tuve el sentimiento de que hacíamos algo prohibido. Esta impresión se reforzó cuando insistió en que no dijese nada a mi madre.

La reminiscencia de los acontecimientos traumáticos se expresa por medio de estados disociativos. En un contexto alejado del abusador, en la escuela por ejemplo, la víctima puede verse invadida por el ambiente abusivo *(flashback)* y comportarse durante algunos minutos, o a veces durante horas, como si reviviese la agresión. Estos estados pueden ser comprendidos como consecuencia de la angustia, o como estrategias destinadas a representarse lo acontecido con objeto de imaginar que se puede controlar. En este último caso, asistimos a un fenómeno de *repetición mórbida* donde la víctima, ya en la fase intermedia del proceso abusivo, trata de repetir algunos de esos actos o de desencadenar «afectos» para controlarlos y superar de esta manera la angustia de ser una víctima pasiva.

El diálogo psicoterapéutico con adolescentes consumidoras de drogas como la heroína, que han sido víctimas de incesto, nos ha permitido establecer conexiones entre dicho consumo y la experiencia abusiva. Para algunas de ellas, la utilización de estas sustancias equivalía a desafiar a la droga, para poder experimentar una sensación de controlarla. Pero por otra parte el efecto de la droga les procura una sensación de goce comparable a la que el abusador les había hecho sentir.

Las víctimas pueden presentar un síndrome persistente de hiperactividad, y de hipervigilancia. También dificultades para conciliar el sueño, terrores nocturnos, comportamientos de hipervigilancia y dificultades de concentración y para terminar una tarea. La presencia de comportamientos agresivos también es frecuente. En las situaciones menos graves las víctimas muestran un carácter irritable, con dificultades para adaptarse a los cambios y manejar la frustración y los imprevistos, por miedo de perder el control y por no poder controlar las emociones desencadenadas por las frustraciones. En los casos más graves, en que la víctima ha recibido abusos durante largos períodos de tiempo, y sobre todo con violencia física, mostrarán con mayor frecuencia explosiones de cólera, la mayoría de las veces imprevisibles.

Nathalie, una niña que sufrió abusos de su padre desde los nueve años, tenía la reputación de ser agresiva y peleona. En efecto, cualquier conflicto o pelea con sus compañeros de clase o una observación de un profesor, desencadenaba una crisis de cólera en la que podía agredir físicamente a quien se le pusiera por delante. Fue necesario mucho tiempo para que Nathalie se diera cuenta de que era su miedo el que desencadenaba su agresividad. Miedo de sentirse criticada o rechazada, miedo de que su secreto y su vergüenza fuesen descubiertos.

Asustada por el fenómeno de revivificación, la víctima trata de evitar los pensamientos y sentimientos asociados con los actos abusivos. Sus mecanismos de defensa le llevan a reducir sus contactos con el mundo exterior. Este estado corresponde a la «anestesia psíquica y emocional» descrita en el DSM IV, o al «estado de evitación e insensibilidad» descrito por Ammerman y Hersen (1990). Los síntomas asociados a esta reacción son, por ejemplo, la reticencia a ir a algún lugar determinado, el aislamiento social con una tendencia a replegarse y detenciones bruscas en los juegos habituales, con pérdida de interés hacia las actividades que eran atractivas antes del abuso.

Las víctimas presentan además una disminución de la capacidad de sentir las emociones asociadas a la intimidad, al contacto físico y a la sexualidad. En la edad escolar aparecen en casi todos los casos trastornos del aprendizaje con caída brusca del rendimiento escolar; también son frecuentes las perturbaciones en la capacidad de concentración y memoria, sobre todo ligadas a los acontecimientos traumáticos.

Un buen número de pacientes víctimas de incesto se defienden del horror abusivo a través de la no simbolización en la memoria de la experiencia, por lo que posteriormente tendrán dificultades para describir con detalles las circunstancias en las que sufrieron abusos. Estas constataciones clínicas se oponen a la lógica judicial, en donde lo que determina la veracidad del relato de la víctima es su capacidad para dar detalles de lo que le ocurrió.

La víctima, para resistir a la agresión, utiliza a menudo estos mecanismos disociativos, entregando su cuerpo al agresor, porque no tiene otra alternativa, pero refugiándose en su pensamiento. A este respecto Nathalie Schweighoffer, víctima de incesto, escribe en su libro *Yo tenía doce años* (1990):

> ¡Cuántas veces trate de decir no, de zafarme, de girar la cabeza, de escapar de sus manos! ¡Cuántas veces cerré los ojos para no ver su cuerpo, para intentar aislarme y transformarme en piedra! Una piedra, sí, sin piel, sin nervios, sin estómago que se agita, sin tripas que se mueven, sin ojos para ver, sin oídos para oír.

Otros mecanismos de defensa utilizados habitualmente son las fobias a situaciones o actividades que recuerdan o simbolizan los acontecimientos abusivos. Estas fobias, y la somatización tan corriente en los casos de incesto, perturban el desarrollo del niño. A medida que el proceso abusivo progresa en el tiempo, una fase intermedia de equilibrio se instaura. En esta fase, como consecuencia del «proceso de vampirización», la víctima puede realizar actos agresivos con connotaciones sexuales. Estos pasos al acto pueden provocar reacciones de rechazo en su entorno o exponerle a nuevas agresiones.

Estos comportamientos corresponden a conductas de seducción, de masturbación compulsiva en los niños y niñas pequeñas o a un interés exagerado por los genitales de los otros y de los animales. Además los niños pueden realizar dibujos con detalles de orden sexual evocadores de la situación abusiva. Los trastornos del comportamiento, así como el contenido de los dibujos, constituyen indicadores indirectos cuya presencia puede facilitar el diagnóstico de abuso sexual.

LA CARRERA MORAL DE LOS NIÑOS ABUSADOS SEXUALMENTE

El proceso de «alienación sacrificial» aparece ya a medio plazo en el proceso relacional de los abusos sexuales. La interacción abusiva se «circulariza» a tres niveles: las actuaciones del abusador, la respuesta adaptativa de la víctima, y la necesidad de cohesión de la familia. Un estudio profundo de los diferentes componentes de este juego interaccional, así como los lazos entre ellos, suelen dar al lector nuevas informaciones para comprender las manifestaciones de las víctimas que son la consecuencia de este proceso.

Las niñas y los niños son el objeto de un proceso de *resocialización secundaria* bajo la influencia de su abusador. La víctima se adapta a la intimidad de este proceso tratando de salvar lo que le es posible salvar.

El término «resocialización» es entendido en el sentido de una socialización forzada, fenómeno típico de las instituciones totalitarias (Páez, 1979) y el termino «secundario» se refiere al hecho de que el abusador impone a su hija un rol específico: el de una «mujer» capaz en todo momento de responder a sus deseos y exigencia de relaciones sexuales al mismo tiempo que le impone la creencia de ser la responsable de lo que le ocurre. Este proceso de «socialización forzada» está facilitado por la asimetría entre los derechos y los poderes, primero entre los sexos y luego entre los adultos y los niños, reforzada por el arquetipo cultural de dominación de los hombres sobre las mujeres y los niños.

La argumentación utilizada para implicar a la víctima o para mantener el secreto es, por lo general, hábilmente manejada por el adulto en función de la edad de la víctima y de su vulnerabilidad emocional. Así, a una niña de cinco años atendida en el programa, su padre abusador le presentaba su forma de actuar como «un juego secreto para ayudarla a crecer»; otros acusaban a sus hijas preadolescentes o adolescentes de excitarlos hasta tal punto que no podían retenerse, o utilizaban argumentos falsos como: «Eres tú la que me acosas», «estoy seguro de que esto te gusta», «a todas las mujeres les gusta», «tú no quieres dar a tu padre lo que le das al inútil de tu amigo».

En otro caso el padre de una niña le decía repetidamente durante el período «preparatorio» al abuso: «Tú eres la única que sabe comprenderme», «felizmente existes porque nadie se interesa realmente por mí; si tu madre se hubiese mostrado más tierna conmigo, yo no hubiera tenido la necesidad de hacer esto contigo». En esta clase de discursos, el abusador delega una misión a su víctima en el sentido enunciado por Stierlin (1977), es decir sacrificar sus deseos y necesidades para satisfacer los suyos.

Por otra parte el abusador intenta por todos los medios aislar a la víctima de su entorno inmediato; así, la madre es también designada como responsable de la situación y de esta manera el abusador sabotea la confianza que tiene la víctima en ella, ampliando su aislamiento. Otros comentarios persiguen el mismo objetivo, como por ejemplo: «De todas maneras, si le cuentas esto a tu madre, no te creerá jamás. Ella sólo escuchará mi versión y yo diré que mientes», o «tu madre sabe muy bien lo que estamos haciendo y no le importa; ella está demasiado ocupada en sus asuntos». El abusador puede crear además un clima de terror con amenazas físicas, de asesinato colectivo de todos los miembros de la familia, seguido de su propio suicidio.

La «resocialización» forzada será por lo tanto el resultado del contenido de los mensajes y del carácter paradójico de la comunicación impuesta por el abusador. La víctima no puede hacer otra cosa que adaptarse al modelo relacional de su abusador, comunicando su drama con trastornos de comportamiento que lo denuncian de una forma encubierta; por ejemplo: «Yo me presento como una joven sexualizada, seductora y perversa, pero detrás de mi personaje disfrazo mi experiencia por recibir abusos y así, sin el poder para divulgarlo, me callo para protegerme y proteger a los míos».

Este proceso relacional corresponde al descrito por Summit (1983) bajo el nombre de *síndrome de adaptación,* que identifica cinco fases referidas particularmente al abuso intrafamiliar, aunque podemos igualmente encontrar estos elementos en los casos de abuso extrafamiliar. Las dos primeras, la aceptación por parte de la víctima de la ley del silencio y la participación pasiva del niño en su abuso se deben a su situación de vulnerabilidad y dependencia. Las otras tres corresponden a la aceptación de la situación, a la revelación tardía y no convincente, y a la retractación después de la divulgación, que demuestran más bien una «participación activa» de la víctima como resultado del «logro de la resocialización» impuesto por el abusador.

La víctima acepta la ley del silencio como una fuente de seguridad para ella y su familia. Además, el niño se siente investido de una forma culpabilizadora de un poder sobre su propia destrucción o su propia supervivencia y la de su familia

El sentimiento de impotencia procede de la dependencia, de la asimetría de las relaciones de poder, y del aprendizaje forzado de la sumisión impuesta por el adulto. Esta impotencia está reforzada por los mensajes que provocan en el niño sentimientos de soledad, vergüenza y culpabilidad. En este contexto, el niño no puede apoyarse ni sobre su tejido social, ni sobre su propio yo; está, por lo tanto, a merced de su abusador. A medida que el tiempo pasa, el niño cae preso en la trama, entrando activamente en el «juego» de su agresor. Para controlar su angustia, su culpabilidad y su soledad, debe recrear una imagen satisfactoria de sí mismo y de su agresor, distorsionando la realidad con la idealización de este último ʏ negando su propio sufrimiento (Miller, 1984). Esta idealización es el resultado de una distorsión cognitiva como consecuencia de la necesidad vital que tiene el niño de los cuidados de los adultos y de pertenecer a una familia, pero también se debe al hecho de que muy a menudo los abusadores desorientan objetivamente a sus hijos presentándose como sujetos llenos de cualidades. Los abusadores están atrapados en una dinámica de autoidealización que les impide ponerse en el lugar de su víctima y representarse sus actos como un abuso de poder o como la consecuencia de su propio sufrimiento y fragilidad.

El hecho de que ciertos abusadores busquen a cualquier precio excitar a su víctima, procurándole placeres sexuales, y en los casos extremos el orgasmo, explica también la búsqueda compulsiva por parte de la víctima de contactos sexuales y el fenómeno de la secularización traumática.

> Después de algún tiempo, cuando mi padre venía a mi habitación y me miraba, no me podía resistir. Él me acariciaba y se apoderaba de mi cuerpo y de mi cerebro. Además, era mi padre, yo estaba programada para obedecerle. Sentía que una parte de mí estaba hechizada; él me daba asco, pero al mismo tiempo me gustaban sus caricias. Cuando tuve diecisiete años, me enamoré del que hoy es mi marido. Pude conocer otra experiencia; mis contactos con él me hicieron comprender que había otra manera de vivir la sexualidad. A partir de ese momento empecé a odiar a mi padre y se lo conté todo a mi novio. Cuando tuve dieciocho años nos casamos, y me fui a vivir a otro pueblo para que al fin cesase el hechizo, pero para mi sufrimiento interior fueron necesarios años de terapia. Hoy tengo treinta y cuatro años, mi padre está muerto y tengo dos hijos, una niña y un niño. Espero que para ellos sea diferente.

Todos estos elementos ayudan a comprender la dificultad que tienen los niños en edad preescolar y escolar para percibir su situación como abusiva y anormal; como resultado, reciben una revelación tardía y no convincente.

> Cuando mi padre comenzó a tocarme, yo era pequeña, tenía cuatro o cinco años. Al principio no sabía que eso no se hacía, no entendía lo que le pasaba cuando se frotaba sobre mí explicándome que era un juego... Empecé a dudar cuando él insistió en que no lo hablase con nadie.

A pesar de eso, nuestra paciente, que tiene ahora dieciocho años, y fue víctima de incesto como su hermana menor de dieciséis, sólo pudo hablar de ello a los catorce. Cuando en el transcurso de la terapia le preguntamos: «¿Cómo explicas que hayas podido soportar todo esto durante años de silencio?», ella nos miró y respondió:

> No sé explicarlo... Es como una costumbre que se instala; sobre todo que él siempre fue gentil, jamás me forzó. Él ya había empezado cuando mi madre lo dejó para irse con otro hombre, dejándonos solas con él. Yo tenía siete años, fue él quien se ocupó de nosotros. Éramos cinco hijos, yo la mayor. Mi padre tenía confianza en mí, era yo la que organizaba las cosas de la casa, el dinero, etc.; yo era también su confidente, él nunca se detuvo y yo dejé de pensar en ello; ya era como una costumbre.
>
> A los once años, después de una reunión en la escuela, hablé con mi madre, quien me prometió hablar con mi padre. Él prometió no hacerlo más pero siguió igual. Al contrario, habló largamente conmigo y logró convencerme de que no había nada de malo en ello; me dijo que si yo hablaba, él iría a prisión y que toda nuestra familia estaría repartida. Pensaba en mi hermana, mi hermano y las dos más pequeñas imaginándolas sin familia, en un orfanato. Mi hermana menor nos sorprendió una vez; para hacerla callar mi padre le hizo lo mismo. Esta situación me perturbó mucho, pero sin poder reaccionar mi hermana y yo guardamos silencio. A los catorce años me enamoré de un muchacho mayor que yo. Le amaba de verdad y se lo conté todo, pidiéndole que guardara el secreto, pero fue a la policía, mi padre fue detenido y mi hermana y yo trasladadas a un centro de acogida. Hoy pienso que ese muchacho hizo bien pero en esa época le tuve mucho rencor por haberme traicionado.

Revelaciones tardías como éstas nos han impulsado a comprender por qué dichas situaciones se producen de esta manera. A diferencia de los pequeños, los jóvenes poseen un vocabulario suficiente y un nivel de desarrollo que les da más autonomía e independencia, pero el abuso los ha perturbado gravemente, lo que explica que la denuncia se haga de manera impulsiva y no reflexiva, y a menudo en circunstancias poco convincentes, por ejemplo, después de una disputa con el abusador o cuando éste descubre su primera relación amorosa. Por otra parte, como continuación al proceso abusivo, la víctima se encuentra a menudo en un proceso de predelincuencia o marginación, presentando comportamientos fuertemente sexualizados y/o consumiendo drogas y alcohol.

En otros casos, al contrario, la víctima ha podido preservar un funcionamiento demasiado bien adaptado, ya sea a nivel familiar, a nivel escolar, o ambos, apareciendo externamente como una niña normal sin problemas, lo cual dificulta también la credibilidad de su revelación. Paradójicamente, por su actitud sumisa y bien adaptada, a los profesionales les cuesta creer que lo que la víctima revela sea cierto y a veces tratan de convencerla del carácter imaginario del contenido de su experiencia. Las enormes dificultades que un niño tiene para romper la ley del silencio y el aislamiento impuesto por el abusador son aún mal aceptadas por el mundo adulto. Así, por ejemplo, el entorno profesional de la víctima puede aceptar difícilmente que ésta haya podido tolerar esta situación durante tantos años sin decir nada. Como nunca han estado en esta situación, estos adultos olvidan que la víctima es un niño o una niña atrapados por alguien que, por su posición y su rol, tenía la función de educarle y de protegerle.

Después de la denuncia, el riesgo de retractación es grande. Todas las posibilidades de poder sacar al niño del infierno abusivo dependen de la manera en que los interventores exteriores a la familia escuchen, asistan y protejan a la víctima y su revelación. La denuncia del abuso sexual fuera de la familia supone una perturbación de tal intensidad que pone en peligro la homeostasis familiar y también los sistemas institucionales que rodean al niño —sistemas que él escoge para depositar su secreto.

La crisis provocada por la divulgación puede ser insoportable para todas las personas implicadas, y por eso se dirigen a la víctima mensajes directos e indirectos para obligarle a callar o a retractarse. Estos mensajes tienen eco en las víctimas que callan o se retractan sacrificándose con la ilusión de salvar una vez más lo que se puede salvar, viéndose nuevamente aspiradas por una situación donde la soledad y la exclusión son su única realidad. La víctima se ofrece para mantener una vez más el «equilibrio familiar» y también el equilibrio del entorno social. Su retractación preserva la homeostasis familiar y la de los sistemas institucionales implicados. Las revelaciones han desencadenado tal revuelo que su retractación puede ser fácilmente vivida como un alivio, incluso a veces como la única actitud positiva y «responsable» de un adolescente «caracterial» y marginal.

En los últimos años han surgido afortunadamente una serie de cambios a este respecto. Cada vez hay más profesionales sensibilizados sobre la existencia de esta violencia impensable que tienen una atención especial para ofrecer una ayuda activa a la víctima, disminuyendo de esta manera la posibilidad de retractación.

LA DINÁMICA FAMILIAR DEL INCESTO ENTRE HERMANOS

La sexualización de la relación fraternal es otra manifestación del fracaso de los rituales naturales que regulan la sexualidad en una familia. Ésta expresa a menudo una patología del ambiente familiar, que se construye silenciosamente de manera larvada en el transcurso de las generaciones.

Según Dessoy (1993) el ambiente familiar es el clima emocional de base de una familia que modula de manera significativa las relaciones entre sus miembros. Una deficiencia en los mecanismos de regulación de la sexualidad familiar puede conducir a un ambiente hipo o hipersexualizado.

En el incesto ligado a un ambiente hiposexualizado o *incesto por poder*, los padres impiden a las niñas y a los niños acceder a todo conocimiento sobre su cuerpo, las relaciones afectivas, y la sexualidad, dado que no tienen ni el vocabulario ni la experiencia adecuados para conversar sobre estos temas. Un tabú y/o una prohibición generalizada implícita o explícita a referirse a estos temas está presente en el ambiente familiar. La prohibición del incesto nunca es enunciada, particularmente la que se da entre hermanos y hermanas.

Los niños despiertan a su excitación sexual sin las barreras educativas de sus padres, de tal manera que la curiosidad y los deseos sexuales despertados por el descubrimiento del erotismo de sus cuerpos terminan por transformarse en relaciones incestuosas entre hermanos. Por otra parte, en este tipo de ambiente los padres no comunican nunca abiertamente los asuntos relacionados con el sexo, pero sí lo hacen a través de la instalación permanente del misterio y del tabú, provocando una atracción y una fascinación exageradas y a veces compulsivas de los niños acerca de lo que está prohibido.

En la familia de Andy y Rose nunca se ha hablado de sexo; en realidad nunca se ha hablado de nada, salvo de las reglas para que los niños sean buenos, disciplinados y que trabajen bien en la escuela. La instalación de un *baby-phone* en la habitación de los niños comunicando directamente con la de los padres, permitía a estos últimos escuchar todo lo que se decía en dicha habitación. El ambiente hiposexualizado de esta familia estaba en contradicción con un clima incestuoso que implicaba a tres generaciones. El padre tenía una relación fusional y confusa con su hija. El hijo era el confidente y el compañero preferido de la madre, hasta el punto de que ella le bañó hasta los catorce años ejerciendo un control intrusivo sobre él y un chantaje afectivo. El padre desarrolló respecto a su hijo una rivalidad evidente, dando una connotación negativa a todo lo que éste hacía, acusándole de tener alma de delincuente. La madre defendía al hijo atacando a su hija, para agredir a su marido. Estos dos cónyuges se agredían a través de sus hijos. Por el fenómeno de la «predicción que se realiza» o «profecía autocumplida», los hijos se transformaron, ella en prostituta y él en un vago sin ningún futuro.

El padre de esta familia era hijo único de una familia de comerciantes. Su propio padre estaba ausente a menudo y con su madre estableció una relación fusional. Aseguró la continuidad de la empresa familiar de más de un siglo de antigüedad. Una vez casado, el futuro padre no logró establecer una frontera alrededor de su nueva familia, que fue «devorada» por las dos familias madres. La esposa guardaba un recuerdo idílico de su propia vida familiar, pero esta visión mistificada protegía un secreto familiar: su padre había sido un donjuán. Ella se refiere a este lado oscuro de su padre con un aire de fascinación por ese bello hombre, galante con todas las mujeres, amén de sus hijas. Nos dijo: «Mi padre desgraciadamente murió demasiado pronto. Yo tenía sólo dieciocho años, pero nos dejó un recuerdo inolvidable... Mi madre era menos alegre, más severa con nosotras, las hijas; ella se sentía más cercana a los muchachos. Pero guardamos una relación muy estrecha, la vamos a ver todos los domingos y yo la llamo una vez al día. Mi hijo es su preferido».

La relación incestuosa fraterna fue revelada en una sesión de terapia familiar debido a los problemas de toxicomanía de Rose. Los padres reaccionaron en el límite de la indiferencia y el hermano abusador, reconociendo los hechos, mostraba muy poco remordimiento. Fue necesario un largo proceso terapéutico para que esta familia asumiera su drama y la amplitud de los estragos de éste sobre sus hijos. Como resultado de la terapia, Rose decidió dejar la prostitución y controlar su sexualidad de una manera más positiva, sometiéndose además a un tratamiento con metadona.

El incesto entre hermanos puede también producirse en una familia hipersexualizada que facilita la atracción sexual entre hermanos y hermanas, impidiendo el desarrollo de comportamientos y de representaciones de rechazo del incesto. Las relaciones afectivas padre-hija, madre-hijo, abuelos-niños o dentro de las tres generaciones, están fuertemente sexualizadas y muy a menudo acompañadas de la ausencia de una representación del incesto como prohibición fundamental.

Para ilustrar esta situación, he aquí el caso de la familia M.:

La primera que vino a consultarme fue D. una mujer de treinta y dos años, madre de un niño de cuatro, que tenía una pareja homosexual desde hacía algunos años. Tenía miedo de que su pareja pudiese iniciar sexualmente a su hijo. Esta idea era una obsesión angustiosa para ella. Esta paciente y sus dos hermanas habían sido víctimas de gestos y conversaciones obscenas por parte de su padre. El recuerdo era muy lejano; cuando ellas eran muy pequeñas, su padre tenía la costumbre de manosearlas en el baño. Algo mayores, las besaba en la boca y les acariciaba los pechos argumentando que la naturaleza fue hecha para que padres y niños «se quieran a fondo». La madre era descrita como «fría y cruel»; acusaba a menudo a sus hijas de ser malas y las culpaba de todas sus desgracias. En cambio tenía una relación privilegiada con sus hijos varones. A los ocho años nuestra paciente había descubierto que su madre engañaba al padre y había sido testigo de las relaciones sexuales de ésta con sus amantes.

Esta mujer pudo descubrir en su terapia hasta qué punto las transgresiones de sus padres habían pervertido y sexualizado las relaciones entre hermanos y hermanas. De adolescente había sido empujada por su hermano mayor a mostrarse desnuda mientras él la fotografiaba y se masturbaba. Ella pudo reconocer que estas experiencias no le habían extrañado, y que participó en ellas con cierto grado de excitación. Descubrió también los lazos entre este tipo de experiencia y el hecho de sentirse actualmente atraída y excitada por hombres que la trataban con violencia.

La hermana de D., la señora M., dos años mayor, me consultó algunos meses después. Afirmó sentirse mal y culpabilizarse por no poder ser feliz. Lo tenía todo para serlo: una profesión, un marido que la amaba, y dos hijas encantadoras fáciles de educar. Pero jamás se sentía amada por los otros. Creía que debía dar mucho a los otros para así ser aceptada, culpabilizándose de todo y con el sentimiento de estar siempre equivocada, viviendo entonces momentos de depresión y angustia sin poderse explicar la causa de sus tormentos. Pasamos juntos varias sesiones abordando sus dificultades, estableciendo los lazos entre su sufrimiento y el ambiente familiar en el cual creció; hablamos de ella, de su hermana, de sus padres... Todo esto parecía ayudarla a descubrir aspectos de su historia, pero había algo que la atormentaba que no lograba verbalizar.

Un día habló de una carta de su hermano refiriéndose a su contenido como si fuese el de una carta de un amante celoso. Al ver mi extrañeza, me reveló su secreto: «La historia de mi hermano y mía es una historia de amor. Esto comenzó cuando yo tenía trece años y él dieciséis. Él estaba enamorado de mí y yo de él, era físico, pero también espiritual, nos besábamos y nos tocábamos por todas partes. Fue él quien me inició en la sexualidad. Eso duró hasta los dieciséis años. Él quería hacer el amor, penetrarme, pero eso para mí estaba prohibido. Se lo impedí, pero seguimos estando los dos enamorados hasta mis dieciocho años. A esa edad conocí a mi marido actual, del que me enamoré y poco a poco fui distanciándome de mi hermano... Me siento triste por él, porque nunca pudo rehacer su vida; está solo y yo soy la única que él ama».

LAS ORGANIZACIONES FAMILIARES ABUSIVAS EN EL CASO DE INCESTO ENTRE PADRE E HIJA

La reacción particular de cada familia frente a la divulgación, seguida de las informaciones recogidas durante las sesiones con los diferentes protagonistas me ha permitido construir una tipología donde podemos distinguir tres tipos de organización familiar.

Un primer modelo corresponde a la *organización enmarañada y altruista*. El discurso de los miembros de este sistema familiar en el momento de la crisis, es el lenguaje del «arrepentimiento» y del «perdón». Arrepentimiento del adulto abusador y perdón del conjunto de la familia, víctima incluida. El padre agresor tratará de convencerse y convencernos de que no sabe por qué abusó de su hija. Se siente como alguien sobrepasado por una fuerza que lo ha empujado a hacerlo; expresa un estado de angustia profundo, sintiéndose aliviado por haber sido denunciado. Está dispuesto a hacer todo lo que se le pida para reparar el daño causado.

Se trata a menudo de una estructura familiar en la que el padre es descrito como afectuoso, tierno y cercano a sus hijos, ocupándose de manera activa de ellos desde que nacieron; se dirá de él que es un «padre maternal». A medida que los niños crecen, él se implica más y más en la vida de ellos teniendo una predilección por los juegos corporales.

En la familia de Carole y Dorotea, el padre se ocupó siempre de los cuidados corporales de sus hijas. Llegadas a la pubertad, le gustaba jugar con ellas simulando combates corporales a menudo con el torso desnudo. La madre nunca había considerado la abnegación de su marido como anormal; ella mostraba complacencia y admiración por las capacidades afectivas de su marido. Ella era el pilar de la familia, responsable de todas las gestiones organizativas y de las finanzas familiares, así como de los intercambios con el exterior y la manutención de la casa. Cuando su marido salía con las niñas, prefería quedarse en casa, expresando su satisfacción por esos momentos de descanso y de tranquilidad que le permitían leer, reflexionar o terminar sus quehaceres domésticos.

En el contexto de la crisis provocada por la revelación, la víctima puede ser empujada rápidamente a asumir de nuevo el papel de salvadora de todos, incluido su abusador. El clima de arrepentimiento y perdón que se manifiesta luego en esas familias suele desencadenar la ambivalencia y la vacilación de los sistemas que intervienen. Los profesionales están divididos entre el deseo de proteger la cohesión de la familia minimizando los hechos, o denunciarlos a la justicia para obtener el castigo del padre incestuoso.

Otro modelo es el de la *organización promiscua caótica, indiferenciada y usurpadora*. El discurso de los adultos de la familia durante la crisis surgida tras las revelaciones se caracteriza por el estupor. Ellos están sorprendidos de la conmoción de los interventores, incluyendo «la justicia». El abusador no muestra ningún signo de pesar. Si reconoce los hechos, los justifica a partir de sus creencias considerándolos como «normales», por ejemplo «para la educación sexual de su hija» y/o «preparar a sus hijas para las cosas de la vida».

La promiscuidad de las interacciones caóticas y la falta de fronteras generacionales son las características notorias de este funcionamiento familiar. Encontramos la tendencia a las interacciones con rupturas relacionales múltiples y repetidas a nivel transgeneracional. Las estructuras familiares son muy heterogéneas y variables. Por ejemplo, los niños viven con un padre que no es el biológico, o con una madre que es madre biológica sólo de algunos de los niños, etc. La promiscuidad se debe generalmente a la pobreza y al hacinamiento, situación objetiva que facilita las transgresiones sexuales. En ese contexto, «las relaciones sexuales» salen del terreno de la intimidad de los adultos para llegar a ser posibles y normales entre adultos y niños, entre hermanos, etc.

Existen antecedentes de carencias psicosocioafectivas graves que se han repetido de generación en generación favoreciendo la emergencia de conductas depredadoras. Las niñas pueden ser fácilmente las presas de los adultos en busca de ternura, de «calor humano» y de poder. En esta óptica, la niña se transforma también en chivo expiatorio de una familia abusiva, pero también de un sistema social injusto. Estas carencias múltiples impiden a la familia desarrollar intercambios positivos con el entorno (trabajo, amigos, obligaciones administrativas, etc.), lo que va a reforzar el bloqueo y el repliegue de la familia sobre sí misma.

En la historia familiar, las creencias tienen la forma de mitos de aniquilamiento y de supervivencia. Muchas veces los padres han sido abandonados, víctimas de negligencia y separaciones precoces y/o han conocido múltiples traslados a diversas instituciones en el transcurso de su infancia o adolescencia. Cuando han vivido en familia, han sido utilizados en el combate por la supervivencia de sus padres aprendiendo a utilizar a los otros para «resistir». La crisis de la revelación se presenta más bien en los interventores. Esto aclara la dificultad de movilizar a los miembros de la familia, víctima incluida, para participar en un programa terapéutico. El pesimismo y el escepticismo de los profesionales puede ser dominante. Los mitos de destrucción y de supervivencia de esas familias se han infiltrado en el sistema de los interventores, provocando una parálisis de la esperanza de lograr un cambio.

La *organización rígida, absolutista y totalitaria* es un modelo donde la reacción de la familia durante la crisis se caracteriza por la negación, el rechazo y la culpabilización de la víctima. La reacción del abusador es la más chocante. La víctima ha revelado la situación de abuso, pero el adulto continúa defendiendo su pseudoyó, sus relaciones familiares idealizadas y su mundo moral puritano, todo ello en plena contradicción con lo que se acaba de descubrir. Las manifestaciones de este individuo son profundamente dogmáticas, la adhesión a una representación mítica de la realidad excluye toda posibilidad de crítica de sus gestos. Este sujeto se enfurece cuando algo nuevo cuestiona lo que él piensa de sí mismo y del mundo, a pesar de que esto es completamente incongruente con lo que él ha hecho, y además es incapaz de reconocer estos actos. Este padre autoritario y moralista lo negará todo en bloque, rechazando con todas sus fuerzas la posibilidad de haber podido cometer tales bajezas. Si las evidencias son demasiado claras, acusará a su(s) hija(s) de haberlo incitado o provocado. A menudo la madre sostiene este discurso, descalificando el testimonio de sus hijas.

En la organización de este tipo de familia existe «una regla mítica» que se expresa así: «Está prohibido saber», es decir, que no se puede reflexionar sobre el conocimiento y, como consecuencia, sobre la vida misma. En ese sistema totalitario, las experiencias subjetivas y emocionales de cada uno son negadas, y las creencias rígidas y dogmáticas construidas en dinámicas transgeneracionales abusivas son más importantes que el respeto por los individuos. Además estas creencias tienen también la función de mantener el poder de un padre autoritario y absolutista.

Este adulto abusivo es casi siempre un niño del que se ha abusado. El abusador es un abusado que abusa. Esta redefinición nos permite comprender la transgresión y no verla sólo como el resultado de un espíritu maléfico o enfermo, sino como la consecuencia de un proceso colectivo con una multiplicidad transgeneracional de actores y de responsables. Este cambio de perspectiva nos abre las puertas para que cada profesional se comprometa, a su nivel, en el combate para detener este círculo repetitivo del abuso y de la violencia.

En el funcionamiento del sistema abusivo, la posibilidad de diálogo está excluida. Por tanto, nuestro desafío en cuanto seres humanos portadores de un rol social terapéutico es contribuir a crear las condiciones para que este diálogo sea posible. Pero para ello es necesario creer en el diálogo y hay que comprometerse para que sea posible.

10. UN ENFOQUE TERAPÉUTICO Y DE PREVENCIÓN DEL MALTRATO BASADO EN UN MODELO DE REDES

Se puede decir que sólo a partir de 1979 la sociedad belga acepta que el maltrato infantil es un problema de salud pública y por tanto un problema social. Desde ese año hasta 1983, la ONE (Office de la Naissance et de l'Enfance), con el apoyo de la comunidad francesa de Bélgica y el concurso de las universidades de Lieja, Libre de Bruselas, y Católica de Lovaina, desarrolló un programa de investigación-acción destinado a realizar un estudio de la situación de la infancia maltratada en ese país. Los resultados de esta investigación permitieron a la opinión pública tomar conciencia de la magnitud del problema. La necesidad de la utilización de una lectura ecosistémica para la comprensión de este fenómeno, permitió la elaboración de lo que es actualmente el Programa Nacional de Prevención y de Tratamiento del Maltrato Infantil en la parte francófona del país.

Bélgica, a diferencia de otros países europeos, eligió como modelo la creación de equipos especializados llamados equipos «SOS Enfants-Famille». Estos equipos multidisciplinares, compuestos por médicos, psicólogos, trabajadores sociales, abogados y personal de secretaría, tienen por decreto una triple misión:

1. La atención integral al niño maltratado y a su familia.

2. Desarrollar investigaciones sobre el fenómeno del maltrato y los diferentes modelos para erradicarlo.

3. Desarrollar programas de formación para los diferentes niveles profesionales implicados en la protección infantil.

Si bien es cierto que la creación de estos equipos por parte del legislativo permite una mejora para la infancia del país, desde el comienzo existió el riesgo de que la comunidad considerara estos equipos especializados como los únicos capaces de manejar un fenómeno que por su etiología tiene una multiplicidad de causas y que, para su tratamiento y prevención, necesita del esfuerzo de todo el sistema social y de sus instituciones.

En relación con esto, se temió que los diferentes profesionales, y sobre todo la opinión pública, creyeran que la solución para este tipo de violencia era exclusivamente médica y/o judicial, conllevando un riesgo importante de estigmatización, no solamente de los padres maltratadores, sino también del niño víctima de este fenómeno.

Afortunadamente, la mayoría de los profesionales de estos equipos optaron por el desarrollo de prácticas de redes que, movilizando el conjunto de recursos existentes tanto a nivel institucional como a nivel profesional, y por supuesto, considerando los recursos naturales de las familias y de sus redes sociales, sirven como antídotos a estos riesgos (véase el cuadro 16).

CUADRO 16.

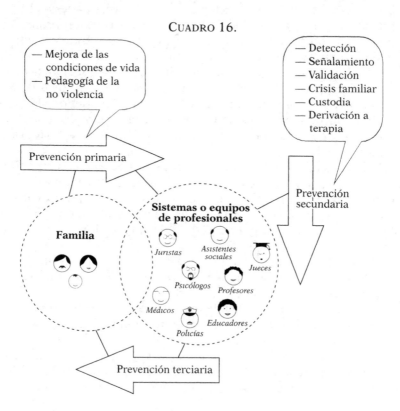

El modelo de intervención presentado en este texto se basa en el trabajo coordinado de dos niveles de acción:

Primer nivel: corresponde al desarrollado por los trabajadores médico-psicosociales de la atención primaria que se ocupan de los niños en un sector o en una comunidad (pediatras y enfermeras que desarrollan el programa de «seguimiento de salud infantil y atención al niño sano», médicos generales y médicos de familia, profesionales de centros de salud mental, profesionales del sector escolar, trabajadores de centros de planificación familiar, animadores de actividades de tiempo libre, profesionales de los servicios sociales y profesionales de la justicia, etc.).

Segundo nivel: intervienen los miembros de los equipos pluridisciplinares especializados, que en el caso belga corresponde a los equipos «SOS Enfants-Famille», cuya misión es la prevención y el tratamiento de las situaciones de maltrato infantil.

Durante más de diez años pude participar en el desarrollo de este programa de intervención global basado en un enfoque sistémico e intracomunitario, en el cual la práctica de redes es el instrumento más importante.

La descripción del modelo que se presenta en este texto corresponde a una experiencia vivida en la cotidianeidad de uno de los equipos «SOS Enfants-Famille»: el equipo de la Universidad Católica de Lovaina en Bruselas.

El desafío planteado por este programa fue desarrollar modelos de análisis que fueran globales en la comprensión del fenómeno del maltrato, pero que también permitieran una acción eficaz para cada una de las situaciones presentadas. Así, para intervenir en la complejidad dinámica desde donde emerge el maltrato infantil como síntoma, fue necesario «detener el tiempo» y «limitar el espacio», para evitar el riesgo de perderse y caer en una sensación de impotencia al enfrentarse a las múltiples situaciones, factores y protagonistas, que por sus interacciones participan en la producción de las situaciones de maltrato infantil tanto intra como extrafamiliar.

El enfoque ecosistémico de un fenómeno complejo como es el caso de los malos tratos a los niños y su intervención a través de prácticas de redes, nos planteó el desafío de encontrar un procedimiento de intervención que asegurara, no solamente una coherencia en una atención no violenta de las familias que provocan maltrato, sino que además protegiera a los profesionales del riesgo del síndrome de agotamiento profesional (Burnout), que los autores españoles llaman *el síndrome de la quemadura*. (Masson, 1990; Arruabarrena, 1994).

Esto explica que una parte importante de nuestros esfuerzos se haya destinado también a elaborar procedimientos que permitan a los diferentes profesionales, implicados en el tema de maltrato, actuar en redes protectoras. Tan importante es proteger a los niños como a las personas que ayudan a mejorar las condiciones de protección de estos niños. Los sistemas institucionales deberían tener siempre presente que el recurso fundamental de la prevención y el tratamiento del maltrato infantil es la persona del profesional; por lo tanto, todo lo que se pueda hacer para cuidarle es una forma directa de ayudar a la infancia. Un profesional que se quema significa no solamente una pérdida importante en términos del costo económico que implica su formación y experiencia, sino sobre todo una pérdida de años de experiencia y competencia, garantía de una intervención adecuada en esta temática.

La intervención en casos de maltrato implica siempre situaciones conflictivas para los profesionales, en la medida en que éstos deben introducirse de una manera más o menos agresiva en la vida de una familia, cuestionando sus representaciones, sus mapas del mundo, la manera en que resuelven sus conflictos, satisfacen sus necesidades, cuidan y educan a sus niños. La intervención social terapéutica puede y debe ser agresiva, pero nunca violenta. Los profesionales comprometidos con la protección infantil deben tener una ética que les permita actuar con mucha firmeza y eficiencia para asegurar la vida y el bienestar de los niños, evitando de todas las formas posibles que esta fuerza agresiva, necesaria para realizar la tarea, se transforme en una fuerza destructiva o violenta.

Basándonos en nuestra experiencia, afirmamos que para poder trabajar en este campo los profesionales deben adquirir un control de la agresividad, que debe estar ritualizada, es decir, controlada y al servicio de la defensa de las necesidades y derechos de los menores. Los procedimientos de intervención que proponemos en casos de maltrato, son una forma de coordinar y movilizar los recursos «agresivos» existentes en una red de profesionales. En nuestra práctica, la organización de redes de profesionales a partir del equipo especializado ha sido y es uno de los medios y objetivos principales de toda nuestra acción terapéutica y preventiva.

1. LA ORGANIZACIÓN DE LOS SISTEMAS PROFESIONALES

La práctica médico-psicosocial nos enfrenta no solamente a problemas complejos, sino también a la gestión de una cantidad enorme de personas e instituciones deseosas de ofrecer soluciones a veces discordantes con estos problemas.

Así, por ejemplo, en las situaciones de maltrato infantil, muchas veces la falta de organización y de concertación de los diferentes niveles institucionales implicados en la propuesta de una solución, complica o agrava la situación de violencia del menor. Esto nos lleva a decir que muchas veces la solución propuesta de este modo es peor que el problema. Por lo tanto, uno de los desafíos de cualquier programa de este tipo es facilitar un proceso de organización de los diferentes niveles institucionales y de recursos profesionales que asegure la creatividad y la competencia de cada una de estas instancias. Esto ha de hacerse a través del respeto a las diferentes misiones de cada nivel, creando así una dinámica colectiva que, sumando los recursos y las competencias, aporte lo mejor a cada niño y a su familia. Se trata de que cada uno se sitúe en un conjunto, de manera que a través de un compromiso solidario y concertado, se garantice el intercambio de información y la creatividad de todos los participantes en una red.

El elemento fundamental que debe animar estos procesos colectivos es la creatividad individual asociada a una dinámica colectiva. Hay que cambiar la idea de que cada uno tiene una parte del trabajo, por la de que todos juntos participan colectivamente en la co-construcción de un modelo que permita una mejor utilización de recursos y competencias. Todo intento de organizar una red de profesionales tiene ya un impacto preventivo sobre la violencia, en la medida en que esta organización permite la emergencia de rituales entre los diferentes profesionales contribuyendo a mejorar la gestión de su propia implicación emocional y del estrés provocado por el contenido de las situaciones de maltrato (Barudy y colab., 1991).

Un modelo integral de intervención y terapia

La prevención y la terapia de los malos tratos debe ser comprendida como un conjunto de acciones que se estructuran como un proceso donde se trata de influir en las dinámicas violentas en tres momentos diferentes de su evolución.

CUADRO 17. El modelo integral.

Un programa puede comenzar ya sea por: acciones de prevención primaria, es decir, actuar sobre las causas que generan el maltrato; acciones de prevención secundaria, a través de la detección y tratamiento precoz de casos de maltrato; o por acciones de prevención terciaria, o sea, reducir la proporción y la gravedad de las secuelas.

Uno de los objetivos estratégicos de un modelo integral de intervención es detener o influir de una forma positiva en lo que hemos llamado «el círculo vicioso» de la transmisión familiar y transgeneracional, sin olvidar los factores del medio ambiente que facilitan esta transmisión.

En una perspectiva sistémica, los cuidados dados al niño maltratado tendrán un impacto preventivo en la medida en que la acción terapéutica evite que éste se transforme en un padre o una madre maltratadores o negligentes.

Un modelo integral tiende también a que los padres, ayudados por los cambios intrafamiliares producidos por los programas terapéuticos, acepten participar en dinámicas asociativas de autoayuda para colaborar de esta manera en la sensibilización de otros padres a partir de sus propias experiencias sobre factores de riesgo y métodos alternativos a la violencia intrafamiliar. La idea fundamental de un programa integral es que el bienestar infantil o la «felicidad de un niño» no es nunca un regalo, sino una tarea siempre incompleta, nunca perfecta ni definitiva, que es mucho más que un proceso puramente individual y familiar; debe ser el resultado de la acción de toda una comunidad. Por eso en nuestro enfoque la erradicación del maltrato infantil tiene que proyectarse dentro de una perspectiva comunitaria, y centrarse en la noción de comunidad como la de un sector geográfico o la del barrio, cuya definición equivale a lo que algunos autores llaman el «mesosistema», o sistema intermediario, es decir, el espacio de vida de las familias donde se articula la vida privada y la vida social. Así, por ejemplo, el barrio corresponde como medio a este «mesosistema», en el cual se desarrolla la vida cotidiana de un grupo de personas en estrecha relación con diferentes instituciones que, interactuando con estas familias e influyéndose mutuamente, tienen como misión promover el bienestar y la salud del conjunto.

Las instituciones comunitarias que abarca nuestro modelo corresponden a los siguientes ámbitos:

1. Atención médico-psicosocial.
2. Ámbito escolar.
3. Las instituciones responsables de garantizar la protección infantil, ya sean los servicios sociales de protección y/o los sistemas judiciales.

Se trata de movilizar los recursos de salud, educación y justicia señalando que cada una de ellas tiene tareas específicas, pero organizadas alrededor de una finalidad común: asegurar el bienestar de los niños y el respeto a la vida, desarrollando estrategias conjuntas para prevenir y atender el maltrato infantil.

Esta idea de comunidad se amplía cuando se consideran las minorías culturales presentes en una sociedad. En este sentido se debe hablar también de comunidad, pero aquí refiriéndose a los vínculos culturales en concreto que cohesionan a los miembros de un grupo que pertenecen a un sistema cultural singular.

Estos conjuntos de personas organizados en una comunidad que se influyen mutuamente, ya sea por el hecho de cohabitar en un espacio geográfico (un barrio) y/o porque tienen vínculos culturales (una comunidad cultural) o por ambos, tienen recursos y problemas comunes alrededor de los cuales es posible facilitar dinámicas donde las personas implicadas tomen conciencia de estas dificultades, de sus causas y de sus potencialidades para asumir las posibilidades de cambio. La organización de un tejido social en torno a una tarea colectiva constituye una red social, a diferencia de una comunidad en torno a la red social, que existe solamente de una forma latente. Su paso a la realidad operacional depende de la capacidad de un núcleo de personas o de instituciones que sean capaces de movilizar y organizar la comunidad alrededor de acciones destinadas a prevenir o tratar un problema.

Un modelo piramidal de organización de una comunidad

En el programa de prevención y tratamiento del maltrato hemos concebido la posibilidad de organizar múltiples redes que corresponden a diferentes niveles de intervención. Los niveles propuestos en nuestro modelo se organizan en una pirámide que representa las diferencias jerárquicas en relación con las finalidades, mandatos y tareas de los profesionales que pertenecen a cada uno de estos niveles. Éstos se integran en un modelo global, como modo de asegurar interacciones complementarias que respeten las competencias de cada uno.

La organización jerárquica se establece a partir del nivel 1, que corresponde al de mayor especialización, hasta el nivel 5, que es el menos especializado en la gestión de casos de maltrato. La organización de cada nivel se realiza a partir de lo que llamaremos «los objetivos operacionales mínimos», es decir, acciones simples, pero que tienen un impacto facilitador de cambios de las situaciones de maltrato (véase el cuadro 18).

Organización de las diferentes tareas según cada nivel:

Nivel 1: equipo especializado, que corresponde en Bélgica al Equipo «SOS Enfants-Famille», encargado de la formación y coordinación de los niveles 2 y 3, con el fin de movilizar los recursos profesionales de esos niveles para la gestión de situaciones de maltrato y acciones preventivas. El equipo especializado tiene como misión específica la validación y el tratamiento de las consecuencias del maltrato en sus diferentes formas, ya sea en sus aspectos médicos, psicológicos, relacionales y sociales, que por su complejidad y gravedad no puedan ser tratados en otros niveles. Por su grado de especialización, este nivel tiene además la responsabilidad de desarrollar investigaciones sobre las causas y consecuencias de los diferentes tipos de maltrato, y también sobre la eficacia de los modelos de tratamiento y prevención.

Nivel 2: corresponde a la red de profesionales de servicios pediátricos, de salud mental, medicina y psicología escolar. Tienen la responsabilidad de movilizar y organizar los recursos de los niveles 3 y 4. Los profesionales de este nivel participan activamente en la validación de las diferentes situaciones de maltrato que se presentan en su medio, así como en la organización de los programas terapéuticos destinados al niño y su familia. Además, los profesionales de este nivel intentarán desarrollar actividades preventivas, utilizando los recursos existentes en su área. Es importante que se utilicen estos ámbitos para ofrecer protección al niño o desarrollar acciones encaminadas a movilizar los recursos sociales y judiciales,

CUADRO 18. Práctica de redes. Un modelo piramidal de organización comunitaria para la prevención y tratamiento del maltrato infantil.

NIVEL 1

Equipo especializado: facilitador y coordinador del proceso.

NIVEL 2

Profesionales de servicios pediátricos: salud mental, medicina y psicología escolar.

NIVEL 3

Profesionales de la salud y de la atención primaria: agentes de la socialización, profesores, educadores, parvularios, policía, sacerdotes, etc.

NIVEL 4

Recursos de la comunidad: dirigentes vecinales, de asociaciones de padres, de organismos sociales, etc.

NIVEL 5

La comunidad.

---

con el propósito de asegurar la protección del menor una vez realizada la validación del maltrato.

Nivel 3: a los miembros de este nivel, tales como profesionales de la salud, de la educación, agentes de socialización y control social, es decir, policías, sacerdotes, etc., les corresponde fundamentalmente la tarea de detección precoz de situaciones de maltrato, al mismo tiempo que orientar e invitar a los padres, implicados en situaciones de violencia intrafamiliar, a consultar a profesionales del nivel 2, o si la gravedad y la complejidad del problema así lo requieren, a los equipos especializados. Los profesionales de este nivel desarrollan además acciones educativas destinadas a las familias y sobre todo a los futuros padres, además de localizar y formar a las personas y los recursos de una comunidad para organizar el nivel 4 de la estructura piramidal.

Nivel 4: compuesto por los que llamaremos «los líderes formales de una comunidad» (las organizaciones de padres, así como dirigentes o personas significativas de los organismos sociales). Tienen la tarea de sensibilizar al conjunto de la comunidad a través de campañas educativas y de la organización de grupos de reflexión, relacionados por la prevención de la violencia intrafamiliar.

Todos los miembros de este nivel participan de la comprensión ecosistémica del fenómeno del maltrato, motivando y orientando a las familias que presentan situaciones de riesgo para sus hijos, hacia un equipo terapéutico, es decir, hacia los profesionales organizados en los niveles 1 y 2. Al mismo tiempo, los miembros de este nivel apoyan y facilitan experiencias de autoayuda destinadas a los padres.

Nivel 5: por último, este nivel corresponde a la comunidad organizada y sensibilizada a través de las diferentes acciones desarrolladas en el nivel 4. Le compete ser difusora de información sobre los recursos existentes para atender a las familias. Además, los miembros de la comunidad se comprometen y transmiten la información a otras familias sobre las consecuencias nefastas de la utilización de la violencia sobre el niño, tanto a nivel físico y psicológico como sexual, difundiendo además la información psicopedagógica transmitida por el nivel 4, que previene la utilización de la violencia sobre los niños, al proporcionar contenidos para una mejor comprensión de los elementos que componen la relación adulto-niño, y para un control educativo de las situaciones y comportamientos de los niños que son vividos por los padres.

2. EL PROGRAMA DE PREVENCIÓN PUESTO EN PRÁCTICA

Este modelo fue aplicado por lo menos en tres sectores. Desde 1985, en un sector de Bruselas, correspondiente a la comuna de St. Josse.[1] A partir de 1992, en una comunidad rural del sur de Bélgica, en Waremme, y a partir de 1994 en la diputación foral de Guipuzkoa en el País Vasco-español.[2]

1. Búsqueda-Acción, subsidiada por el Fondo Hautmana de la ONE: Ensanchamiento y evaluación de las actividades médico-psicosociales, Barudy y colab.
2. María Lezana Angulo, *El lugar de los servicios sociales en la intervención*. Una experiencia sobre la incipiente formación de una red estatal para la infancia maltratada, Sevilla, 1995.

Para ilustrar la validez de este modelo, describiremos la aplicación del programa de COPRES en la comunidad de St. Josse.

El sector escogido (comunidad de 200.000 habitantes, y en los barrios limítrofes: 6.000 habitantes) tiene una población belga (40 %) y un 60 % de emigrantes, sobre todo de origen turco y norteafricano (datos obtenidos del registro de la población de St. Josse, 1989). Varios factores originaron la elección de esta comunidad: algunos miembros del equipo «SOS Enfants-Famille», tenían una práctica de concertación y colaboración con diferentes participantes sociales de los servicios médico-sociales de la comunidad con respecto a las familias; un ancho abanico de servicios diversos y complementarios existentes; por último, esta comunidad estaba ubicada en un espacio geográfico bastante bien delimitado, en el que convivían familias de inmigrantes y familias belgas de diversos grupos y pertenencias sociales. El proyecto encontró, por lo tanto, interventores sociales interesados y motivados para el desarrollo de una práctica de red alrededor de una problemática específica. El equipo «SOS Enfants-Famille» mantuvo un rol de ayudante y animador durante este proyecto. La puesta en marcha del mismo desencadenó un proceso en el que podemos distinguir tres etapas:

Primera etapa: mapa de la red. Se trataba de hacer un inventario, seleccionando los diversos servicios e interventores presentes en el terreno, susceptibles de ser movilizados para la acción preventiva, partiendo de la experiencia de tener un conocimiento de la prevalencia y de los tipos de maltrato.

Segunda etapa: convocatoria y movilización de la red. Esta etapa se subdivide en:

1. Etapa de información (1985), a través de contactos con las diferentes instituciones concertadas, seguidos de reuniones de concertación para desembocar en la aceptación del proyecto piloto de prevención y del modelo de organización, basado en la delegación de roles y deberes.

2. Etapa de formación, a través de diez sesiones (1985-1986), cuya meta sería la transmisión de un modelo teórico acompañado de la realización de ejercicios prácticos de aplicación del modelo sistémico a situaciones concretas vividas por los participantes, así como el desarrollo de una cohesión cognitiva y afectiva de todos los interventores comprometidos en el proyecto (estructuración de una red de interventores).

Estas dos fases permitieron a los participantes encontrarse, disminuir sus prejuicios sobre el rol de cada uno, establecer lazos y administrar juntos de modo concreto casos de maltrato.

El acercamiento sistemático, que parece ser el camino más adecuado en este tipo de problemática, estaba ya presente en el espíritu y la práctica de la mayoría de los participantes. Los talleres de formación fueron útiles para consolidar el modelo teórico, así como para perfeccionar las técnicas de análisis e intervención de las familias en riesgo. Los participantes pudieron expresar las dificultades encontradas en el terreno, debidas a la falta de coordinación entre las personas y servicios para ocuparse de la infancia. Manifestaron su inquietud por tener que adoptar responsabilidades en situaciones en las que la vida de los niños estaba en peligro, sin tener la ayuda institucional adecuada (COPRES-St. Josse).[3]

Tercera etapa: la constitución de la red, «el cambio por la acción concreta». La coordinación de prevención al sufrimiento infantil comenzó a funcionar en St. Josse a partir del mes de octubre de 1986, desarrollando una acción basada en los siguientes puntos:

— Colaboración interinstitucional en los casos de maltrato detectados en el sector, a fin de proteger a los niños y de ofrecer un apoyo a las familias en dificultades, utilizando en principio sus recursos naturales.

— Movilización de otros colectivos sociales a fin de elaborar y consolidar herramientas de prevención, tales como espacios de juego para los niños, horarios escolares para los deberes, trabajo con los adolescentes, grupos de padres, guarderías nocturnas, etc., sensibilizándolos frente al trabajo de apoyo de las familias en dificultad.

— Desarrollo de un programa de prevención, comenzando por recoger información en las escuelas sobre casos de malos tratos.

La reunión mensual de COPRES (en los locales del Centro de Planificación Familiar) es un espacio de intercambio y de coordinación de acciones programadas. Participan en esta reunión alrededor de veinte personas, que pertenecen a once instituciones activas en la

---

3. Actualmente son miembros del COPRES: «SOS Enfants-Famille» de la Clínica Universitaria Saint Luc, el Movimiento contra el La Gerbe, el sector de salud mental del Centro de Planificación Familiar Josafat, las diferentes oficinas ONE de barrio y el Centro de Salud de St. Josse.

comuna a nivel de la infancia. La dinámica de esta reunión es, por analogía, comparable a un ritual regular destinado a mantener y recrear tres pilares que mantienen la cohesión de la red.

Los pilares de la cohesión

Los casos de maltrato diagnosticados en el sector son administrados por los servicios del mismo con el apoyo del equipo «SOS Enfants-Famille». La práctica desarrollada nos ha permitido aplicar un programa de intervención que abordaremos detalladamente en las páginas siguientes.

Desde 1987, tres unidades animadas por trabajadores de los centros de salud mental que colaboran con el proyecto, han empezado su trabajo en los locales de las consultas posnatales de la ONE. Estas unidades constituyen espacios complementarios de juegos y esparcimiento para los niños, así como experiencias de intercambio y contacto para los padres, especialmente para las madres jóvenes y aisladas, facilitando el proceso colectivo de interayuda entre padres y a la vez estimulando a los niños.

Estas unidades han permitido igualmente que los animadores actuaran sobre ciertos factores de riesgo (personales, familiares y sociales) como el aislamiento, la falta de límites hacia la función parental, etc., que podrían favorecer la emergencia del maltrato. Metafóricamente, podríamos decir que ese lugar de encuentro ha sido percibido como la plaza del pueblo o del barrio en que la comunidad se vivencia como tal.

Después de haber analizado los problemas del barrio, nos pareció el más emergente el de los niños que se encontraban en la calle sin delimitaciones, tanto por la estrechez de sus viviendas como por la falta de posibilidades de actividades extraescolares adecuadas. Nuestra primera actuación fue crear y mantener, en el barrio, un lugar de acogida donde los niños pudiesen venir sin impedimentos.

Psicólogos comprometidos en este proyecto habilitaron este lugar de acogida donde los niños podían encontrar ayuda individual para sus tareas escolares, un lugar para jugar, donde los adultos estaban siempre dispuestos a oír sus peticiones, sus preguntas, etc. Actualmente, la «Casa de los niños» acoge alrededor de cuarenta y cinco niños repartidos por grupos por edad. El equipo de animadores ofrece también posibilidades de encuentros a los padres de los niños que participan en esta experiencia.

Sensibilizar a escolares adolescentes en modelos alternativos de educación es otro aspecto en donde COPRES aplica sus esfuerzos, basándose, sobre todo, en la experiencia de diez años de práctica de animaciones realizadas, en las escuelas del barrio, por el equipo del Centro de Planificación Familiar, Grupo Josafat, sobre la sexualidad y la contracepción.

El programa desarrollado por los animadores de este equipo se extiende para introducir como materia de reflexión los temas relativos a la relación padre-niño, en el marco de las actividades programadas por los profesores, particularmente los de religión y moral. Estas experiencias han permitido a los adolescentes de diferentes culturas intercambiar sus vivencias sobre el tema de la violencia familiar y social, facilitando así todo tipo de posibilidades que permitan considerar alternativas relacionales respecto a este fenómeno (la importancia de la palabra, las posibilidades de diálogo, el respeto hacia la diferencia y la aceptación de los derechos de cada uno, etc.). Durante estos últimos años, un programa relativo a la información de los niños sobre los riesgos de abuso sexual, las causas y sus consecuencias, ha extendido las actividades de este equipo al utilizar el programa de prevención de abusos sexuales de Quebec, Canadá (Programa «Mi cuerpo es mi cuerpo»).

Las escuelas son un espacio privilegiado para la prevención del maltrato. La sensibilización del profesorado hacia la fenomenología del maltrato, así como las posibilidades de ayuda, son algunos de los puntos fundamentales de la acción preventiva. Se han realizado diferentes reuniones de trabajo con el profesorado y la dirección de las escuelas del sector. A título de ejemplo, una jornada de estudio con la participación de todo el cuerpo docente de las escuelas comunales primarias de St. Josse nos ha permitido, por un lado, hacer un diagnóstico sobre la forma en que se presentan las situaciones de maltrato y negligencia, y por otro sensibilizar a los profesores acerca del sufrimiento infantil ligado a estas situaciones, como también lograr una actitud de colaboración con los programas.

3. EL PROGRAMA DE INTERVENCIÓN TERAPÉUTICA

Nuestro programa de intervención está basado en dos postulados que emergen fundamentalmente de una reflexión ética. El primero es que nadie, cualquiera que sea su circunstancia, por muy dramática que haya sido su historia social y familiar, tiene el derecho de utilizar, maltratar, abusar, o tener descuidado a un niño. En consecuencia, el primer deber de todo profesional y de todo ciudadano es actuar para restaurar el respeto a todo ser vivo, especialmente el respeto a todos los seres humanos, particularmente a los niños. El segundo postulado es que «el bienestar del niño» no es nunca un regalo o el efecto de la buena o mala suerte; al contrario, el bienestar infantil es una producción humana, esfuerzo del conjunto de una sociedad.

La estrategia terapéutica será diferente si el maltrato es producido por una familia suficientemente sana, que sobrecargada por una situación de crisis se encuentra en la incapacidad de manejar la agresividad dentro del sistema, provocando comportamientos de maltrato que afectan a los niños, o si se trata de un sistema familiar que produce maltrato infantil de una forma crónica y a menudo transgeneracional, donde éste es precisamente la expresión de una ausencia de crisis evolutiva en el desarrollo histórico de la familia.

La terapia en casos de crisis familiar

Cuando la familia produce comportamientos de maltrato como consecuencia de una situación de crisis, o se torna inestable a causa de ella, y se comete una agresión física o psicológica a uno de sus niños, la red terapéutica tendrá como finalidad ayudar a la familia a controlar los componentes de la crisis, movilizando los recursos familiares y del entorno social para que la familia encuentre un nuevo equilibrio. Aquí se trata, por lo tanto, de ofrecer una terapia a la situación de crisis. La recuperación terapéutica de la familia comienza cuando ésta encuentra en su entorno la solidaridad y los recursos necesarios para equilibrarse nuevamente. En esta situación, los padres son conscientes de estar sobrecargados por una serie de tensiones y de estrés, y son capaces de reconocer su violencia. Cuando se trata de una agresión extrafamiliar, por ejemplo, cuando el niño o los niños han sufrido malos tratos por parte de un agresor sexual extrafamiliar, los padres se muestran sensibles al sufrimiento y se identifican con el niño-víctima. Por lo tanto, en este caso los adultos están o se muestran deseosos de ser ayudados y muchas veces son ellos mismos los que piden ayuda a los diferentes servicios existentes. A pesar de sus comportamientos violentos, han mantenido su dignidad y pueden diferenciar entre sus comportamientos habituales y aquellos provocados por el desbordamiento como consecuencia de las crisis.

Antes de provocar un acto de maltrato, estas familias funcionaban como familias suficientemente sanas, poseedoras de una organización armoniosa asociada con imágenes positivas que los diferentes miembros de las familias habían podido construir a través de su historia. Esto permite a los padres tener acceso a una autocrítica en relación con lo que han hecho, dando a los niños la posibilidad de expresar su sufrimiento y de manifestar un rechazo a la situación de maltrato de la que son víctimas. Con un apoyo exterior, es posible provocar los cambios necesarios para que se establezca otro modo de comunicación, haciendo desaparecer el riesgo de comportamientos de maltrato.

Cualquier familia suficientemente sana puede presentar comportamientos maltratadores en situaciones de acumulación de tensión y estrés que sobrepasan su capacidad para afrontar y regular la agresividad provocada por estos factores. Los comportamientos maltratadores son generalmente físicos, a veces existe tensión emocional, y manifestaciones de descuidos temporales, pero nunca de abuso sexual. El abuso sexual es siempre producto de una fenomenología crónicamente maltratadora.

La intervención sociojudicial y terapéutica de las dictaduras familiares

El segundo grupo de familias corresponde a lo que hemos llamado las «familias crónicamente maltratadoras» o «transgeneracionalmente maltratadoras», en las cuales los procesos de maltrato juegan un rol homeostático porque mantienen «una cultura familiar» que se transmite de generación en generación. La violencia intrafamiliar es aquí la consecuencia de una ausencia de posibilidades de cambio, un modelo de funcionamiento repetitivo de una estructura familiar a menudo rígida y petrificada. En estos casos, las posibilidades terapéuticas comienzan por la producción de una crisis generada por una intervención que proviene del ámbito social. Nuestra experiencia con este tipo de familias nos ha enseñado a valorar la utilidad de la crisis social como instrumento terapéutico. Se trata aquí de desequilibrar el orden familiar violento desde lo social, pero al mismo tiempo ofrecer un encuadre terapéutico favorable a la familia, para permitirle que evolucione hacia un nuevo estado de funcionamiento no violento (Barudy, 1991).

A diferencia del anterior, en este grupo familiar los padres no tienen ninguna conciencia del carácter abusivo de sus comportamientos, considerándolos como normales; por lo tanto, no realizan ninguna demanda de ayuda y son refractarios a cualquier tipo de intervención. En este sentido, el primer desafío que presentan estas familias es el de recibir ayuda. Es paradójico que debamos «coaccionar» a esos padres, para derivarlos a un programa terapéutico a través de los servicios de protección al menor o de los sistemas judiciales.

Por otra parte, nuestra experiencia nos había conducido a constatar que la alianza terapéutica entre los miembros de la familia, particularmente los padres, y nosotros, sólo se podía establecer si éstos tenían la certeza de nuestra confidencialidad. Esta situación nos encerraba en una nueva paradoja: si la confidencialidad era la condición *sine qua non* para el trabajo terapéutico, no podíamos garantizársela formalmente en la medida en que éramos explícitamente la garantía para la protección de los menores. Para superar esta situación, nuestro modelo distinguió dos momentos de la intervención terapéutica: el primero, que llamaremos el «momento de la intervención social terapéutica», y el segundo, que llamaremos «la terapia con la familia» (Barudy, 1994) (véase el cuadro 19).

Estos dos momentos del proceso terapéutico son conducidos por equipos de profesionales diferentes que corresponden a los niveles 1 y 2 del modelo de organización piramidal. De esta manera, se estructuran equipos para cada momento, constituidos por sistemas que hemos llamado «las díadas psicosociales». Estas unidades están formadas por un/a psicólogo y un/a trabajador social. Para cada nueva situación se designa una díada, ya sea en la reunión del equipo especializado o en concertación con los recursos profesionales del nivel 2 y a veces del nivel 3.

Una díada está encargada de manejar la intervención social con la familia, y otra de ofrecer un encuadre psicoterapéutico a ésta si después de la intervención social existen las condiciones para hacerlo. El vínculo entre estos dos momentos está constituido por lo que llamaremos «el ritual de derivación».

Los diferentes profesionales que conocen a la familia y que constituyen a menudo una parte del entorno social de ésta, son contactados o movilizados por los profesionales encargados de la intervención social terapéutica, para un intercambio permanente con ellos coordinando las informaciones y los recursos de ayuda existentes en estos niveles.

Por otra parte, a estas díadas se les agrega un equipo que hemos llamado de «servicios generales», es decir, un subsistema compuesto por un psiquiatra, un pediatra y un abogado. Estos profesionales constituyen una fuente importante de recursos tanto para la unidad de intervención social como para la unidad psicoterapéutica de la familia y sus miembros. El psiquiatra es un recurso fundamental para diagnosticar las patologías psiquiátricas de los padres, el pediatra para manejar la hospitalización de los niños, y el abogado para coordinar los contactos del equipo de intervención con las autoridades judiciales y/o administrativas, responsables de la protección de los menores y del respeto de los derechos de todas las personas implicadas. Una de las ventajas de la existencia de los equipos especializados es poder ofrecer recursos de coordinación al conjunto de los profesionales que trabajan en la red dentro de un

CUADRO 19. Modelo general para una intervención sociojurídica-terapéutica.

A. La intervención social terapéutica:

1. Detección y manejo de la revelación.
2. Notificación o señalamiento.

a) Análisis del contexto y de la demanda de la denuncia.
b) Validación.

3. Desencadenamiento y gestión de la crisis familiar.

a) Información del resultado de la validación a la familia.
b) Coordinación y acuerdos de los profesionales y los sistemas institucionales.
c) Movilización de la red psicoafectiva del niño y su familia.
d) Coordinación y denuncia a las autoridades judiciales y/o administrativas.

4. Protección del niño.
5. Movilización de la familia para el trabajo terapéutico.
6. Rito de derivación a un equipo terapéutico.

B. La terapia con la familia:

1. Trabajo terapéutico individual sistémico.
2. Terapia de la familia.

a) Trabajo de diferenciación.
b) Reconstrucción relacional.
c) Rituales de exoneración y reparación.

3. Trabajo terapéutico institucional.

área. En ausencia de estos equipos especializados, la organización y coordinación de los recursos existentes requiere de mayor esfuerzo. El desafío aquí es poder llegar a un consenso para determinar quiénes son los que están en una mejor posición para intervenir a nivel social y para ofrecer apoyo terapéutico a los diferentes miembros de la familia, así como para ofrecer estos servicios generales. Otro desafío, en ausencia de equipos especializados, es la organización y coordinación de todas estas unidades con las estructuras administrativas y judiciales responsables localmente de la protección de los niños.

Modelo general para la intervención social terapéutica

Como ya hemos señalado, la intervención social terapéutica es un conjunto de acciones destinadas a preparar las condiciones para establecer un proceso terapéutico de la familia maltratadora, que consta de las acciones que detallamos a continuación:

1. La detección y control de la revelación

Es posible sólo gracias a la acción de los adultos, que en el entorno del niño, y muy a menudo en el entorno escolar, son capaces de establecer una relación entre las marcas físicas y ciertos comportamientos que expresan un sufrimiento en el niño, y que pueden proceder de situaciones de maltrato. Estos adultos son capaces de ofrecer espacios de comunicación a los menores donde éstos puedan, al reconocerse como víctimas, denunciar su situación. Desarrollar en los adultos la capacidad de escuchar y apoyar a los menores que revelan los malos tratos de que son objeto, es una acción fundamental en toda organización que se proponga ayudarles. Esto implica que todos los profesionales que pertenezcan al tejido no familiar del niño sean capaces, a través de una formación pertinente, de reconocer los signos y síntomas que constituyen los indicadores directos e indirectos del maltrato infantil.

Controlar una revelación significa escuchar lo que el niño nos dice, o bien, interrogarlo en relación con nuestras inquietudes de una forma no presionante y respetuosa. Se trata de apoyarle ofreciéndole protección y al mismo tiempo una oferta de ayuda terapéutica para él y sobre todo para sus padres, presuntos maltratadores. La escucha «no presionante» aparece como una necesidad fundamental, 'en la medida en que los programas se desarrollan en colaboración con los sistemas judiciales. Puesto que la credibilidad del niño y la existencia de pruebas materiales son factores fundamentales para la acción de los tribunales de justicia, tanto para tomar medidas de protección como para abrir un proceso contra los padres violentos, los profesionales nunca deben desestimar esta necesidad de una escucha no presionante. Es imperativo que los profesionales de los diferentes ámbitos organizados en una red tengan la capacidad de responder a las inquietudes del niño, abordando sus preocupaciones sobre lo que le pasará a él y a su familia, por el hecho de haber revelado la situación de maltrato.

Además de romper la dinámica de la indiferencia, transmitiendo al niño nuestro interés por lo que le pasa, es importante asegurarle que nuestra intervención no está destinada a dañarle ni a él ni a su familia, sino sobre todo a crear condiciones para que cambie su situación de niño maltratado. En este sentido, el niño deberá ser informado rápidamente de que es necesario denunciar su situación al organismo competente, ya sea social o judicial, responsable de su protección.

2. La notificación o el señalamiento

A diferencia del proceso relacional del control de la revelación, el señalamiento o la notificación es un acto que consiste en trasladar el problema que afecta al niño del dominio privado al dominio social. Los profesionales que acogen el señalamiento de niños maltratados pertenecen habitualmente a un organismo, ya sea social o judicial, ordenado por la sociedad para garantizar la protección y ayuda a los menores que lo necesitan. A partir de nuestra práctica en los equipos «SOS Enfants-Famille», hemos desarrollado un modelo de manejo del señalamiento que consiste en dos procedimientos: análisis del contexto y de la demanda de la denuncia, y proceso de validación.

A. Análisis del contexto y del contenido de la demanda en el señalamiento

Cada vez que se realiza un señalamiento a la autoridad competente tenemos que considerar que éste implica informaciones a diferentes niveles; el análisis de estos diferentes niveles corresponde a lo que llamamos «análisis del contexto del señalamiento». Por un lado, debemos considerar que todo gesto de señalamiento de una situación de maltrato expresa en primer lugar un carácter solidario y altruista del señalador. Por otro lado, no se debe olvidar que este señalamiento es una información sobre el carácter conflictivo de la situación en la cual se encuentra este señalador, y esto puede ser expresión de sus propias angustias o de sus inquietudes en relación con las consecuencias que su gesto puede tener para él o ella, ya sea en el sentido de verse implicado en un procedimiento judicial donde no quiere participar, o bien ser el objeto de represalias por parte de los miembros adultos de la familia señalada. Esto explica la importancia que hemos dado en nuestro programa a sostener y reconocer el gesto de aquel o de aquella que señala, pero al mismo tiempo de analizar con él o ella el contexto en el cual emerge este señalamiento, así como los riesgos visualizados por este señalador. Es de especial interés, además, analizar el contenido implícito y explícito de la demanda del señalador, en la medida en que muchas veces éste, de una forma implícita, tiene también una proposición sobre la forma de cómo ayudar al menor y/o intereses en la situación. Por ejemplo, el señalador/a puede estar en conflicto, ya sea con la persona señalada directamente como maltratadora y/o con el conjunto de la familia a la cual pertenece el menor.

Es importante considerar que el significado de un señalamiento depende del contexto en el cual éste se produce, así como de la persona que lo realiza. Por ejemplo, la dinámica de una madre en proceso de divorcio, señalando que su hija le ha revelado un abuso sexual cometido por su ex marido, con quien ella se encuentra en una situación de conflicto intenso por la custodia de la niña, es totalmente diferente al señalamiento de un profesor a quien un niño ha podido confiar el contenido de su drama a partir de la confianza establecida con él. En estas dos situaciones, el control del señalamiento será totalmente diferente y el enfoque de ayuda dirigida al menor deberá tomar en cuenta esta diferencia de contexto. Los profesionales que trabajan en las instancias sociales son responsables de examinar, a través de una pauta de validación, los elementos que permitan confirmar la situación de maltrato, independientemente de la subjetividad y del clima emocional impuesto por el señalador.

B. El proceso de validación

Consiste en establecer un procedimiento destinado a confirmar o informar del contenido de un señalamiento. No se trata de realizar un diagnóstico objetivo; a menudo en nuestros programas utilizamos el término de «convicción» para insistir sobre el hecho

CUADRO 20. La validación.

1. Validar la existencia de malos tratos y características de los mismos.

— Indicadores directos.
— Indicadores indirectos.

2. Determinar la gravedad y la urgencia de la intervención.

3. Evaluar la dinámica familiar.

— Zonas de patología y disfuncionalidad.
— Recursos familiares.
— Plasticidad estructural y posibilidades de cambio.

4. Evaluar áreas de conflicto y de recursos de la red social de la familia.

— Proponer las medidas de protección para el niño y un diseño terapéutico integral.

de que en la mayoría de las situaciones de maltrato, salvo el maltrato físico, donde las marcas son evidentes, es imposible «objetivar» la existencia de malos tratos. La convicción es el resultado de lo que hemos llamado un proceso «subjetivamente científico», que se basa en el compromiso ético de los profesionales y en el análisis de los datos recogidos en el marco de una dinámica multidisciplinar.

La validación es un procedimiento destinado a:

• Afirmar la existencia de malos tratos, determinando su naturaleza.

• Determinar los factores de gravedad, que dependen del contenido de los malos tratos, del nivel de los daños sufridos por el niño, así como de los riesgos de reincidencia. Todo esto servirá para determinar el grado de urgencia de la intervención.

• Evaluar los aspectos disfuncionales de la dinámica familiar, sus recursos, así como su plasticidad estructural para determinar su posibilidad de cambio.

• Determinar el mapa de la red de instituciones y profesionales que se ocupan tanto de la familia como de la red social informal.

• Proponer las medidas de protección del niño y la ayuda terapéutica más adecuada considerando al niño y su familia.

Una parte importante de este procedimiento de validación descansa en la capacidad del profesional para poder realizar una entrevista de investigación no presionante, y así permitir que el niño comunique su drama, al que puede estar sometido.

Las entrevistas de investigación

Las entrevistas con los niños se insertan en un proceso donde son necesarias numerosas sesiones. El profesional deberá resistir presiones de todo tipo para respetar el ritmo del niño tomando el tiempo que sea necesario. Al niño se le debe recibir en un medio neutro, solo o acompañado de un adulto de confianza, sintiéndose todo el tiempo apoyado. La desdramatización es importante, así como la transmisión de mensajes que le inspiren seguridad; mensajes como «aquí vienen a menudo otros niños que han vivido lo mismo que tú y que tienen la misma dificultad para contarnos lo difícil de su situación...», ayudan al niño a que deposite la confianza en el adulto responsable de las entrevistas. El profesional siempre tendrá presente la necesidad de colocarse en el lugar del niño, adaptando su vocabulario a su realidad y a su percepción del tiempo, y tratando de disminuir su ansiedad en cada momento.

3. *El desencadenamiento y control de la crisis familiar*

La confrontación de los padres presuntamente maltratadores con los resultados del proceso de validación, introduce una perturbación importante en el equilibrio de la familia. En este momento se expresa la disponibilidad de la familia para recibir ayuda. La crisis familiar desencadenada por la intervención de los profesionales debe mantenerse mientras sea necesario para el quebrantamiento del funcionamiento violento y abusivo de los adultos de la familia. Mantener la crisis impide toda reestructuración familiar alrededor de la descalificación del discurso de la víctima o la negación de los hechos. Para obtener un resultado positivo de esta situación de crisis, hay que respetar una sucesión de etapas. Así, el resultado de la validación debe ser expuesto en un clima de firmeza y de respeto para las reacciones defensivas de la familia. Para ilustrar este diálogo confrontador con los padres, vamos a presentar el caso de una niña pequeña, de ocho meses, hospitalizada en el servicio de pediatría en estado inconsciente, con fractura de cráneo y al mismo tiempo desprendimiento de las partes superiores de los húmeros de los dos brazos:

PROFESIONAL: Todo lo que nosotros sabemos es que ustedes trajeron a su hija en un estado de inconsciencia, con una fractura de cráneo y una doble fractura de brazos que seguramente es el resultado de una situación de descontrol, como si alguien la hubiera tomado por los brazos y lanzado lejos. El resto son ustedes quienes lo saben. Pero para poder ayudar a su hija y a ustedes es necesario saber la verdad.

PADRE: ¿Cómo? Yo no sé nada, yo no sé nada. Estábamos lavándola en el lavabo, no me acuerdo de lo que pasó. Seguramente debió golpearse la cabecita en el lavabo, suponemos. No sé muy bien lo que sucedió. La encontramos rara, lo único que recuerdo es haberle dado una palmada en el trasero, es lo más probable, sí, yo creo que le di una palmada, no me acuerdo.

PROFESIONAL: Lo más probable es que usted estaba tan enojado en ese momento que no se acuerda de lo que hizo.

PADRE: ¿Qué es lo que quiere decir con eso? Nosotros no le hicimos nada a nuestra hija.

PROFESIONAL: Usted estaba enojado y ella estaba llorando, ustedes no sabían qué hacer y seguramente perdieron la cabeza.

PADRE: Ya le he dicho, ya le he repetido mil veces, que yo no he martirizado a mi hija, yo no soy ningún loco, no soy ningún sádico.

PROFESIONAL: Su hija recibió golpes y eso no pudo pasar sin más.

PADRE: Nosotros lo que queremos es que nos devuelvan a nuestra hija.

PROFESIONAL: No es posible, para proteger a su hija ella debe quedarse en el hospital el tiempo que sea necesario y esto además lo hacemos para protegerles también a ustedes. Vamos a poner la situación en conocimiento del juez de menores para organizar con él la manera de ayudar mejor a su hija y para poder ayudarles a ustedes. Estamos convencidos que de esta manera también los protegemos, porque se trata de su hija. Si ustedes hicieron esto es probable que fuera porque vivieron experiencias similares cuando fueron niños y seguramente nadie los protegió. Protegiendo a su hija, nosotros estamos dándole la ayuda que nadie les dio a ustedes en el pasado.

La constitución de una red de profesionales que funcione a largo plazo alrededor de cada familia que produce maltrato infantil, deberá crear una dinámica solidaria entre los profesionales y la familia; a este proceso lo hemos llamado «tribalización». La red de profesionales deberá no solamente intercambiar sus competencias en términos de cuidado hacia la víctima y su familia, sino también asegurar la protección de las víctimas, llevando a los responsables de esta violencia ante la ley a través de la concertación con sistemas judiciales y/o con las autoridades sociales responsables de la protección de los niños y motivando a los padres a participar en los procesos terapéuticos. Es necesario movilizar de una forma constructiva la red psicosocial afectiva del niño y la familia, es decir, aquellas personas o sistemas informales que existen en la comunidad a la que pertenece la familia, así como a los diferentes miembros de la red familiar. He aquí un ejemplo concreto:

> La pequeña M., de siete años, de origen africano, menor de una familia de cuatro niños, había sido señalada en diferentes ocasiones por la enfermera escolar y por los profesores, por presentar marcas de correazos en su cuerpo. Como consecuencia del último señalamiento, la enfermera decide contactar con nuestro programa. La validación realizada por profesionales de nuestro equipo permitió establecer en el cuadro de una dinámica educativa que la niña había sido maltratada por su padre. La menor presentaba además trastornos de comportamiento desde que su padre se había vuelto a casar, debido a la muerte de la madre, a los tres años de enviudar. Después de haber hablado y llegar a acuerdos con un conjunto de profesionales que conocían a la familia, decidimos convocar al padre y a la madrastra a una reunión para discutir las dificultades de la pequeña M. Al mismo tiempo, pedimos al padre que invitara a todos los miembros de la familia que pudieran ayudarnos en todo lo relacionado con sus dificultades familiares y con su hija. El día de la reunión asistieron diecisiete miembros de la familia, lo que sobrepasó nuestras expectativas. Tuvimos que buscar sillas para todo el mundo. El desarrollo de la reunión fue muy constructivo, pues nos permitió comprender mejor las dificultades familiares relacionadas no solamente con la muerte de la madre de los niños y el nuevo matrimonio del padre, sino también con los elementos estresantes ligados a la situación de inmigración y la existencia de creencias educativas que justificaban la violencia. De esta manera, la pequeña fue acogida temporalmente en la familia de una hermana del padre, comenzando a su vez un trabajo terapéutico con la familia.

Para garantizar la protección de los menores, en otras ocasiones es necesario coordinar acciones con las autoridades administrativas y judiciales responsables de su protección; esto permite además mantener la crisis y dar el tiempo necesario para el establecimiento de cambios positivos en la familia. El marco judicial permite también un debate contradictorio entre las diferentes partes implicadas, asegurando el derecho a la defensa y las posibilidades de rehabilitación para el adulto abusado (Ustefeed Wusttelfd, 1992). Nuestra práctica clínica y nuestras reflexiones sobre la importancia de imponer la ley en las intervenciones terapéuticas, sobre todo en los casos de abuso sexual intrafamiliar, nos ha permitido establecer, a través de la presencia del abogado de nuestro equipo, un diálogo y una concertación con la fiscalía de la familia de Bruselas para determinar los procedimientos de intervención psicosocial-judicial en beneficio de los niños. Así, solicitamos a menudo la intervención de la fiscalía de menores para obligar al padre abusador a salir del domicilio familiar y al mismo tiempo apoyar el procedimiento terapéutico con toda la familia. Este diálogo nos ha permitido establecer procedimientos para enfocar los aspectos de las condenas judiciales considerando los intereses de la víctima.

4. La Protección de los niños

Ya se trate de una familia en crisis o de una familia crónicamente perturbada, los profesionales tienen como tarea fundamental valorar los riesgos que corren los niños y tomar las medidas necesarias para protegerlos; al hacerlo protegen también al conjunto de los miembros de la familia. Desde el momento en que los profesionales estamos al tanto de una situación de maltrato, somos también responsables de la vida del niño, de su protección y de preservar su desarrollo. Por lo tanto, la tarea de protección del menor es la punta de lanza de la intervención social terapéutica. Esto se puede llevar a cabo de diferentes maneras. En su elección hay que considerar aquella que cause el menor daño posible al niño y que facilite el trabajo con los padres. Dicha modalidad se ha utilizado fundamentalmente en los casos de familias que provocaron maltrato en situaciones de crisis y por lo tanto se encuentran motivadas y movilizadas para colaborar con la acción terapéutica. La separación provisional del niño lo aleja temporalmente de su medio familiar maltratador, asegurándole cuidados sustitutivos de calidad, y dando a su vez el tiempo necesario para evaluar las posibilidades de la familia y del pronóstico en relación con un trabajo terapéutico a largo plazo.

De este modo, la institución de acogida pasa a ser parte del tejido social terapéutico. Por lo tanto, los educadores y los diferentes miembros de la institución son incorporados a la red como recursos terapéuticos importantes. En otros casos se tratará de acoger a la madre y a veces al padre con el o los niños en un hogar familiar. Esta medida puede ser muy útil sobre todo en el momento de la crisis provocada por el señalamiento.

La separación a largo plazo del niño puede ser una medida necesaria en situaciones de alto riesgo, que por su cronicidad y su amplitud crean un peligro para su vida y su desarrollo. Se trata en este caso de situaciones de maltrato físico, negligencia y/o de abuso sexual que se producen en familias terriblemente deficientes y refractarias a la ayuda terapéutica. Aquí, la víctima se beneficia de un medio de acogida alternativo a la familia. Pero de todas formas hay que prevenir con todos los medios posibles la ruptura de vínculos entre el niño y su núcleo familiar.

En nuestro programa hemos tratado de facilitar la creación y mantenimiento de vínculos entre la familia y el medio de acogida del niño, a través del proceso de tribalización, considerando a los miembros del medio institucional como una «familia ampliada adoptiva». Otra medida para la protección de los menores es el alejamiento del padre o de la madre abusador sobre todo en los casos de incesto. Esta exigencia protege a la víctima de eventuales recidivas, creando una distancia entre ella y su abusador que facilitará por analogía la experiencia de la diferenciación. Esta medida es muy importante puesto que evita la situación paradójica en la cual muy a menudo las víctimas deben ser internadas, es decir, son ellas las que tienen que salir de su medio familiar y vivir la experiencia de desarraigo. A la vez, dicha medida se convierte en un agente de crisis y al mismo tiempo en una apertura hacia el cambio, permitiendo al mismo tiempo que cada subsistema, en el seno de la familia, tenga la posibilidad de vivir experiencias alternativas, especialmente en lo que se refiere a un acercamiento del padre no abusador con sus hijos.

5. *El trabajo terapéutico con la familia*

Corresponde al proceso complementario de la intervención social terapéutica. Como ya se ha señalado, los padres de familias crónicamente maltratadoras tienen poca conciencia de ser maltratadores; para ellos, con frecuencia se trata de la única forma de relación con sus hijos que han conocido. A menudo estos padres tratan a sus hijos de la misma manera en la que ellos fueron tratados; por lo tanto, la protección del niño y el control de las situaciones de maltrato no son suficientes para potenciar un cambio y lograr que integren otras formas de comunicación que excluyan los actos violentos; entonces hay que hacer todo lo necesario para ofrecerles una ayuda que les permita conocer modos de relación y de comunicación en los que todos los miembros de la familia sean respetados.

El desafío del enfoque psicoterapéutico es facilitar este cambio usando todas las posibilidades de diálogo con estos padres. Una vez que la unidad de intervención social ha terminado su trabajo de validación, que el niño está protegido y la familia ha sido movilizada para el trabajo terapéutico, los miembros de esta unidad, en un ritual de derivación hacia el equipo terapéutico, presentan a los futuros terapeutas, en presencia de la familia, los elementos más importantes que los llevaron a intervenir. De esta manera se co-construye un marco de trabajo psicoterapéutico que deberá permitir la confidencialidad del contenido de las sesiones que hay que realizar, y al mismo tiempo mantener un control sobre el compromiso de la familia en este proceso. En esta reunión de derivación, los terapeutas deben asegurar a la familia que no saldrá del marco terapéutico ninguna información sobre el contenido de las sesiones, y que solamente los miembros de la unidad de intervención social y las autoridades competentes sabrán si la familia continúa o no el trabajo terapéutico y si existe el riesgo de recaída. En los casos de terapia coactiva, bajo coacción judicial y/o administrativa, se indica que los terapeutas no tendrán ningún contacto directo con esta instancia, y que la unidad de intervención social será la que mantendrá el contacto permanente con ellos.

Nuestro modelo terapéutico se basa, entre otros, en el concepto de «parcialidad multidireccional» introducido por Boszormeny-Nagy y Framo (1980). En este enfoque se trata siempre de transmitir al conjunto de la familia lo que llamaremos los «dobles mensajes terapéuticos», compuestos por los mensajes siguientes:

> No podemos aceptar lo que los adultos han hecho a los niños, pero estamos seguros de que si hubieran podido evitarlo no lo hubieran hecho. Por lo tanto, esto debe tener una explicación; vamos a trabajar juntos para tratar de encontrarla. Vamos a encontrar en la historia de cada uno los elementos que podrían ayudarnos a comprender lo que pasó. Comprender no quiere decir borrar lo que pasó y justificar el daño que ustedes provocaron a sus hijos, pero es sobre todo una posibilidad de liberarse del peso del pasado para poder decidir libremente cambiar. Nuestra experiencia con otras familias nos ha enseñado que a menudo los padres que no han podido amar correctamente a sus hijos tampoco recibieron amor cuando niños. «No se puede dar lo que no se ha recibido.» Si esto corresponde a su caso, pensamos que ustedes han sido víctimas de una doble injusticia, primero en tanto niños y luego en tanto adultos. Durante toda su infancia, seguramente recibieron el mensaje de que eran malos y ahora están acusados de ser malos padres. Para salir de este círculo infernal de injusticia, vamos a tratar de ayudarles.

La terapia con la familia nos parece una dinámica social que debe dar a cada uno la ocasión de dialogar consigo mismo y con los otros miembros de la familia, directamente cuando se trata de miembros que fueron significativos en el pasado. A través de las sesiones familiares o de las individuales, de pareja o de las sesiones con los niños, cada uno va asumiendo su responsabilidad en la producción del drama, buscando individual y colectivamente nuevas alternativas relacionales para reemplazar los modelos antiguos de abuso y de violencia Se trata de facilitar la emergencia de nuevos modos de comportamiento, de vincularse y amarse sin violencia dentro de la familia. A medida que las sesiones transcurren, los terapeutas y los diferentes miembros de la familia conversan sobre temas como la agresividad, la violencia, el sexo, los cuidados adecuados para los niños, los duelos, la ternura, el amor, el cuerpo, la justicia y la injusticia, el odio, la corrupción, y las posibilidades de cambio y de exoneración de los agresores en la búsqueda de una reconciliación de la familia.

Nuestra acción terapéutica está destinada a facilitar la confrontación de la familia con el reconocimiento de sus recursos y sus responsabilidades y, si esto es posible, facilitar entonces una reconciliación general a través de lo que nosotros llamamos el trabajo de «exoneración simbólica de los maltratadores». Potenciar los recursos de la familia manteniendo una posición justa, permaneciendo atentos a la situación de cada uno y considerando las relaciones de poder, permite ayudar a los individuos y al conjunto de la familia a transformar las dinámicas abusivas en dinámicas altruistas, recobrando de esta manera lo que llamamos «la biología del amor» tal como ha sido desarrollada por autores como Maturana y otros (Maturana, 1991).

El desafío fundamental que existe frente a la familia maltratadora es lo que hemos llamado la «humanización del sistema familiar», que consiste en promover un cambio destinado a recuperar su finalidad en tanto sistema viviente y de crecimiento.

Los terapeutas utilizan las técnicas más adecuadas y trabajan con los subsistemas más indicados. Cualquiera que sea la técnica de intervención terapéutica utilizada, el modelo o la escuela escogida, la terapia consiste en dar a cada miembro de la familia «la posibilidad de conversar» sobre sus sufrimientos, ayudarles a afrontar su dolor y descubrir sus potencialidades para poder cambiar. En el caso de los padres maltratadores, los terapeutas les ofrecerán el espacio y tiempo necesarios para desenredar el hilo de sus historias transgeneracionales, ayudándoles a tomar conciencia de sus propios sufrimientos en tanto antiguos niños maltratados, que sufrieron abusos o no recibieron cuidados. Así, los terapeutas crean espacios sociales que favorecen la emergencia de la palabra, allí donde el paso al acto maltratador, ya sea físico, sexual o negligente, reemplazaba de una forma patológica abusiva los intercambios entre los miembros de la familia. Esta forma de redescubrir la palabra como mediador de relación deberá permitir la emergencia de dinámicas familiares en donde la agresividad, la sexualidad y los cuidados hacia los menores adquirirán una forma ritualizada que respete los derechos e intereses de todos los miembros de la familia, considerando todas sus necesidades y capacidades dentro del sistema. Todo este trabajo exige por parte de los terapeutas un compromiso a largo plazo con las familias, una formación adecuada y una supervisión permanente.

El trabajo psicoterapéutico será diferente según la posición y la participación de cada miembro de la familia en el drama de maltratos o de abusos. Así, se trata de facilitar un trabajo terapéutico individual sistémico, es decir, que cada miembro de la familia, individualmente o por grupos de pares, reciba los cuidados necesarios para elaborar su drama particular y singular. De esta manera, el trabajo terapéutico con el padre maltratador no será nunca el mismo que con la víctima, con el padre no protector o con el resto de los hermanos. También es fundamental la movilización de los recursos presentes en el entorno de la familia para aportar informaciones y ayudas concretas a los padres, así como cuidados complementarios a los niños a través de su traslado a una guardería, proporcionando las ayudas económicas indispensables para dar un mínimo de recursos materiales a la familia, o incorporando a los padres a asociaciones de padres para romper su aislamiento. En lo que se refiere a la problemática del padre maltratador o abusador, hemos introducido la noción de «exoneración» en lugar de hablar de perdón, para marcar la idea de que la exoneración es un derecho que la víctima puede ejercer si su abusador o su padre o madre maltratadora o negligente reconoce sus errores y acepta la responsabilidad de los gestos y el daño que ha podido ocasionar. En este sentido, la mayoría de los profesionales que trabajan en este programa han tomado una posición muy clara en contra de toda impunidad de los agresores y de lo que es la «ideología del perdón». Por lo tanto, el proceso terapéutico que acompaña a las víctimas de maltrato debe también facilitar la expresión creativa de la rabia. Expresar la cólera por el daño sufrido no implica denigrar a la persona del padre o la madre que cometió tal acto; significa hacerse justicia a sí mismo por el sufrimiento provocado por aquél/aquélla. Y esto es válido también para la expresión de cólera en relación con el padre que no fue capaz de proteger al niño.

La víctima tiene también el derecho de denunciar y expresar su rabia hacia los otros miembros de la familia, que no fueron capaces de darse cuenta de su sufrimiento al igual que hacia los sistemas judiciales, que, ya sea por falta de pruebas o por vicios en el procedimiento, no están en condiciones de nombrar claramente al agresor y lo dejan, entonces, en la impunidad absoluta. La terapia tiene también que ayudar a la víctima a superar su odio y su deseo de venganza porque esto mantiene un vínculo destructivo con los abusadores. Se trata de ayudar a la víctima a que supere estos sentimientos para hacer emerger en ella un sentimiento de exoneración, ayudándola así a recuperar su libertad en relación con su agresor. Nunca hay que olvidar que aquí se trata de agresores que pertenecen al cuerpo familiar de las víctimas; por lo tanto, uno de los objetivos fundamentales es ayudar a la víctima a salir de la creencia de que es culpable de los malos tratos sufridos, para que se reconozca como víctima. Aunque parezca extraño, ayudar a una víctima a reconocerse como tal es uno de los ejes fundamentales del trabajo terapéutico con niños maltratados, puesto que lo que caracteriza a los procesos maltratadores no son solamente los comportamientos que hacen sufrir a los niños, sino además el hecho de que ellos tengan obligatoriamente que integrar el discurso de los padres abusadores, es decir, que son merecedores de lo que les pasa. La siguiente etapa es ayudar a las víctimas a ser lo que nosotros llamamos «superviviente de la situación maltratadora», es decir, que está en combate permanente para superar las secuelas provocadas por el proceso de victimización. Por ejemplo, se les ayudará a mejorar su rendimiento escolar, a tener mejores relaciones de confianza con los adultos o a aprender a vivir y comportarse como niños; esto es lo que abre las posibilidades para que los supervivientes del maltrato infantil se transformen en lo que nosotros llamamos «vivientes», es decir, personas que aunque vivieron el sufrimiento profundo de haber estado encerrados en estos dramas familiares, son capaces de vivir sanamente dándole un sentido al sufrimiento, a través de comportamientos altruistas y de protección de sí mismos y de otras personas que sufrieron como ellos.

Una de las experiencias personales que ha marcado profundamente mi historia y que me permitió comprender el valor liberador de la idea de exoneración, es lo que viví en uno de los viajes a mi país de origen, cuando casualmente me vi cara a cara en una calle con el hombre que fue responsable de la unidad militar que nos había torturado. Habían pasado veinte años de aquella experiencia y esa visión frente a mí provocó, por una parte, una intensa rabia, producto del recuerdo de mi sufrimiento y del de otros compañeros, pero al mismo tiempo tuve un sentimiento de compasión al constatar que ese individuo era ahora un pobre anciano y que seguramente cargaba en su conciencia el sufrimiento y la muerte de otros seres humanos. En ese momento, creí haber logrado la «exoneración» de mi torturador; esto no implica que le perdonase, porque nunca podré olvidar mi sufrimiento ni los sufrimientos de mi familia y el de mis amigos. Pero de alguna manera, en este gesto compasivo pude liberarme de lo que me quedaba de relación con mis antiguos torturadores, en la medida en que pude reconocerme como víctima dejando a mis torturadores en el lugar donde debían quedar, es decir, en el pasado. Por lo tanto, ayudar a una víctima de violencia a exonerar a su agresor quiere decir ayudarle a tomar distancia a fin de que esto pierda su significado en el proyecto existencial de la víctima. Pero para ello es necesario que la víctima se reconozca como tal, teniendo acceso a la información que le permita dar un sentido a los comportamientos de su agresor, sobre todo cuando éste ha sido su padre o su madre.

El reconocimiento de la responsabilidad del padre o madre como maltratador es un factor que favorece la recuperación de las víctimas y un signo importante de rehabilitación de los agresores.

Junto con el trabajo terapéutico dirigido a los diferentes miembros de la familia implicados en el drama del maltrato, es importante lo que hemos llamado los «procesos terapéuticos institucionales». Estos procesos pueden considerarse de dos maneras: primero, como una necesidad de que los sistemas institucionales que trabajan con niños maltratados sean constantemente ayudados para descontaminarlos de la tensión, el estrés y la agresividad que se transmite desde los sistemas familiares maltratadores hacia ellos. De aquí la necesidad de establecer programas que permitan reuniones de trabajo, en las cuales los trabajadores institucionales tengan la posibilidad de expresar lo que viven, enriqueciéndose con las experiencias de sus colegas y desarrollando actividades de autoformación; las dinámicas de intervención y de supervisión son un recurso fundamental para mantener estas terapias institucionales. Segundo, como procesos que utilicen los espacios institucionales para ofrecer ayuda terapéutica a los niños y a las familias. Se trata de que cada espacio institucional donde el niño es acogido se transforme en un recurso terapéutico para él, en el sentido de una comunidad terapéutica que le permita elaborar el contenido de sus sufrimientos, y de ofrecer modelos alternativos a sus padres.

4. ALGUNOS ASPECTOS ESPECÍFICOS DE LA TERAPIA EN LAS CONSECUENCIAS DE LOS ABUSOS SEXUALES

Es importante señalar, en el marco de este artículo, algunos aspectos específicos desarrollados por nuestro programa para hacer frente a los casos de abuso sexual.

La intervención terapéutica en los casos de abuso sexual intrafamiliar comienza cuando el niño o la niña, al divulgar su secreto a otro niño o a un adulto ajeno a la familia, se siente escuchado, apoyado y valorado en lo que cuenta. Desgraciadamente, existen todavía muchos adultos incapaces de creer lo que los niños cuentan. En los casos de incesto esta actitud es aún más nefasta, en la medida en que una vez que la víctima ha decidido hablar, si siente que no existe apoyo de la persona a quien dirige su mensaje, es muy probable que ya no se atreva nunca más a hablar por segunda vez. Numerosas experiencias han demostrado que los niños raramente mienten o fabulan en los casos de abuso sexual intrafamiliar. La minoría que lo hace es empujada por presiones de otros adultos y/o para denunciar otro tipo de problemas existentes en la familia. Escuchar y creer lo que los niños dicen es la única alternativa posible para poder ofrecer una ayuda al niño o niña que ha sufrido abusos sexuales y a los miembros de su familia.

Fases del proceso de intervención

Nuestros equipos intervienen en el proceso de una familia abusiva a partir del momento en que alguien, un adulto u otro niño, a menudo ajeno a la familia y confidente de la víctima, contacta con nosotros para solicitar nuestra intervención. A continuación describiremos las etapas de este proceso:

Fase de control de la divulgación: nuestro modelo de intervención comienza reconociendo el coraje y la creatividad del confidente, que puede ser una compañera/o de la familia, el médico de la familia un profesor, una enfermera escolar, un vecino, un sacerdote, etc. Al creer en lo que el niño o la niña ha divulgado y tomar partido por él o ella, esta persona es considerada como un recurso en el control de la divulgación. En presencia de esta persona entramos en contacto con la víctima y procedemos a la anamnesis que nos permite comenzar a comprender el funcionamiento de la familia abusiva a través de lo que la víctima nos dice. Nuestro programa ofrece inmediatamente al niño un alojamiento provisional fuera de su familia, que permite protegerle y al mismo tiempo mantenerle a distancia de las reacciones que su divulgación provocará en el abusador y en el conjunto de su familia. Nuestra experiencia, como la de otros equipos que trabajan en problemas similares en Canadá y Estados Unidos, nos ha enseñado la importancia de proteger a la víctima de todas la maniobras represivas que van a ser utilizadas por la familia, especialmente por el abusador, para anular el impacto de la divulgación. Algunos casos, que terminaron con consecuencias desastrosas para la víctima, nos ayudan a mantener actualmente esta posición de una manera firme e irrevocable. Basta un contacto mínimo entre la víctima y el abusador, por ejemplo una mirada o una palabra de éste, para que la víctima comience a dudar y a retractarse de lo que ha dicho.

Fase de la crisis familiar: como ya hemos señalado, las posibilidades terapéuticas de una familia abusiva comienzan y deben mantenerse a través del desarrollo de una situación de crisis que le impida reestructurarse alrededor de la descalificación de la víctima o de la minimización o negación de los hechos abusivos. La crisis familiar es desencadenada lo más rápidamente posible, a menudo casi al mismo tiempo que la divulgación. Los equipos de intervención en crisis convocan al padre no abusador para comunicarle los resultados de la validación. La reacción de este padre ante los hechos denunciados nos informa del grado de su implicación en los procesos abusivos, así como sus posibilidades para ser considerado como una fuente de ayuda para la víctima. Si el abusador es el padre, y la madre se muestra ambivalente y/o manifiesta comportamientos o propósitos que nos hagan pensar en cierto grado de complicidad con el abusador, se tomarán medidas de protección para la víctima, sin tener en cuenta a la madre como ayuda para ésta, por lo menos a corto plazo. Enseguida se convoca al abusador poniéndole al tanto de los resultados de la validación. Su reacción ante el contenido de ésta, los elementos de su historia personal y las informaciones recogidas por los profesionales sobre su estructura de personalidad, jugarán un rol fundamental en la organización del programa terapéutico destinado a ayudarle a él y a su familia. El control de la crisis familiar se mantiene a través del alejamiento del abusador del domicilio familiar, dando cuenta de la situación al sistema judicial.

En Bélgica, a través de la ley de la protección de la juventud, existen condiciones para obtener del marco judicial una restauración de la ley dentro de estas familias, sin que existan necesariamente medidas punitivas contra los padres. Pero si el poder judicial considera necesario condenar a los padres abusadores en el marco de esta misma ley, es posible continuar el trabajo terapéutico con las familias facilitando la rehabilitación del padre abusador. Esto explica que en ocasiones, para provocar y mantener la crisis, utilicemos los instrumentos que esta ley ofrece para asegurar el derecho y el bienestar de los niños a través de un trabajo concertado con los tribunales de menores y/o con las instancias sociales de protección infantil.

El trabajo de terapia familiar a través de la diferenciación, reparación y exoneración

El drama de los personajes implicados en la tragedia del incesto radica en que el «libreto» que interpretan los perpetúa en una elección limitada de comportamientos, y los bloquea en un marco abusivo mientras no sobrevenga la crisis que cuestione al personaje, y que provoque una apertura y una recuperación de la condición humana de cada implicado. La familia abusadora, en tanto sistema determinado por su estructura, estaba reducida, antes de la crisis, a interacciones abusivas donde una de sus manifestaciones fue el abuso sexual. Esta situación impedía un verdadero encuentro de diálogo y de respeto entre sus miembros. Nuestro desafío como seres humanos portadores de un rol terapéutico es contribuir a crear las condiciones para que exista un verdadero diálogo interpersonal. Sin entrar en descripciones detalladas de nuestra metodología de trabajo terapéutico, haremos mención de sus ejes principales:

El trabajo de diferenciación: en la primera fase de la terapia con la familia, dialogamos en sesiones individuales con las personas implicadas en el proceso abusivo por separado —el abusador, la madre, los hermanos, etc.—. Esto puede hacerse en sesiones individuales o en sesiones de grupo, es decir, grupos con otros abusadores, con otras víctimas, con otras madres. El objetivo de esta primera parte del proceso terapéutico familiar es facilitar la reflexión de cada uno sobre el lugar singular que ocupó en la situación abusiva, su responsabilidad, los perjuicios, y las consecuencias positivas y negativas de sus actos a lo largo del proceso de abuso y después de su divulgación. Este modo de trabajar permite la apertura hacia un proceso de diferenciación y recuperación de la libertad y la creatividad de cada uno, a través de este proceso de asumir la responsabilidad del rol jugado en la dinámica abusiva, tomando además conciencia de los determinantes históricos, sociales y culturales que le influyeron. Ayudar a cada miembro de la familia a aceptar su corresponsabilidad en la protección del incesto, y a liberarse de determinantes del pasado, es ayudarles a recuperar sus libertades y su creatividad.

El trabajo de reparación y exoneración: la segunda parte del proceso de terapia familiar consiste en facilitar el diálogo entre los diferentes miembros de la familia en torno a conversaciones que posibiliten, en primer lugar, cambiar la dinámica creada por la ley del silencio y los secretos, e inmediatamente después, facilitar el diálogo y los comportamientos simbólicos destinados a la reparación de la víctima y la exoneración de los adultos (el abusador directo y/o el padre no protector), y finalmente, si es posible, una renegociación de la relación conyugal y de las interacciones parentales, a fin de asegurar un buen funcionamiento familiar en el que los derechos y el bienestar de cada miembro sean respetados.

A través de nuestra metodología terapéutica hemos obtenido resultados alentadores cuando hemos podido conducir con firmeza y respeto las diferentes etapas descritas. Nuestra práctica nos ha enseñado a distinguir los casos de familias que al principio no estaban dispuestas a la intervención terapéutica, pero que a medida que fueron enfrentadas a esta metodología terminaron aceptándola y participando en el proceso terapéutico. Existen otros tipos de familias en los que, a pesar de las posibilidades terapéuticas ofrecidas por nuestro programa, los adultos abusadores siguieron optando por un funcionamiento rígido y totalitario; en estos casos, la negación absoluta de los hechos por parte del abusador y la complicidad de la esposa y de otros adultos del entorno inmediato, muchas veces pertenecientes a clases sociales favorecidas, nos ha obligado a optar por un enfoque centrado en el sufrimiento de la víctima, ya sea a través de sesiones individuales o en grupo con otras víctimas, igualmente basado en una metodología ecosistémica.

CONCLUSIÓN

A lo largo de este capítulo hemos querido compartir nuestros modelos de la terapia y la prevención del maltrato infantil. Mi finalidad no ha sido sólo transmitir una experiencia desarrollada en el marco de una sociedad particular como es la sociedad belga, sino sobre todo asociarme de una manera simbólica a las reflexiones y las luchas de quienes continúan defendiendo los derechos humanos, particularmente los derechos de los niños, en cualquier lugar del mundo. En nuestro caso, los fundamentos éticos que animan nuestra práctica es que nadie tiene el derecho de abusar de otro ser humano, sean cuales sean sus razones, experiencias o contextos; por lo tanto, la tarea esencial de todo ser humano, particularmente de todo terapeuta, es hacer todo lo posible para comprometerse en la defensa de la vida. Por otra parte, nuestras reflexiones epistemológicas se basan en la idea de que la felicidad y el bienestar del niño no es nunca el efecto de la casualidad, de la mala o buena suerte; muy al contrario, es una producción humana nunca puramente individual, ni siquiera únicamente familiar, sino el resultado del esfuerzo de la sociedad en su conjunto. La protección y la defensa de los derechos del niño constituye por consiguiente la tarea de todos los que se reconocen como seres humanos. En lo que se refiere a la asistencia a los niños víctimas de maltrato infantil y abuso sexual, el desafío es facilitar dinámicas sociales participativas en las que cada cual, conforme a su nivel y competencia, pueda crear con los niños y sus familias condiciones y respuestas para prevenir y tratar las agresiones y abusos sexuales. Si no encontramos esta respuesta, existe el riesgo de que millones de niños continúen atrapados en estas realidades de violencia y reaccionen ante ellas mediante comportamientos disfuncionales y destructivos. Ha llegado la hora de que nuestras sociedades acepten que detrás de cada niño adolescente delincuente, toxicómano, enfermo psiquiátrico, prostituido, etc., hay una historia social de poder y violencia. Aceptar esta realidad podría conducirnos hacia nuevas y más amplias posibilidades de prevención de fenómenos tan trágicos como la existencia de niños obligados a sobrevivir y a encontrar un sentido a su vida autodestruyéndose.

BIBLIOGRAFÍA

Adima, *Guía de atención al maltrato infantil*, Sevilla, ADIMA, 1993.

Ainsworth, M. D. S., «Attachements Beyond Infancy», *American Psychologist*, n° 44, 1989, págs. 709-716.

Andolfi, M. y colab., *La Forteresse Familiale*, París, Dunod, 1982.

Arruabarrena, M. I. y de Paul, J., *Maltrato en los niños en la familia*, Madrid, Pirámide, 1994.

Atlan, H. L., *L'organisation biologique et la théorie de l'information*, Hermann, París, 1972.

Ausloos, G., «Finalités individuelles, finalités familiales: ouvrir des choix», *Thérapie familiale*, Ginebra, 1983, vol. 4, n° 2, págs. 207-209.

Bandler, R. y Grinder, *La estructura de la magia*, Santiago de Chile, Cuatro Vientos, 1980.

Barudy, J., «La mise à jour de l'inceste et de l'abus sexuel: crise pour la famille, crise pour l'intervenant», en *Cahiers critiques de thérapie familiale et de pratique de réseaux*, n° 10, Bruselas, 1989.

Barudy, J., «A programme of mental health for political refugees: Dailing with the invisible pain of political exil», *Rev. Soc. Sci. Med.*, vol. 28, n° 7, págs. 715-727, Londres, Pergamon Press, 1989.

Barudy, J., «L'utilisation de l' approche systémique lors de thérapies avec des familles de réfugiés politiques», *Rev. Thérapie Familiale de Geneve*, vol. 10, n° 1, págs. 15-31, Ginebra, 1989.

Barudy, J., «Les enfants de l'Intifada Palestinienne: une approche psycho-sociale de leur souffrance», en *L'enfance dans le monde*, vol. 6, n° 2, 1989.

Barudy, J., «L'agressivité dans la famille: perspectives thérapeutiques», *Cahier Sc. Fam. et sex.*, n° 15, 1991, págs. 93-110.

Barudy J., «La violence comme organisatrice de la subjectivité individuelle, familiale et sociale», en *Neuropsychiatrie de l'enfance*, 40 (7), 1992, págs. 373-377.

Barudy, J., Bonnier, Ch. y Hayez, J. Y., «Les différents champs d'analyse et d'intervention systémique dans la maltraitance infantile», en *Thérapie familiale*, Ginebra, 1987, vol. 7, n° 2, págs. 169-183.

Barudy, J. y Charlier, D., «Le décodage de l'urgence dans les situations de maltraitance d'enfants», en *Le travail de la crise à l'épreuve de l'urgence*, Bruselas, Confédération Francophone des Ligues de Santé Mentale, 1987.

Barudy, J., Huybrecht, B. y Draguet, J. M., «Prévention de la maltraitance: une approche écologique», en *Service Social dans le monde, Revue internationnal de service social*, n°s 1-2, Bélgica, 1991.

Barudy, J. y colab., *Así buscamos rehacernos*, Lima, CELADEC, 1980.

Barudy, J. y colab., *Psicopatología de la tortura y del exilio*, Madrid, Fundamentos, 1983.

Barudy, J. y Vieytes, C. *El dolor invisible de la tortura: nuestras experiencias psicoterapéuticas con refugiados políticos*, Bruselas, Franja, 1985.

Bateson, G., «Form Substance and Difference», *General Semantics Bulletin*, n° 37, 1970.

Bateson, G., *Esquizofrenia y doble vínculo*, Buenos Aires, Lohlé, 1977.

Bateson, G., *Vers une écologie de l'esprit*, París, Seuil, 1977.

Belsky, J., «Child Maltreatment: An Ecological Integration», *American Psychologist* 35, 4, 1980, págs. 320-335.

Bettelheim, B., *Les enfants du rêve*, París, Laffont, 1971.

Bischof, N., «The biological foundation of the incest taboo», *Social Science Information*, XI, n° 6, págs. 7-36.

Bischof, N., «Ethologie comparative de la prévention de l' inceste», en R. Fox, *Antropologie bio-sociale*, Complexe.

Blumberg, M. L., «Depression in abused and neglected children», *American journal of Psychotherapie*, 35(3) 1981.

Bonnier, C., Nassogne, M. C. y Eurard, P., «Outcome and prognosis of Whizlash Shaken Infant Syndrome, late consequences after a symptom-free interval», *Rev. Developmental Medicine and Child Neurology*, 37, 1995, págs. 943-956.

Boszormenyi-Nagy, I. y Framo, J. L., *Psychothérapie familiale. Aspects théoriques et pratique*, París, PUF, 1980.

Bowen, M., *La différenciation du soi*, París, ESF, 1988.

Bowen, M., «La différenciation de soi dans sa propre famille, un texte de base», en *Thérapie Familiale*, Ginebra, 1994, vol. 15, 1 n° 2, págs. 99-148.

Bowlby, J., *L'attachement*, vol. 3, París, PUF, 1984 (trad. cast.: *El vínculo afectivo*, Barcelona, Paidós, 1993).

Bravo, M., *Incesto y violacion*, Santiago de Chile, Academia, 1994.

Browne, A., y Finkelhor, D., «Impact de l'exploitation sexuelle de l'enfant: examen de recherche», en *Programme de recherche sur la vio-*

lence familiale et Laboratoire de recherche sur la famille, Hamspshire, 1986.

Caille, Ph. y Rey, Y., *Il était une fois... du drame familial au conte systémique*, ESF, París, 1988.

Cantwell, N., «La violence corporelle des parents envers leurs enfants», *Rev. Enfance*, 1984, págs. 47-48.

Chemin, A., Drout, L., Geoffroy, J. J., Jezequel, M. T. y Joly, A., *Violences sexuelles en famille*, Érès, 1995.

Cheneyk, B., «Safe guarding legal rights», en *Providing Protective services, children*, 13 (3), 1966, págs. 87-92.

Cirillo, S., di Blasio, P., *La famille maltraitante*, París, ESF, 1992.

Cohen, F. y Lazarus, R., *Coping with stress of Illnes*, Stone, 1982.

Cooper, D., Zecca M., citados por Bassinet-Bourget, en «Systèmes, Familles et Crises», *Cahiers critiques de thérapie familiale et de pratiques de réseaux*, Bruselas, n° 8, 1988.

Criville, A., Deschamps, M., Fernet, C. y Sittler, M. F., *L'inceste, comprendre pour intervenir*, Toulouse, Privat, 1994.

Cyrulnik, B., *Sous le signe du lien*, París, Hachette, 1989.

Cyrulnik, B., *La naissance du sens*, París, Hachette, 1991.

Cyrulnik, B., *Les nourritures affectives*, París, Odile Jacob, 1993.

Cyrulnik, B. y colab., *De l'inceste*, París, Odile Jacob, 1994.

De Lannoy, J. y Feyreisen, P., *L'éthologie humaine*, París, PUF, 1987.

De Paul, J. y colab., «Maltrato y abandono infantil. Identificación de factores de riesgo», Vitoria, Servicio de publicaciones del gobierno vasco, 1988.

Erlich, M., *La mutilation*, París, PUF, 1990.

Finkelhor, D., *A sourcebook on child sexual abuse*, Beverly Hills, Sage, 1986.

Fisher, H., *La stratégie du sexe*, París, Calmann-Lévy, 1983.

Foerster, H., «La construction d'une réalité» en Watzlawick, P., *L'invention de la réalité*, París, Seuil.

Fontana, U. J., *Somewhere a Child is Crying*, Nueva York, Macmillan, 1973.

Foucault, M., *Historia de la sexualidad*, México, Siglo XXI, 1977.

Freud, S., *Totem et Tabou*, París, Payot, 1973.

Garbarino, J. y colab., *The psychological battered child*, San Francisco, CA, Jossey Bass Publishers, 1986.

Gazan, F., «Le traitement des délinquants sexuels: état de la question», *Cahiers des Sciences familiales et sexologiques*, 1990, 13, págs. 41-77.

Gonsalves y colab., «L'inceste, symptôme de troubles hiérarchiques graves dans la famille», *Revue Thérapie familiale*, Ginebra, 11, 2, 1990, págs. 155-166.

Goodall, J., *In the shadows of man*, tesis, Cambridge, 1961.

Green, A. H., Liang, U. y colab., «Psychopathological Assessment of child-abusing, neglecting and normal mothers», *Journal of Nervous and Mental Disease,* 168 (6), 1980, págs. 356-360.

Hayez, J. y colab., «De la crédibilité des allégations des mineurs d'age en matière d'abus sexuel», en *Psychiatrie de l'enfant,* XXXVII, 2, 1994.

Heireman, M., *Du côté de chez soi. La thérapie contextuelle d'Ivan Boszormenyi-Nagy,* París, ESF, 1989.

Hunneeus, F., *Lenguaje, enfermedad y pensamiento,* Santiago de Chile, Cuatro Vientos, 1986.

Jeddi, E., *Le corps en psychiatrie,* París, Masson, 1982.

Jenkins, S. y Norman, E., *Filial Deprivation and Foster Care,* Nueva York, Columbia University Press, 1972.

Kempe, H., «Sexual, abuse: another hidden pediatric problem», *Pediatrics,* 62, págs. 384-392.

Kempe, R. S. y Kempe C. H., *L'enfance torturée,* Bruselas, Mardaga, 1978.

Klefbeck y colab., «Travail en réseau dans des familles à problèmes multiples en crise», en *Project d'investigation à Botkyrt,* Suecia, 1984.

Lauret, J. C., Lasiera, R., *La torture propre,* París, Grasset, 1975.

Lemay, M., *L'eclosion psychique de l'être humain,* París, Fleurus, 1983.

Le «Nid», *Les jeunes face à la prostitution,* n° 29, Bruselas, 1989.

López Sánchez, F., «El apego a lo largo del ciclo vital», en Ortiz Baron, J. y Yarnoz Yaben, S., *Teoría del apego y relaciones afectivas,* págs. 11-62, Bilbao, Universidad del País Vasco, 1993.

López, F., «El apego», en Palacios y colab., *Psicología Evolutiva,* Madrid, Alianza.

Lorenz, K., *Studies in animal and humain behavior* (vols. 1 y 2).

Lourie, I. S., Stefano, L., *On defining emotional abuse: result of an NINH-NCCAN workshop,* en Laudergale, M. L., Anderson, R. N. y colab. 1978.

Magura, S., «Trend Analysis in foster care», *Social Work Research and Abstract,* 1979.

Martínez-Roig, A. y de Paul, J., *Los malos tratos a la infancia,* Barcelona, Martínez Roca, 1993.

Marx, E., *The social context of violent behavior,* Londres, Routledge and Kegan Paul, 1976.

Masson, O., «Mauvais traitements envers les enfants et thérapies familiales», en *Thér. Famil.,* Ginebra, 2, 4, 1981, págs. 269-286.

Masson, O., «L'épuisement professionnel», en *Térapie Familiale,* Ginebra, vol 11, n° 4, 1990, págs. 355-370.

Maturana, H., *Stratégies cognitives dans le cerveau humain,* edición a cargo de C. Morain, Le Point, 1987.

Maturana, H., *El sentido de lo humano,* Santiago de Chile, Dolmen, 1991.

Maturana, H., Varela G., *El árbol del conocimiento*, Santiago de Chile, Edit. Universitaria, 1984.

Mayer-Renaud, M., *Les enfants du silence*, Montreal, Centre des Services Sociaux de Montréal-Métropolitain, 1985.

Meichenbaun, D. y Turk, D., *Stress, enfrentamiento y enfermedad: una perspectiva cognitivo-conductual*, Barcelona, Toray, 1984.

Miermont, J., *Dictionnaire de thérapie familiale*, París, Payot, 1987.

Miller, A., *C'est pour ton bien*, París, Aubier, 1984.

Miller, A., *L'enfant sous terreur: l'ignorance de l'adulte et son prix*, París, Aubier, 1986.

Minuchin, S., *Famille en thérapie*, París, J. P. Delarge, 1979.

Minuchin, S., *Calidoscopio familiar, imágenes de violencia y curación*, Barcelona, Paidós, 1991.

Montagner, M., *L'enfant et la communication*, París, Stock, 1978.

Morey, M., *Sexo, poder, verdad. Conversaciones con Michel Foucault*, Materiales, 1978.

Napier A. y Whitaker, K., *Le creuset familial*, París, Laffont, 1980.

Norwood, R., *Las mujeres que aman demasiado*, Buenos Aires, Vergara, 1986.

Páez, D., «La carrera moral del prisionero político», en *Así buscamos rehacernos*, Lima, CELADEC, 1979.

Pittman, F., «Thérapeute familial et institution: le pot de terre contre le pot de fer», en *Systèmes, Familles et Crises. Cahiers critiques de thérapie familiale et de pratiques de réseaux*, Bruselas, n° 8, 1988.

Prigogine, I. y colab., «Ouvertures», en *Cahiers Critiques de Thérapie familiale et pratiques de réseaux*, París, Gamma, n° 3, 1980.

Rees, A., «Quand la psychothérapie devient un abus», en *Cahiers Sc. Fam. et sex.*, n° 15, octubre de 1991, págs. 181-183.

Renders, X., *Brèves réflexions à propos du travail des enfants mannequins et de concours de mini-miss*, inédito, 1990.

Rogers, C., *On Becoming a person*, Nueva York, Houghton Mifflin Compagny, 1961.

Rogers, C., *Le développement de la personne*, Dunod, París 1968.

Rogers, C. y Kinger G. M., *Psychothérapie et relations humaines*, Louvain, Presses Universitaires, 1978.

Roussaux, J.P. y Derely, M., *Alcoholismes et toxicomanies. Études cliniques*, Bruselas, De Boeck, 1989.

Schweighoffer, N., *J'avais douze ans...* París, Fixot, 1990.

Seltzer, W. J. y Seltzer, M. R., «Le matériel, le mythique et le magique: une approche culturelle de la thérapie familiale», en *Dialogue: recherches cliniques et sociologiques sur le couple et la famille*, 1986, 1er trimestre, págs. 62-76.

Sgroi, S., *L'agression sexuelle et l'enfant. Approche et thérapies*, Quebec, Trécane, 1986.

Sluzki, C., Veron, E., «La double contrainte comme situation pathogène universelle», en *Sur l'interraction*, París, Seuil, 1981.

Sluzki, C., Auto-référence et thérapie familiale. *Cahiers critiques de thérapie familiale et de pratiques de réseaux*, Bruselas, 1989.

Spitz, R., «Anaclytic depression», en *The Psychoanalytic study of the child*, 2, 1946.

Stern, D., *Le monde interpersonnel du nourrisson*, PUF, 1985.

Steinmetz, J. K., «The use of force for resolving conflict», en *Family coordination*, vol. 26, n°1, 1977.

Stierlin, H., *Le premier entretien familial. Théorie, pratique, exemples*, París, J. P. Delarge, 1979.

Summit, R. S., «The child sexual abuse accomodation syndrome», en *Child abuse neglect*, n° 7, págs. 177-193.

Thomas, E., *Le viol du silence*, París, Aubier, 1986.

Tilmans-Ostyn, E., «La thérapie familiale face à la transmission intergénerationelle de traumatismes», en *Thérapie familiale*, Ginebra, 16, 2, págs. 163-183, 1995.

Tilmans-Ostyn, E., «La création de l'espace thérapeutique lors de l'analyse de la demande», en *Thérapie familiale*, Ginebra, 8, 3, págs. 229-246, 1987.

Turcote, G. *Antécédents et conséquence de l'abandon d'enfants; Revue de la littérature*, Montreal, Direction des services professionnels, Centre des Services Sociaux de Montréal, Métropolitain, 1992.

Van Gijseghem, H., *La personalité de l'abuseur sexuel*, Quebec, Meridien, 1988.

Van Gijseghem, H., *L'enfant mis à nu*, Quebec, Méridien, 1992.

Van Marcke, D. e Igodt, P., «La thérapie familiale face à l'inceste», *Rev. Thérapie Familiale*, Ginebra, 1987, vol. 8, págs. 371-388.

Vieytes, C., «La prise en charge psycho-thérapeutique des réfugies politiques», memoria para la obtención del título licenciado en psicología, Universidad Libre de Bruselas, 1982.

Viol-Secours, *Abus sexuel et inceste: quand les mots brisent le silence*, Ginebra, 1991.

Watzlawick, P. y colab., *Une logique de la communication*, París, Seuil, 1981.

Westermarck, E., «Recent Theories of exogamy», *Sociological Review*, vol. 26, 1934.

Whitaker, C., *Meditaciones nocturnas de un terapeuta familiar*, Barcelona, Paidós, 1992.

Widlocher, D., *Les logiques de la dépression*, París, Fayard, 1982.

Wustefeld, P. A. y Vervier, J. F., «Réflexions éthiques sur l'intervention des équipes «SOS-Enfants» et de la Justice dans les systèmes maltraitants», trabajo presentado en el 26 encuentro de pediatras belgas de lengua francesa, noviembre de 1992.